爱情生长在何方

莎士比亚喜剧集

［英］威廉·莎士比亚 著
朱生豪 译

海峡出版发行集团 THE STRAITS PUBLISHING & DISTRIBUTING GROUP | 鹭江出版社 LUJIANG PUBLISHING HOUSE
2017年·厦门

图书在版编目（CIP）数据

爱情生长在何方：莎士比亚喜剧集 /〔英〕威廉·莎士比亚著；朱生豪译．–厦门：鹭江出版社，2017.3（2017.3 重印）

ISBN 978-7-5459-1284-5

Ⅰ.①爱… Ⅱ.①威… ②朱… Ⅲ.①喜剧–剧本–作品集–英国–中世纪 Ⅳ.① I561.33

中国版本图书馆 CIP 数据核字 (2016) 第 290120 号

AIQING SHENGZHANG ZAIHEFANG：SHASHIBIYA XIJUJI

爱情生长在何方：莎士比亚喜剧集

〔英〕威廉·莎士比亚 著 朱生豪 译

出版发行：海峡出版发行集团
鹭 江 出 版 社

地　　址：厦门市湖明路 22 号　　**邮政编码**：361004

印　　刷：北京市十月印刷有限公司

地　　址：北京市通州区马驹桥北口民族工业园 9 号　　**邮政编码**：101102

开　　本：880mm × 1230mm　1/32

插　　页：1

印　　张：13.5

字　　数：402 千字

版　　次：2017 年 3 月第 1 版　2017 年 3 月第 2 次印刷

书　　号：ISBN 978-7-5459-1284-5

定　　价：42.00 元

序言

欢快、逗趣、浪漫、甜美的莎士比亚喜剧

傅光明

时代的灵魂……舞台的奇迹……你的艺术是永恒的纪念碑，只要你的书在，你就永远活着……他不属于一个时代，他属于千秋万代。

——【英】本·琼森

当我读到莎士比亚的第一页时，我的一生就都属于他了！

——【德】歌德

作为一位天才的戏剧诗人，莎士比亚足够幸运！他生活、写戏的年代正值伊丽莎白一世女王统治下，英国的文艺复兴运动进入全盛期，人文主义思想日趋成熟，文学史称之为“伊丽莎白时代”。这是英国诗歌、散文，尤其戏剧发展繁盛的黄金时代。

由几个时间节点简述一下。1558 年，25 岁的伊丽莎白一世加冕英格兰女王，六年后的 1564 年，莎士比亚出生。1567 年，由“红狮客栈”改成的“红

狮剧院”开张，这是伦敦第一家提供定期戏剧演出的专业剧院。此后，在王室的积极策动下，伦敦的剧院逐渐增多。从 1580 年开始，随着各类私人的、公共的、宫廷的剧院不断涌现，大量的诗人、作家、职业编剧、舞台演员应运而生，剧作家接近 180 人，剧本数量超过 500 部，蔚为可观。

莎士比亚真是上帝眷顾的为戏而生的幸运儿。1585 年，21 岁的莎士比亚从他的出生地——英格兰中部埃文河畔的斯特拉福德小镇，只身来到伦敦，在剧院当学徒、打杂。1588 年，英国海军打败西班牙无敌舰队，莎士比亚见证了全英血脉喷涌的爱国主义热情，见证了英国这艘新的世界海上霸主的巨轮开始起航，“日不落帝国”显露雏形。1589 年，25 岁的莎士比亚开始写戏。1590 年，成为“内务大臣剧团”的演员、编剧。1599 年，莎士比亚所属的“环球剧院”开张。1603 年，詹姆斯一世国王继位之后，“内务大臣剧团”升格为“国王剧团”，国王成为剧团的赞助人。此时，莎士比亚已是名满全英的诗人、剧作家，也是剧团的金字招牌和大股东。1613 年，莎士比亚退休，回到家乡，颐养天年。1616 年辞世。

综观莎士比亚并不十分漫长的戏剧生涯，至少 1590–1610 整整 20 年，堪称他个人的黄金时代。在这 20 年里，除了有清教徒这个始终站在“一切娱乐，尤其戏剧”对立面的老对手叫他心里不舒服，写戏基本算一帆风顺，“四大史剧”“四大喜剧”“四大悲剧”都写于这 20 年。

“四大喜剧”通常是指《威尼斯商人》《第十二夜》《皆大欢喜》和《仲夏夜之梦》。

《威尼斯商人》自问世以来，在世界范围内，可能是莎士比亚全部剧作中上演次数最多的一部，并被视为其最著名的一部经典喜剧。但应如何全景、深入而又艺术地理解、剖析、诠释夏洛克这个文学人物，始终是一道颇为难解的题。正因如此，不同时代、不同演员、不同版本、不同形式的改编、表演，也构成了一部宏富的诠释夏洛克的“演出史”。即便在其 400 多年的演出史中，曾有过剧团或演员将鲍西娅作为第一主角，亦有将安东尼奥和巴萨尼奥的友谊作为最重的戏份，但总体上，不论何时，每当人们提及或想起《威尼斯商人》，最先闪现脑海的，还是那个活生生的夏洛克。

我对夏洛克的印象，大部分来自中学老师的灌输，按照教学大纲教课的老师认为，夏洛克是个没有一点慈悲心肠的大奸商、大恶棍，残忍嗜血、贪财如命，同莫里哀《悭吝人》中的阿巴贡，巴尔扎克《欧也妮·葛朗台》中的葛朗台，果戈理《死魂灵》中的泼留希金一起，并列为中学语文教科书中的世界文学名著里的"四大吝啬鬼"。现在来看，显然夏洛克被简单、浮浅地脸谱化了。

事实上，这是一个非常复杂的人物形象，他身上折射出了犹太人在基督教世界遭受侮辱与损害的命运。简言之，夏洛克最后之所以执意要报复安东尼奥，因他签约立据的欠债逾期，非要诉诸公正的法律，履行契约，从他身上割下一磅肉，自然有着夏洛克作为一个犹太人，要借此极端方式找回做人尊严并力图讨个公道的初衷；当然，最后他被鲍西娅化装成的律师一顿痛扁，落得"自取其辱"的下场，实在出于他只想着"一磅肉"却忘了"一滴血"的精明算计之外。

正因为如此，德国 19 世纪学者伯恩哈德·坦·布林克曾在《作为喜剧诗人的莎士比亚》一文中指出："夏洛克离我们太近了。当我们逐渐深入了解到他仇恨的根源，他的愤怒何以如此强烈，便感觉这个形象变得具有了人的意义，因而落在他头上的不幸，才能深深打动我们的同情心。我们也只好认为，既然他的命运如此具有悲剧意味，并深深打动了我们，实在该认为这是一出悲剧，而不是别的。"

假如《威尼斯商人》到第四幕便戛然而止，那便不折不扣是一部关于夏洛克——威尼斯的犹太人——的悲剧。若果真如此，莎士比亚所要表达的思想也已彰显无遗，即夏洛克并没有完全输在基督徒的"公道"上，他是被"上帝的仁慈"打败的。

因为夏洛克，我愿把《威尼斯商人》视为一部令人心生酸楚的喜剧！

《威尼斯商人》的结尾堪称抒情、甜美、浪漫的喜剧，当罗兰佐和杰西卡一起坐在花坛，仰望皎月，听着音乐时，罗兰佐说：“月光在这花坛上睡得多么甜美！就坐在这儿聆听，好让乐音悄悄爬进我们的耳朵。悦耳和谐的音乐，最适宜在轻柔的静谧和夜色中弹奏……天空中那么密匝匝的镶嵌着金光耀眼的圣餐盘。看呀，哪怕一个最微小天体的运转，都像一位天使在歌唱，又有无数围绕它、闪烁着永恒光芒的小天使，发出此起彼伏的合唱；原来在我们不朽的灵魂里，也有像这样的和谐乐音，但当这具泥土做成的躯壳，把灵魂封进肉体凡胎以后，便再也听不到这样的天籁之声了。”

显而易见，这是借天使的歌唱，呼唤尘世间的美好灵魂！

鲍西娅到家之前，远远望见了家里的烛光。她禁不住发出这样的感慨：“那小小的蜡烛，将光线照射得这样远！一件善事之于卑微、邪恶的尘世，也正如这烛光在闪耀。”

这里寄托着莎士比亚的理想：只要人间有彰显“上帝的仁慈”的“善事”，“卑微、邪恶的尘世”就有希望！

《第十二夜》同样是莎士比亚最受读者和观众喜爱的喜剧之一，而1930年赢得英国“桂冠诗人”称号的诗人、小说家、剧作家约翰·梅斯菲尔德，索性使用形容词最高级，认为《第十二夜》“不仅是莎士比亚所有喜剧中最欢乐、最愉快的一部，也是所有英国喜剧中最优秀的一部”。连用三个“最”，没有之一。超级“莎粉”的一家言，立此存照。

诚然，《第十二夜》作为一部充满狂欢、逗趣、戏谑、搞笑等多重戏份的喜剧的同时，更是一首吟咏、讴歌圣洁、高贵的爱情与友谊的人文主义戏剧诗，散发着甜美、愉悦的抒情浪漫情调。剧中两位青春四溢、魅力四射的女主人公薇奥拉和奥利维娅，体现出莎士比亚富于理想色彩的人文主义女性意识，尤其天生丽质、纯美善良、聪慧过人、活泼俏皮、幽默风趣的薇奥拉，更是一位超越戏剧文本或舞台之上世所罕见的完美女性。

英国19世纪文学评论家赫兹里特认为：“《第十二夜》巨大而隐秘的迷人所在，皆因薇奥拉这个人物。我们喜欢剧中人物的滑稽轮唱、糕饼和啤酒，但比较而言，我们有更喜爱的东西。我们对托比爵士产生好感；支持安德鲁爵士；与小丑有某种默契；对玛利亚和她搞的恶作剧禁不住叫好；关注马伏里奥，对他的一本正经、他的微笑、他的黄袜子、他交叉捆扎的吊袜带，以及他被戴上脚镣关起来，都会表示同情。但薇奥拉敢于坦承自己的爱情，比所有这一切更能引起我们感情的强烈共鸣。”

莎士比亚来到中国有一个多世纪了。尽管直到 1921 年，中国才出现了第一个真正是莎士比亚原著的“戏剧”译本——田汉发表在《少年中国》杂志第 2 卷第 12 期上的《哈孟雷特》，但 1904 年上海商务印书馆出版的林纾、魏易合译的《吟边燕语》（即英国 19 世纪著名随笔作家查尔斯·兰姆、玛丽·兰姆姐弟俩改写的《莎士比亚戏剧故事集》）早已产生深远影响，不仅中国的舞台上很快开始演出莎剧，更引起了许多作家、学者的关注。从 1936 年开始以一人之力翻译莎士比亚戏剧的前辈翻译家朱生豪先生，中学时候的英语课本，便是上海商务印书馆 1910 再版时更名为《莎氏乐府本事》的这本“故事”。应该说，正是这本“故事”早早把他引入了莎士比亚戏剧的海洋。可惜天妒英才，1944 年，在抗战中贫病交加、积劳成疾，却仍孜孜于莎译的朱生豪，以 33 岁的华年仙逝，令人唏嘘。他留给世人 27 部莎翁戏剧的中译本。

本集所收莎士比亚“四大喜剧”，采用的是朱生豪先生的中译本。

迄今为止，尽管朱生豪先生去世已超过 60 年，尽管中文的莎译本已有一些，但毫无疑问，在读者中最具影响力的仍然是朱译本。

不过，作为今天的莎士比亚读者，以下有十分重要的三点需要了解：

第一，几乎可以说，没有《圣经》，便没有莎剧。莎士比亚对《圣经》烂熟于心，可信手拈来灵妙地化用。全部莎剧包含、涉及、引用、引申《圣经》引文、典故、释义，几乎无处不在，许多源自《圣经》的意象、隐喻，以及对这些意象、隐喻的升华，始终或明或暗如影随形地潜伏在所有莎剧之中。鉴于此，不熟悉《圣经》，便极难全方位地深刻认识、体会莎剧剧情和众多人物精神世界的微妙、丰富、复杂。

第二，莎剧中有不少对希腊、罗马神话或人名、或典故、或故事的借用、化用，以及许多双关语的妙用。除此，一些用词有其特定的时代背景，并暗藏着隐晦的真意。

以上两点在朱译本中几乎没有体现出来，这自然是因他翻译时的客观条件所限。试想，朱生豪翻译时，手里只有一部没有注释的老“牛津版”《莎士比亚全集》和一本词典。而今，不算早期版本，仅英语世界已有许多为莎迷所熟知且津津乐道的莎剧全集，比如颇具代表性的“皇家版”“新剑桥版”等标注着“权威版本”“注释完备”字样的版本。因此，若想真正步入莎士比亚的戏剧世界，从阅读上来说，势必离不开丰富的注释和翔实的导读。

第三，语言随时代而改变，朱生豪和梁实秋所译这两个通行许久的莎剧中译本，里边有许多的译文表述，尤其欧化句式、倒装语序，已不完全适合现代年轻人的阅读。但如何将莎士比亚的诗剧语言，用现代白话“原汁原味”地来表达，始终存在挑战。

英国诗人弥尔顿曾为莎士比亚写下这样的诗句：

> 他善于用神圣的火焰，
> 把我们重新塑造得更好。

天长地久，莎翁不朽！

2016 年 9 月

目　录

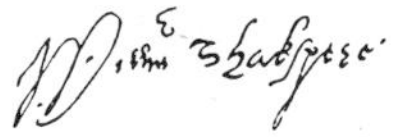

仲夏夜之梦

A Midsummer Night's Dream

剧中人物

忒修斯　雅典公爵

伊吉斯　赫米娅之父

拉山德
狄米特律斯　} 同恋赫米娅

菲劳斯特莱特　掌戏乐之官

昆　斯　木匠　戏中戏饰念开场白之人

波　顿　织工　戏中戏饰皮拉摩斯

斯纳格　细工木匠　戏中戏饰狮子

弗鲁特　修风箱者　戏中戏饰提斯柏

斯诺特　补锅匠　戏中戏饰墙

斯塔弗林　裁缝　戏中戏饰月光

希波吕忒　阿玛宗女王，忒修斯之未婚妻

海伦娜　伊恋狄米特律斯

赫米娅　伊吉斯之女，恋拉山德

奥布朗　仙王

提泰妮娅　仙后

迫　克　又名好汉罗宾

豆　花
蛛　网
飞　蛾
芥　子　} 小神仙

其他侍奉仙王、仙后的神仙们

忒修斯及希波吕忒的侍从

地点

雅典及附近的一座森林

第一幕

第一场　雅典。忒修斯宫中

【忒修斯、希波吕忒、菲劳斯特莱特及其他人等上。

忒修斯　美丽的希波吕忒，现在我们的婚期已快要临近了，再过四天幸福的日子，新月便将出来。但是，唉！这个旧的月亮消逝得多么慢，她耽延了我的希望，像一个老而不死的后母或寡妇，尽是消耗着年轻人的财产。

希波吕忒　四个白昼很快地便将成为黑夜，四个黑夜很快地可以在梦中消度过去，那时月亮便将像新弯的银弓一样，在天上临视我们的良宵。

忒修斯　去，菲劳斯特莱特，激起雅典青年们的欢笑的心情，唤醒活泼泼的快乐精神，把忧愁驱到坟墓里去：那个脸色惨白的家伙，是不应该让他参加在我们的结婚行列中的。（菲劳斯特莱特下）希波吕忒，我用我的剑向你求婚，用威力的侵凌赢得了你的芳心[①]；但这次我要换一个调子，我将用豪华、夸耀和狂欢来举行我们的婚礼。

【伊吉斯、其女赫米娅、拉山德、狄米特律斯上。

伊吉斯　威名远播的忒修斯公爵，祝您幸福！

---

① 忒修斯是希腊神话中英雄，曾远征阿玛宗，娶其女王希波吕忒。

忒修斯　谢谢你，善良的伊吉斯。你有什么事情？

伊吉斯　我怀着满心的气恼，来控诉我的孩子，我的女儿赫米娅。走上前来，狄米特律斯。殿下，这个人是我答应叫他娶她的。走上前来，拉山德。殿下，这个人引诱坏了我的孩子。你，你，拉山德，你写诗句给我的孩子，和她交换着爱情的纪念物；在月夜她的窗前你用做作的声调歌唱着假作多情的诗篇；你用头发编成的手镯、戒指，虚华的饰物，琐碎的玩具、花束、糖果，这些可以强烈地骗诱一个稚嫩的少女之心的信使来偷得她的痴情；你用诡计盗取了她的心，煽惑她使她对我的顺从变成倔强的顽抗。殿下，假如她现在当着您的面仍旧不肯嫁给狄米特律斯，我就要要求雅典自古相传的权利，因为她是我的女儿，我可以随意处置她；按照我们的法律，她要是不嫁给这位绅士，便应当立即处死。

忒修斯　你有什么话说，赫米娅？当心一点吧，美貌的女郎！你的父亲对于你应当是一尊神明：你的美貌是他给予你的，你就像他在软蜡上按下的钤记，他可以保全你，也可以毁灭你。狄米特律斯是一个很好的绅士呢。

赫米娅　拉山德也很好啊。

忒修斯　以他的本身而论当然不用说；但要是做你的丈夫，他不能得到你父亲的同意，就比起来差一筹了。

赫米娅　我真希望我的父亲和我同样看法。

忒修斯　实在还是应该你依从你父亲的眼光才对。

赫米娅　请殿下宽恕我！我不知道什么一种力量使我如此大胆，也不知道在这里披诉我的心思将会怎样影响到我的美名；但是我要敬问殿下，要是我拒绝嫁给狄米特律斯，就会有什么最恶的命运临到我的头上？

忒修斯　不是受死刑，便是永远和男人隔绝。因此，美丽的赫米娅，仔细问一问你自己的心愿吧！考虑一下你的青春，好好地估量一下你血脉中的搏动；倘然不肯服从你父亲的选择，想想看能不能披上尼姑的道服，终生幽闭在阴沉的庵院中，向着凄凉寂寞的明月唱着黯淡的圣歌，做一个孤寂的修道女了此一生？她们能这样抑制了热情，到老保持处女的贞洁，自然应当格外受到上天的眷宠；但是结婚的女子如同被采下炼制过的玫瑰，香气留存不散，比之孤独地自开自谢，奄然朽腐的花儿，以尘俗的眼光看来，总是要幸福得多了。

赫米娅　就让我这样自开自谢吧，殿下，我也不愿意把我的贞操奉献给我心所不服的人。

忒修斯　回去仔细考虑一下。等到新月初生的时候——我和我的爱人缔结永久婚约的那天——你便当决定，倘不是因为违抗你父亲的意志而准备一死，便是听从他而嫁给狄米特律斯；否则就得在狄安娜的神坛前立誓严守戒律，终身不嫁。

狄米特律斯　悔悟吧，可爱的赫米娅！拉山德，放弃你那无益的要求，不要再跟我的确定的权利抗争了吧！

拉山德　你已经得到她父亲的爱，狄米特律斯，让我保有着赫米娅的爱吧；你去跟她的父亲结婚好了。

伊吉斯　无礼的拉山德！一点不错，我欢喜他，我愿意把属于我所有的给他；她是我的，我要把我在她身上的一切权利都授给狄米特律斯。

拉山德　殿下，我和他一样有好的出身；我和他一样有钱；我的爱情比他深得多；我的财产即使不比狄米特律斯更多，也决不会比他少；比起这些来更值得夸耀的是，美丽的赫米娅爱的是我。那么为什么我不能享有我的权利呢？讲到狄米特律斯，我可以当他的面前宣布，曾经向奈达的女儿海伦娜调过情，把她勾上了手；这位可爱的女郎痴心地恋着他，像崇拜偶像一样地恋着这个缺德的负心汉。

忒修斯　的确我也听到过不少闲话，曾经想和狄米特律斯谈起；但是因为自己的事情太多，所以忘了。来，狄米特律斯；来，伊吉斯；你们两人跟我来，我有些私人的话要对你们说。你，美丽的赫米娅，好好准备着依从你父亲的意志，否则雅典的法律将要把你处死，或者使你宣誓独身；我们没有法子变更这条法律。来，希波吕忒，怎样，我的爱人？狄米特律斯和伊吉斯，走吧；我必须差你们为我们的婚礼办些事务，还要跟你们商量一些和你们有点关系的事。

伊吉斯　我们敢不欣然跟从殿下。（除拉山德、赫米娅外，均下）

拉山德　怎么啦，我的爱人！为什么你的脸颊这样惨白？你脸上的蔷薇怎么会凋谢得这样快？

赫米娅　多半是因为缺少雨露，但我眼中的泪涛可以灌溉它们。

拉山德　唉！从我所能在书上读到、在传说或历史中听到的，真爱情的道路永远是崎岖多阻；不是因为血统的差异——

赫米娅　不幸啊，尊贵的要向微贱者屈节臣服！

拉山德　便是因为年龄上的悬殊——

赫米娅　可憎啊，年老的要和年轻人发生关系！

拉山德　或者因为信从了亲友们的选择——

赫米娅　倒霉啊，选择爱人要依赖他人的眼光！

拉山德　或者，即使彼此两情悦服，但战争、死亡或疾病却侵害着它，使它像一个声音，一片影子，一段梦，一阵黑夜中的闪电那样短促，在一刹那间它展现了天堂和地狱，但还来不及说一声“瞧啊！”黑暗早已张开口把它吞噬了。光明的事物，总是那样很快地变成了混沌。

赫米娅　既然真心的恋人们永远要受到磨折，似乎是一条命运的定律，那么让我们练习着忍耐吧；因为这种磨折，正和忆念、幻梦、叹息、希望和哭泣一样，都是可怜的爱情缺不了的随从者。

拉山德　你说得很对。听我吧，赫米娅。我有一个寡居的伯母，很有钱，没有儿女，她看待我就像亲生的独子一样。她的家离开雅典二十里路。温柔的赫米娅，我可以在那边和你结婚，雅典法律的利爪不能追及我们。要是你爱我，请你在明天晚上溜出你父亲的屋子，走到郊外三里路那地方的森林里，我就是在那边遇见你和海伦娜一同过五月节的[①]，我将在那边等你。

赫米娅　我的好拉山德！凭着丘比特的最坚强的弓，凭着他的金镞的

① 英国旧俗于五月一日早起以露盥身，采花唱歌。

箭，凭着维纳斯的鸽子的纯洁，凭着那结合灵魂，护佑爱情的神力，凭着古代迦太基女王焚身的烈火，当她看见她那负心的特洛亚人扬帆而去的时候，凭着一切男子所毁弃的约誓——那数目是远超过于女子所曾说过的，我发誓明天一定会到你所指定的那地方和你相会。

拉山德　愿你不要失约，爱人。瞧，海伦娜来了。

【海伦娜上。

赫米娅　上帝保佑美丽的海伦娜！你到哪里去？

海伦娜　你称我美丽吗？请你把那两个字收回了吧！狄米特律斯爱着你的美丽；幸福的美丽啊！你的眼睛是两颗明星，你的甜蜜的声音比之小麦青青、山楂蓓蕾时节牧人耳中的云雀之歌还要动听。疾病是能传染人的，唉，要是美貌也能传染的话，美丽的赫米娅，我但愿传染上你的美丽：我要用我的耳朵捕获你的声音，用我的眼睛捕获你的注视，用我的舌头捕获你那柔美的旋律。要是除了狄米特律斯之外，整个世界都是属于我所有，我愿意把一切捐弃，但求化身为你。啊！教给我你怎样流转你的眼波，用怎么一种魔术操纵着狄米特律斯的心？

赫米娅　我向他皱着眉头，但是他仍旧爱我。

海伦娜　唉，要是你的颦蹙能把那种本领传授给我的微笑就好了！

赫米娅　我给他咒骂，但他给我爱情。

海伦娜　唉，要是我的祈祷也能这样引动他的爱情就好了！

赫米娅　我越是恨他，他越是跟随着我。

海伦娜　我越是爱他，他越是讨厌我。

赫米娅　海伦娜，他的傻并不是我的错。

海伦娜　但那是你的美貌的错处；要是那错处是我的就好了！

赫米娅　宽心吧，他不会再见我的脸了；拉山德和我将要逃开此地。在我不曾遇见拉山德之前，雅典对于我就像是一座天堂；啊，有怎样一种神奇在我的爱人身上，使他能把天堂变成一座地狱！

拉山德　海伦娜，我们不愿瞒你。明天夜里，当月亮在镜波中反映她的银色的容颜，晶莹的露珠点缀在草叶尖上的时候——那往往是情奔最适当的时候，我们预备溜出雅典的城门。

赫米娅　我的拉山德和我将要会集在林中，就是你我常常在那边淡雅的樱草花的花坛上躺着彼此吐露柔情衷曲的所在，从那里我们便将离别雅典，去访寻新的朋友，和陌生人做伴了。再会吧，亲爱的游侣！请你为我们祈祷；愿你重新得到狄米特律斯的心！不要失约，拉山德，我们现在必须暂时忍受一下离别的痛苦，到明晚夜深时再见面吧！

拉山德　一定的，我的赫米娅。（赫米娅下）海伦娜，别了，如同你恋着他一样，但愿狄米特律斯也恋着你！（下）

海伦娜　有些人比起其他的人来是多么幸福！在全雅典大家都以为我跟她一样美，但那有什么相干呢？狄米特律斯是不以为如此的。除了他一个人之外大家都知道的事情，他不会知道。正如他那样错误地迷恋着赫米娅的秋波一样，我也是只知道爱慕他的才智；一切卑劣的弱点，在恋爱中都无足轻重，而变成美满和庄严。爱情是不用眼睛而用心灵看的，因此生着翅膀的丘比特常被描成盲目；而且爱情的判断全然没有理性，只用翅膀不用眼睛，表现出鲁莽的急性，因此爱神便据说是一个孩儿，因为在选择方面他常会弄错。正如顽皮的孩子惯爱发假誓一样，司爱情的小儿也到处赌着口不应心的咒。狄米特律斯在没有看见赫米娅之前，他也曾像冰雹一样发着誓，说他是完全属于我的；但这阵冰雹感到一丝赫米娅身上的热力，便融解了，无数的誓言都化为乌有。我要去告诉他美丽的赫米娅的出奔；他知道了以后，明夜一定会到林中去追寻她。如果为着这次的通报消息，我能得到一些酬谢，我的代价也一定不小；但我的目的是要补报我的苦痛，使我能再一次聆接他的音容。（下）

第二场　同前。昆斯家中

【昆斯、斯纳格、波顿、弗鲁特、斯诺特、斯塔弗林上。

昆斯　咱们一伙人都到了吗？

波顿　你最好照着名单一个儿一个儿地点一下名。

昆斯　这儿是每个人名字都在上头的名单，整个儿雅典都承认，在公爵跟公爵夫人结婚那晚上，在他们面前扮演咱们这一出插戏，这张名单上的弟兄们是再合适也没有的了。

波顿　第一，好彼得·昆斯，说出来这出戏讲的是什么，然后再把扮戏的人名字念出来，好有个头绪。

昆斯　好。咱们的戏名是《最可悲的喜剧，以及皮拉摩斯和提斯柏的最残酷的死》[①]。

波顿　那一定是篇出色的东西，咱可以担保，而且是挺有趣的。现在，好彼得·昆斯，照着名单把你的角儿们的名字念出来吧。列位，大家站开。

昆斯　咱一叫谁的名字，谁就答应。尼克·波顿，织布的。

波顿　有。先说咱应该扮哪一个角儿，然后再挨次叫下去。

昆斯　你，尼克·波顿，扮皮拉摩斯。

波顿　皮拉摩斯是谁呀？一个情郎呢，还是一个霸王？

昆斯　是一个情郎，为着爱情的缘故，他挺勇敢地把自己毁了。

波顿　要是演得活灵活现，那准可以引人掉下几滴泪来。要是咱演起来的话，让看客们大家留心着自个儿的眼睛吧。咱一定把戏文念得凄凄惨惨，管保风云失色。把其余的人叫下去吧。但是扮霸王挺适合咱的胃口。咱会把赫拉克勒斯扮得非常好，或者什么大花脸的角色，管保吓破人的胆。

　　山岳狂怒的震动，
　　　裂开了牢狱的门；

---

① 皮拉摩斯和提斯柏的故事见奥维德《变形记》。

太阳在远方高耸，
　慑服了神灵的魂。

那真是了不得！现在把其余的名字念下去吧。这是赫拉克勒斯的神气，霸王的神气；情郎还得忧愁一点。

昆斯　弗朗西斯·弗鲁特，修风箱的。

弗鲁特　有，彼得·昆斯。

昆斯　你得扮提斯柏。

弗鲁特　提斯柏是谁呀？一个游侠吗？

昆斯　那是皮拉摩斯必须爱上的姑娘。

弗鲁特　噢，真的，别叫咱扮一个娘儿们。咱的胡子已经长起来啦。

昆斯　那没有问题。你得套上面具扮演，你可以尖着嗓子说话。

波顿　咱也可以把面孔罩住，提斯柏也给咱扮了吧。咱会细声细气地说话："提斯妮！提斯妮！""啊呀！皮拉摩斯，奴的情哥哥，是你的提斯柏，你的亲亲爱爱的姑娘！"

昆斯　不行，不行，你必须扮皮拉摩斯。弗鲁特，你必须扮提斯柏。

波顿　好吧，叫下去。

昆斯　罗宾·斯塔弗林，当裁缝的。

斯塔弗林　有，彼得·昆斯。

昆斯　罗宾·斯塔弗林，你扮提斯柏的母亲。汤姆·斯诺特，补锅子的。

斯诺特　有，彼得·昆斯。

昆斯　你扮皮拉摩斯的爸爸；咱自己扮提斯柏的爸爸；斯纳格，做细木工的，你扮一只狮子。咱想这本戏就此支配好了。

斯纳格　你有没有把狮子的台词写下？要是有的话，请你给我，因为我记性不大好。

昆斯　你不用预备，你只要嚷嚷就算了。

波顿　让咱也扮狮子吧。咱会嚷嚷，叫每一个人听见了都非常高兴；咱会嚷着嚷着，连公爵都传下谕旨来说："让他再嚷下去吧！让他再嚷下去吧！"

昆斯　你要嚷得那么可怕，吓坏了公爵夫人和各位太太小姐们，吓得她们尖声叫起来，那准可以把咱们一起给吊死了。

众人　那准会把咱们一起给吊死，每一个母亲的儿子都逃不了。

波顿　朋友们，你们说的很是。要是你把太太们吓昏了头，她们一定会不顾三七二十一把咱们给吊死。但是咱可以把声音压得高一些，不，提得低一些。咱会嚷得就像只吃奶的小鸽子那么温柔，就像一只夜莺。

昆斯　你只能扮皮拉摩斯，因为皮拉摩斯是一个讨人欢喜的小白脸，一个体面人，就像你可以在夏天看到的那种人；他又是一个可爱的堂堂绅士模样的人。因此你必须扮皮拉摩斯。

波顿　行，咱就扮皮拉摩斯。顶好咱挂什么须？

昆斯　那随你便吧。

波顿　咱可以挂你那稻草色的须，你那橙黄色的须，你那紫红色的须，或者你那法国金洋钱色的须，纯黄色的须。

昆斯　要是染上了法国风流病可就会掉光了须，这下你就得光着脸蛋儿演啦。列位，这儿是你们的台词。咱请求你们，恳求你们，要求你们，在明儿夜里念熟，趁着月光，在郊外一里路地方的森林里咱们碰头。在那边咱们要练习练习，因为要是咱们在城里练习，就会有人跟着咱们，咱们的玩意儿就要泄露出去。同时咱要开一张咱们演戏所需要的东西的单子。请你们大家不要误事。

波顿　咱们一定在那边碰头。咱们在那里排练起来，可以厚颜无耻一点，可以堂堂正正一点。大家辛苦干一下，要干得非常好。再会吧。

昆斯　咱们在公爵的橡树底下再见。

波顿　好了，可不许失约。（同下）

第二幕

第一场　雅典附近的森林

【一小仙及迫克自相对方向上。

迫克　喂，精灵！你飘流到哪里去?

小仙　越过了溪谷和山陵，穿过了荆棘和丛薮，
越过了围场和园庭，穿过了激流和爝火：
我在各地漂游流浪，轻快得像是月亮光；
我给仙后奔走服务，草环上缀满轻轻露。
亭亭的莲馨花是她的近侍，黄金的衣上饰着点点斑痣；
那些是仙人们投赠的红玉，中藏着一缕缕的芳香馥郁；
我要在这里访寻几滴露水，给每朵花挂上珍珠的耳坠。
再会，再会吧，你粗野的精灵！因为仙后的大驾快要来临。

迫克　今夜大王在这里大开欢宴，千万不要让他俩彼此相见；
奥布朗的脾气可不是顶好，为着王后的固执十分着恼；
她偷到了一个印度小王子，就像心肝一样怜爱和珍视；
奥布朗看见了有些儿眼红，想要把他充作自己的侍童；
可是她哪里便肯把他割爱，满头花朵她为他亲手插戴。
从此林中、草上、泉畔和月下，他们一见面便要破口相骂；
小妖们往往吓得胆战心慌，没命地钻进橡实中间躲藏。

小仙　要是我没有把你认错，你大概便是名叫罗宾好人儿的、狡狯的、

淘气的精灵了。你就是惯爱吓唬乡村的女郎，在人家的牛乳上撮去了乳脂，使那气喘吁吁的主妇整天也搅不出奶油来；有时你暗中替人家磨谷，有时弄坏了酒使它不能发酵；夜里走路的人，你把他们引入了迷途，自己却躲在一旁窃笑；谁叫你“大仙”或是“好迫克”的，你就给他幸运，帮他做工：那就是你吗？

迫克　仙人，你说得正是；我就是那个快活的夜游者。我在奥布朗跟前想出种种笑话来逗他发笑，看见一头肥胖精壮的马儿，我就学着雌马的嘶声把它迷昏了头；有时我化作一颗焙熟的野苹果，躲在老太婆的酒碗里，等她举起碗想喝的时候，我就啪地弹到她嘴唇上，把一碗麦酒都倒在她那皱瘪的喉皮上；有时我化作三脚的凳子，满肚皮人情世故的婶婶刚要坐下来讲她那感伤的故事，我便从她的屁股底下滑走，把她翻了一个大元宝，一头喊：“好家伙！”一头咳呛个不住，于是周围的人笑得前仰后合。他们越想越好笑，鼻涕眼泪都笑了出来，发誓说从来不曾逢到过比这更有趣的事。但是让开路来，仙人，奥布朗来了。

小仙　娘娘也来了。他要是走开了才好！

【奥布朗及提泰妮娅各带侍从，自相对方向上。

奥布朗　真不巧又在月光下碰见你，骄傲的提泰妮娅！

提泰妮娅　嘿，嫉妒的奥布朗！神仙们，快快走开；我已经发誓不和他同游同寝了。

奥布朗　等一等，坏脾气的女人！我不是你的夫君吗？

提泰妮娅　那么我也一定是你的尊夫人了。但是你从前溜出了仙境，扮作牧人的样子，整天吹着麦笛，向风骚的牧女调情，这种事我全知道。今番你为什么要从迢迢的印度平原上赶到这里来呢？无非是为着那位高傲的阿玛宗女王，你的勇武的爱人，要嫁给忒修斯了，所以你得赶来祝他们床第欢愉、早生贵子。

奥布朗　你怎么好意思说出这种话来，提泰妮娅，把我的名字和希波吕忒牵涉在一起诬蔑我？你自己知道你和忒修斯的私情瞒不过我。不是你在朦胧的夜里引导他离开被他所俘掠的佩丽古娜？不是你使他负心地遗弃了美丽的伊葛梨、爱丽亚邓和安提奥巴[1]？

提泰妮娅　这些都是因为嫉妒而捏造出来的谎话。自从仲夏之初，我们每次在山上、谷中、树林里、草场上、细石铺底的泉旁，或是海滨的沙滩上聚集，预备和着鸣啸的风声跳环舞的时候，总是要被你吵断了我们的兴致。风因为我们不理会他的吹奏，生了气，便从海中吸起了毒雾。毒雾化成瘴雨下降地上，使每一条小小的溪河都耀武扬威地泛滥到岸上：因此牛儿白白牵着轭，农夫枉费了他的血汗，青青的嫩禾还没有长上芒须，便朽烂了。空了的羊栏露出在一片汪洋的田中，乌鸦饱啖着瘟死了的羊群的尸体。跳舞作乐的草坪满是泥泞，杂草丛生的小径因为无人行走，已经难以辨清。人们在五月天得穿着冬日的衣袄，晚上再听不到欢乐的颂歌。执掌潮汐的月亮，因为再也听不见夜间颂神的歌声，气得脸孔发白，在空气中播满了湿气，一沾染上身就要使人害风湿症。因为天时不正，季候也反了常：白头的寒霜倾倒在红颜的蔷薇的怀里，年迈的冬神薄薄的冰冠上，却嘲讽似地缀上了夏天芬芳的蓓蕾的花环。春季、夏季、丰收的秋季、暴怒的冬季，都改换了他们素来的装束，惊愕的世界不能再从他们的出产上辨别出谁是谁来。这都因为我们的不和所致，我们是一切灾祸的根源。

奥布朗　那么你就该设法补救，这全然在你的手中。为什么提泰妮娅要违拗她的奥布朗呢？我所要求的，不过是一个小小的换儿[2]做我的侍童罢了。

提泰妮娅　请你死了心吧，整个仙境也不能从我手里换得这个孩子。他的母亲是我神坛前的一个信徒，在芬芳的印度的夜晚，她常常在我身旁闲谈，陪我坐在海神的黄沙上，凝望着水面的商船；我们一起笑着那些船帆因狂荡的风而怀孕，一个个凸起了肚皮；她那时也正怀孕着这个小宝贝，便学着船帆的样子，美妙而轻快地凌风而行，为我往岸上寻取各种杂物，回来时就像航海而归，带来

---

① 指忒修斯情人，先后为其所弃。

② 传说中仙子常于夜间将人家美丽小儿窃去，以愚蠢的妖童换置其处。

了无数的商品。但她因为是一个凡人，所以在产下这孩子时便死了。为着她的缘故我才抚养她的孩子，也为着她的缘故我不愿舍弃他。

奥布朗　你预备在这林中耽搁多少时候？

提泰妮娅　也许要到忒修斯的婚礼以后。要是你肯耐心地和我们一起跳舞，看看我们月光下的游戏，那么跟我们一块儿走吧；不然的话，请你不要见我，我也决不到你的地方来。

奥布朗　把那个孩子给我，我就和你一块儿走。

提泰妮娅　把你的仙国跟我调换都别想。小仙们，去吧！要是我再多留一刻，我们就要吵起来了。（率侍从等下）

奥布朗　好，去你的吧！为着这次的侮辱，我一定要在你离开这座林子之前给你一些惩罚。我的好迫克，过来。你记不记得有一次我坐在一个海岬上，望见一个美人鱼骑在海豚的背上，她的歌声是这样婉转而谐美，镇静了狂暴的怒海，好几个星星都疯狂地跳出了他们的轨道，为要听这海女的音乐？

迫克　我记得。

奥布朗　就在那个时候，你看不见，但我能看见持着弓箭的丘比特在冷月和地球之间飞翔；他瞄准了坐在西方宝座上的一个童贞女，很灵巧地从他的弓上射出他的爱情之箭，好像它能刺透十万颗心的样子。可是只见小丘比特的火箭在如水的冷洁的月光中熄灭，那位童贞的女王心中一尘不染，在纯洁的思念中安然无恙。我所看见的那支箭却落下在西方一朵小小的花上，本来是乳白色的，现在已因爱情的创伤而被染成紫色，少女们把它称作“爱懒花”。去给我把那花采来。我曾经给你看过它的样子。它的汁液如果滴在睡着的人的眼皮上，无论男女，醒来一眼看见什么生物，都会发疯似的对它恋爱。给我采这种药来。在鲸鱼还不曾游过三里路之前，必须回来复命。

迫克　我可以在四十分钟内环绕世界一周。（下）

奥布朗　这种花汁一到了手，我便留心着等提泰妮娅睡了的时候把它滴在她的眼皮上，她一醒来第一眼所看见的东西，无论是狮子也好，熊也好，狼也好，公牛也好，或者好事的猕猴、忙碌的无尾猿也好，她都会用最强烈的爱情追求它。我可以用另一种草解去这种魔力，但第一我先要叫她把那个孩子让给我。可是谁到这儿来啦？他们看不见我，让我听听他们的谈话。

【狄米特律斯上，海伦娜随其后。

狄米特律斯　我不爱你，别跟着我。拉山德和美丽的赫米娅在哪儿？我要把拉山德杀死，但我的命却悬在赫米娅手中。你对我说他们私奔到这座林子里，因此我赶到这儿来；可是因为遇不见我的赫米娅，我简直要发疯啦。滚开！快走，不许再跟着我！

海伦娜　是你吸引我跟着你的，你这硬心肠的磁石！可是你所吸的却不是铁，因为我的心像钢一样坚贞。要是你去掉你的吸引力，那么我也将没有力量再跟着你了。

狄米特律斯　是我引诱你吗？我曾经向你说过好话吗？我不是曾经明明白白地告诉过你，我不爱你而且也不能爱你吗？

海伦娜　即使那样，也只是使我爱你爱得更加厉害。我是你的一条狗，狄米特律斯，你越是打我，我越是讨好你。请你就像对待你的狗一样对待我吧，踢我、打我、冷淡我、不理我，都好，只容许我跟随着你，虽然我是这么不好。在你的爱情里我要求的地位难道比一条狗还不如吗？但那对于我已经是十分可贵了。

狄米特律斯　不要过分惹起我的厌恨吧，我一看见你就头痛。

海伦娜　可是我不看见你就心痛。

狄米特律斯　你太不顾你自己的体面，擅自离开城中，把你自己交托在一个不爱你的人手里；你也不想想你的贞操多么值钱，就在黑夜中这么一个荒凉的所在，盲目地听从着不可知的命运。

海伦娜　你使我能够安心：因为当我看见你脸孔的时候，黑夜也变成了白昼，因此我并不觉得现在是在夜里。你在我的眼光里是一切的世界，因此在这座林中我也不愁缺少伴侣：要是一切的世界都在这儿瞧着我，我怎么还是单身独自呢？

狄米特律斯　我要逃开你，躲在丛林之中，任凭野兽把你怎样处置。

海伦娜　最凶恶的野兽也不像你那样残酷。你要逃开我就逃开吧；从此以后，古来的故事要改过了：逃走的是阿波罗，追赶的是达芙妮；鸽子追逐着鹰隼；温柔的牝鹿追捕着猛虎；然而弱者追求勇者，结果总是徒劳无益的。

狄米特律斯 我不高兴听你再唠叨下去。让我去吧，要是你再跟着我，相信我，在这座林中你要被我欺负的。

海伦娜 嗯，在寺庙中，在市镇上，在乡野里，你到处都欺负我。唉，狄米特律斯！你对我的虐待已经使我们女子蒙上了耻辱。我们是不会像男人一样为爱情而争斗的，我们应该被人家求爱，而不是向人家求爱。（狄米特律斯下）我要立意跟随你；我愿死在我所深爱的人的手中，好让地狱化为天宫。（下）

奥布朗 再会吧，女郎！不等他走出这座森林，你将逃避他，他将追求你。

【迫克重上。

奥布朗 你已经把花采来了吗？欢迎啊，浪游者！

迫克 是的，它就在这儿。

奥布朗 请你把它给我。

我知道一处茴香盛开的水滩，长满着樱草和盈盈的紫罗兰，
馥郁的金银花，芗泽的野蔷薇，漫天张起了一幅芬芳的锦帷。
有时提泰妮娅在群花中酣醉，柔舞清歌低低地抚着她安睡；
在那里蛇儿蜕下斑斓的旧皮，小精灵拾来当作合身的彩衣。
我要洒一点花汁在她的眼上，让她充满了各种可憎的幻象。
其余的你带了去在林中访寻一个娇好的少女见弃于情人；
倘见那薄幸的青年在她近前，就把它轻轻地点上他的眼边。
他的身上穿着雅典人的装束，你须仔细辨认清楚不许弄错；
小心地执行着我谆谆的吩咐，让他无限的柔情都向她倾吐。
等第一声雄鸡啼时我们再见。

迫克 放心吧，主人，一切如你的意念。（各下）

第二场　林中另一处

【提泰妮娅及侍从等上。

提泰妮娅　来，跳一回舞，唱一曲神仙歌，然后在一分钟内余下来的三分之一的时间里，大家散开去：有的去杀死麝香玫瑰嫩苞中的蛀虫；有的去和蝙蝠作战，剥下它们的翼革来为我的小妖儿们做外衣；其余的人去赶逐每夜啼叫，看见我们这些伶俐的小精灵们而惊骇的猫头鹰。现在唱歌给我催眠吧。唱罢之后，大家各做各的事，让我休息一会儿。

小仙们　两舌的花蛇，多刺的猬，
不要打扰着她的安睡；
蝾螈和蜥蜴不要行近，
仔细毒害了她的宁静。
夜莺，鼓起你的清弦，
为我们唱一曲催眠：
睡啦，睡啦，睡睡吧！睡啦，睡啦，睡睡吧！
一切害物远走高扬，
不会行近她的身旁；
晚安，睡睡吧！

织网的蜘蛛，不要过来；
长脚的蛛儿，快快走开！
黑背的蜣螂，不许走近；
不许莽撞，蜗牛和蚯蚓。
夜莺，鼓起你的清弦，
为我们唱一曲催眠：
睡啦，睡啦，睡睡吧！睡啦，睡啦，睡睡吧！
一切害物远走高扬，
不会行近她的身旁；

晚安，睡睡吧！（提泰妮娅睡）

一小仙　去吧！现在一切都已完成，

只须留着一个人作哨兵。（众小仙下）

【奥布朗上，挤花汁滴在提泰妮娅眼皮上。

奥布朗　等你眼睛一睁开，你就看见你的爱，

为他担起相思债：山猫、豹子、大狗熊，

野猪身上毛蓬蓬；等你醒来一看见，

芳心可可为他恋。（下）

【拉山德及赫米娅上。

拉山德　好人，你在林中跋涉着，疲乏得快要昏倒了。说老实话，我已经忘记了我们的路。要是你同意，赫米娅，让我们休息一下，等待天亮再说吧。

赫米娅　就照你的意思吧，拉山德。你去给你自己找一处睡眠的地方，因为我要在这水滨好好躺躺。

拉山德　一块草地可以作我们两人枕首的地方；两个胸膛一条心，应该合睡一个眠床。

赫米娅　哎，不要，亲爱的拉山德；为着我的缘故，我的亲亲，再躺远一些，不要挨得那么近。

拉山德　啊，爱人！不要误会了我的无邪的本意，恋人们是应该明白彼此所说的话的。我是说我的心和你的心连结在一起，已经打成一片分不开来；两个心胸彼此用盟誓连系，共有着一片的忠贞。因此不要拒绝我睡在你的身旁，赫米娅，我一点没有坏心肠。

赫米娅　拉山德真会说话。要是赫米娅疑心拉山德有坏心肠，愿她从此不能堂堂做人。但是好朋友，为着爱情和礼貌的缘故，请睡得远一些。在人间的礼法上，这样的隔分对于束身自好的未婚男女，是最为合适的。这么远就行了。晚安，亲爱的朋友！愿爱情永无更改，直到你生命的尽头！

拉山德　依着你那祈祷我应和着阿门！阿门！我将失去我的生命，如其我失去我的忠贞！这里是我的眠床了，但愿睡眠给予你充分的休养！

赫米娅　那愿望我愿意和你分享！（二人入睡）

【迫克上。

迫克　我已经在森林中间走遍，但雅典人可还不曾瞧见，

我要把这花液滴在他眼上，试一试激动爱情的力量。

静寂的深宵！啊，谁在这厢？他身上穿着雅典的衣裳。

这正是我主人所说的他，狠心地欺负那美貌娇娃；

她正在这一旁睡得酣熟，不顾到地上的潮湿龌龊；

美丽的人儿！她竟然不敢睡近这没有心肝的恶汉。（挤花汁滴拉山德眼上）

我要在你眼睛上，坏东西！倾注着魔术的神奇力量；

等你醒来的时候，让爱情从此扰乱你睡眠的安宁！

别了，你醒来我早已去远，奥布朗在盼我和他见面。（下）

【狄米特律斯及海伦娜奔驰上。

海伦娜　你杀死了我也好，但是请你停步吧，亲爱的狄米特律斯！

狄米特律斯　我命令你走开，不要这样缠着我！

海伦娜　啊！你要把我丢在黑暗中吗？请不要这样！

狄米特律斯　站住！否则叫你活不成。我要独自走我的路。（下）

海伦娜　唉！这痴心的追赶使我乏得透不过气来。我越是千求万告，越是惹他憎恶。赫米娅无论在什么地方都是那么幸福，因为她有一双天赐的迷人的眼睛。她的眼睛怎么会这样明亮呢？不是为着泪水的缘故，因为我的眼睛被眼泪洗着的时候比她更多。不，不，我像一头熊那么难看，就是野兽看见我也会因害怕而逃走；因此一点也不奇怪狄米特律斯会这样逃避着我，就像逃避一个丑妖怪。哪一面欺人的坏镜子使我居然敢把自己跟赫米娅的明星一样的眼睛相比呢？但是谁在这里？拉山德！躺在地上！死了吗？还是睡了？我看不见有血，也没有伤处。拉山德，要是你没有死，好朋友，醒醒吧！

拉山德　（醒）我愿为着你赴汤蹈火，玲珑剔透的海伦娜！上天在你身上显出他的本领，使我能在你的胸前看彻你的心。狄米特律斯在哪里？嘿！那个难听的名字让他死在我的剑下多么合适！

海伦娜　不要这样说，拉山德！不要这样说！即使他爱你的赫米娅又有

什么关系？上帝！那又有什么关系？赫米娅仍旧是爱着你的，所以你应该心满意足了。

拉山德　跟赫米娅心满意足吗？不，我真悔恨和她在一起度过的那些可厌的时辰。我不爱赫米娅，我爱的是海伦娜；谁不愿意把一只乌鸦换一只白鸽呢？人们的意志是被理性所支配的，理性告诉我你比她更值得敬爱。凡是生长的东西，不到季节，总不会成熟。我一向因为年轻的缘故，我的理性也不曾成熟；但是现在我的智慧已经充分成长，理性指挥着我的意志，把我引到了你的眼前；在你的眼睛里，我可以读到写在最丰美的爱情的经典上的故事。

海伦娜　我怎么忍受得下这种尖刻的嘲笑呢？我什么时候得罪了你，使你这样讥讽我呢？我从来不曾得到过，也永远不会得到，狄米特律斯的一瞥爱怜的眼光，难道那还不够，难道那还不够？年轻人，而你必须再这样挖苦我的短处吗？真的，你侮辱了我；真的，用这种卑鄙的样子向我假意献媚。但是再会吧！我还以为你是个较有教养的上流人。唉！一个女子受到了这一个男人的摈拒，还得忍受那一个男子的揶揄！（下）

拉山德　她没有看见赫米娅。赫米娅，睡你的吧，再不要走近拉山德的身边了！一个人吃了太多的甜食，能使胸胃中发生强烈的厌恶，改信正教的人，最是痛心疾首于以往欺骗他的异端邪说；你也正是这样。让你被一切的人所憎恶吧，但没有别人比我之更为憎恶你了。我的一切生命之力啊，用爱和力来尊崇海伦娜，做她的忠实的骑士吧！（下）

赫米娅　（醒）救救我，拉山德！救救我！用出你全身力量来，替我在胸口上撵掉这条蠕动的蛇。哎呀，天哪！做了怎样的梦！拉山德，瞧我怎样因害怕而颤抖着。我觉得仿佛一条蛇在嚼食我的心，而你坐在一旁，瞧着它的残酷的肆虐微笑。拉山德！怎么，换了地方了？拉山德！好人！怎么，听不见？去了？没有声音，不说一句话？唉！你在哪儿？要是你听见我，答应一声呀！凭着一切爱情的名义，说话呀！我差不多要因害怕而晕倒了。仍旧一声不响！我明白你已不在近旁；要是我寻不到你，我定将一命丧亡！（下）

第三幕

第一场　林中。提泰妮娅熟睡未醒

【众小丑：波顿、昆斯、斯诺特、斯塔弗林、弗鲁特、斯纳格上。

波顿　咱们都会齐了吗？

昆斯　妙极妙极，这儿真是给咱们排戏用的一块再方便也没有的地方。这块草地可以做咱们的戏台，这一丛山楂树便是咱们的后台。咱们可以认真扮演一下；就像当着公爵殿下的面一样。

波顿　彼得·昆斯——

昆斯　你说什么，波顿好家伙？

波顿　在这本《皮拉摩斯和提斯柏》的戏文里，有几个地方准难叫人家满意。第一，皮拉摩斯该拔出剑来结果自己的性命，这是太太小姐们受不了的。你说可对不对？

斯诺特　凭着圣母娘娘的名字，这可真的不是玩儿的事。

斯塔弗林　我说咱们把什么都做完之后，这一段自杀可不用表演。

波顿　不必，咱有一个好法子。给咱写一段开场诗，让这段开场诗大概是这么说：咱们的剑是不会伤人的，实实在在皮拉摩斯并不真的把自己干掉了。顶好再那么声明一下，咱扮着皮拉摩斯的，并不是皮拉摩斯，实在是织工波顿。这么一来她们就不会吓了。

昆斯　好吧，就让咱们有这么一段开场诗，咱可以把它写成八六体。

波顿　把它再加上两个字，让它是八个字八个字那么的吧。

斯诺特　太太小姐们见了狮子不会起哆嗦吗？

斯塔弗林　咱担保她们一定会害怕。

波顿　列位，你们得好好想一想：把一头狮子，老天爷保佑咱们！带到太太小姐们的中间，还有比这更荒唐得可怕的事吗？在野兽中间，狮子是最凶恶不过的。咱们可得考虑考虑。

斯诺特　那么说，就得再写一段开场诗，说他并不是真的狮子。

波顿　不，你应当把他的名字说出来，他的脸蛋的一半要露在狮子头颈的外边；他自己就该说着这样或者诸如此类的话，“太太小姐们”，或者说，“尊贵的太太小姐们，咱要求你们”；或者说，“咱请求你们”；或者说，“咱恳求你们，不用害怕，不用发抖；咱可以用生命给你们担保。要是你们想咱真是一头狮子，那咱才真是倒霉啦！不，咱完全不是这种东西；咱是跟别人一个样儿的人”。这么着让他说出自己的名字来，明明白白地告诉她们，他是细木工匠斯纳格。

昆斯　好吧，就这么办。但是还有两件难事：第一，咱们要把月亮光搬进屋子里来；你们知道皮拉摩斯和提斯柏是在月亮底下相见的。

斯纳格　咱们演戏的那天可有月亮吗？

波顿　拿历本来，拿历本来！瞧历本上有没有月亮，有没有月亮。

昆斯　有的，那晚上有好月亮。

波顿　啊，那么你就可以把大厅上的一扇窗打开，月亮就会打窗子里照进来啦。

昆斯　对了，否则就得叫一个人一手拿着柴枝，一手举起灯笼，登场说他是代表着月亮。现在还有一件事，咱们在大厅里应该有一堵墙，因为故事上说，皮拉摩斯和提斯柏是凑着一条墙缝彼此讲话的。

斯纳格　你可不能把一堵墙搬进来。你怎么说，波顿？

波顿　让什么人扮作墙头，让他身上带着些灰泥黏土之类，表明他是墙头；让他把手指举起做成那个样儿，皮拉摩斯和提斯柏就可以在手指缝里低声谈话了。

昆斯　那样的话，一切就都齐全了。来，每个老娘的儿子都坐下来，念着你们的台词。皮拉摩斯，你开头，你说完了之后，就走进那簇树后。这样大家可以按着尾白[①]挨次说下去。

【迫克自后上。

迫克　哪一群伧夫俗子胆敢在仙后卧榻之旁鼓唇弄舌？哈，在那儿演戏！让我做一个听戏的吧；要是看到机会，也许我还要做一个演员哩。

昆斯　说吧，皮拉摩斯。提斯柏，站出来。

波顿　提斯柏，

花儿开得十分腥——

昆斯　十分香，十分香。

波顿　——开得十分香；

你的气息，好人儿，也是一个样。

听，那边有一个声音，你且等一等，

一会儿咱再来和你诉衷情。（下）

迫克　请看皮拉摩斯变成了怪妖精。（下）

弗鲁特　现在该咱说了吧？

昆斯　是的，该你说。你得弄清楚，他是去瞧瞧什么声音去的，等一会儿就要回来。

弗鲁特　最俊美的皮拉摩斯，脸孔红如红玫瑰，

肌肤白得赛过纯白的百合花，

活泼的青年，最可爱的宝贝，

忠心耿耿像一头顶好的马。

皮拉摩斯，

咱们在尼内的坟头相会[②]。

昆斯　“尼纳斯的坟头”，老兄。你不要就把这句说出来，那是要你答应皮拉摩斯的。你把要你说的话不管什么尾白不尾白，都一股脑儿说出来啦。皮拉摩斯，进来。你的尾白已经给你说过了，是“忠

① 尾白，指一句特定的介词，第一个演员念到“尾白”时，第二个演员便开始接话。

② 尼内是尼纳斯之讹，尼尼微城的建立者。尼内照字面讲有“傻子”之意。

心耿耿”。

弗鲁特　噢。

忠心耿耿像一头顶好的马。

【迫克重上；波顿戴驴头随上。

波顿　美丽的提斯柏，咱是整个儿属于你的！

昆斯　怪事！怪事！咱们见了鬼啦！列位，快逃！快逃！救命哪！（众下）

迫克　我要把你们带领得团团乱转，
经过一处处沼地、草莽和林薮；
有时我化作马，有时化作猎犬，
化作野猪，没头的熊，或是磷火；
我要学马样嘶，犬样吠，猪样嗥，
熊一样的咆哮，野火一样燃烧。（下）

波顿　他们干吗都跑走了呢？这准是他们的恶计，要把咱吓一跳。

【斯诺特重上。

斯诺特　啊，波顿！你变了样子啦！你头上是什么东西呀？

波顿　是什么东西？你瞧见你自己变成了一头蠢驴啦是不是？（斯诺特下）

【昆斯重上。

昆斯　天哪！波顿！天哪！你变啦！（下）

波顿　咱看透他们的鬼把戏；他们要把咱当作一头蠢驴，想出法子来吓咱。可是咱决不离开这块地方，瞧他们怎么办。咱要在这儿跑来跑去；咱要唱个歌儿，让他们听见了知道咱可一点不怕。（唱）

山乌嘴巴黄沉沉，
浑身长满黑羽毛，
画眉唱得顶认真，
声音尖细是欧鹪。

提泰妮娅　（醒）什么天使使我从百花的卧榻上醒来呢？

波顿　（唱）鹡鸰，麻雀，百灵鸟，
还有杜鹃爱骂人，

大家听了心头恼，

　可是谁也不回声。

真的，谁耐烦跟这么一只蠢鸟斗口舌呢？即使它骂你是乌龟，谁又高兴跟它争辩呢？

提泰妮娅　温柔的凡人，请你唱下去吧！我的耳朵沉醉在你的歌声里，我的眼睛又为你的状貌所迷惑；在第一次见面的时候，你的美姿已使我不禁说出而且矢誓着我爱你了。

波顿　咱想，奶奶，您这可太没有理由。不过说老实话，现今世界上理性可真难得跟爱情碰头；也没有哪位正直的邻居大叔给他俩撮合撮合做朋友，真是抱歉得很。哈，我有时也会说说笑话。

提泰妮娅　你真是又聪明又美丽。

波顿　不见得，不见得。可是咱要是有本事跑出这座林子，那已经很够了。

提泰妮娅　请不要跑出这座林子！不论你愿不愿，你一定要留在这里。我不是一个平常的精灵，夏天永远听从着我的命令；我真是爱你，因此跟我去吧。我将使神仙们侍候你，他们会从海底里捞起珍宝献给你；当你在花茵上睡去的时候，他们会给你唱歌；而且我要给你洗涤去俗体的污垢，使你身轻得像个精灵一样。豆花！蛛网！飞蛾！芥子！

【四神仙上。

豆花　有。

蛛网　有。

飞蛾　有。

芥子　有。

四仙　（合）差我们到什么地方去？

提泰妮娅　　恭恭敬敬地侍候这先生，

窜窜跳跳地追随他前行；

给他吃杏子、鹅莓和桑葚，

紫葡萄和无花果儿青青。

去把野蜂的蜜囊儿偷取，

剪下蜂股的蜜蜡做烛炬，
在流萤的火睛里点了火，
照着我的爱人晨兴夜卧；
再摘下彩蝶儿粉翼娇红，
扇去他眼上的月光溶溶。
来，向他鞠一个深深的躬。

四仙 （合）万福，凡人！

波顿 请你们列位先生多多担待担待在下。请教大号是——

蛛网 蛛网。

波顿 很希望跟您交个朋友，好蛛网先生；要是咱指头儿割破了的话，咱要大胆用到您[1]。善良的先生，您的尊号是——

豆花 豆花。

波顿 啊，请多多给咱向令堂豆荚奶奶和令尊豆壳先生致意。好豆花先生，咱也很希望跟您交个朋友。先生，您的雅号是——

芥子 芥子。

波顿 好芥子先生，咱知道您是个饱历艰辛的人。那块恃强凌弱的大牛排曾经把您家里好多人都吞去了。不瞒您说，您的亲戚们曾经把咱辣出眼泪来。咱希望跟您交个朋友，好芥子先生。

提泰妮娅 来，侍候着他，引路到我的闺房。
月亮今夜有一双多泪的眼睛；
小花们也都陪着她眼泪汪汪，
悲悼一些失去了的童贞。
吩咐那好人静静走不许作声。（同下）

① 俗云蛛丝能止血。

第二场　林中的另一处

【奥布朗上。

奥布朗　不知道提泰妮娅有没有醒来；她一醒来就要热烈地爱上她第一眼所看到的无论什么东西了。这边来的是我的使者。

【迫克上。

奥布朗　啊，疯狂的精灵！在这座夜的魔林里现在有什么事情发生？

迫克　娘娘爱上一个怪物了。当她昏昏睡熟的时候，在她隐秘的神圣卧室之旁，来了一群村汉。他们都是在雅典市集上做工过活的粗鲁的手艺人，聚集在一起排着戏，预备在忒修斯结婚的那天表演。在这一群蠢货的中间，一个最蠢的蠢材扮演着皮拉摩斯；当他退场而走进一簇丛林里去的时候，我就抓住了这个好机会，给他的头上罩上一只死驴的头壳。一会儿他因为必须去答应他的提斯柏，所以这位好伶人又出来了。他们一看见了他，就像大雁望见了蹑足行近的猎人，又像一大群灰鸦听见了枪声，轰然飞起乱叫，四散着横扫过天空一样，全都没命逃走了。又因为我们的跳舞震动了地面，一个个横仆竖倒，嘴里乱喊着救命。他们本来就是那么糊涂，这回吓得完全丧失了神智，没有知觉的东西也都来欺侮他们了：野茨和荆棘抓破了他们的衣服；有的失去了袖子，有的落掉了帽子，败军之将，无论什么东西都是予取予求的。在这种惊惶中我领着他们走去，把变了样子的可爱的皮拉摩斯孤单单地留下；就在那时候，提泰妮娅醒过来，立刻就爱上这头驴子了。

奥布朗　这比我所能想得到的计策还好。但是你有没有依照我的吩咐，把那爱汁滴在那个雅典人的眼上呢？

迫克　那我也已经趁他睡熟的时候办好了。那个雅典女人就在他的身边，因此他一醒来，一定便会看见她。

【狄米特律斯及赫米娅上。

奥布朗　站住，这就是那个雅典人。

迫克　这女人一点不错，那男人可不是。

狄米特律斯　唉！为什么你这样骂着深爱你的人呢？那种毒骂是应该加在你仇敌身上的。

赫米娅　现在我不过把你数说数说罢了；我应该更厉害地对付你，因为我相信你是可咒诅的。要是你已经趁着拉山德睡着的时候把他杀了，那么把我也杀了吧；已经两脚踏在血泊中，索性让杀人的血淹没你的膝盖吧。太阳对于白昼，也没有像他对于我那样的忠心。当赫米娅睡熟的时候，他会悄悄地离开她吗？我宁愿相信地球的中心可以穿成孔道，月亮会从里面钻了过去，在地球的那一端跟她的兄长白昼捣乱。一定是你已经把他杀死了；因为只有杀人的凶徒，脸上才会这样惨白而可怖。

狄米特律斯　被杀者的脸色应该是这样的，你的残酷已经洞穿我的心，因此我应该有那样的脸色；但是你这杀人的，却瞧上去仍然是那么辉煌莹洁，就像那边天上闪耀着的金星一样。

赫米娅　你这种话跟我的拉山德有什么关系？他在哪里呀？啊，好狄米特律斯，把他还给了我吧！

狄米特律斯　我宁愿把他的尸体喂我的猎犬。

赫米娅　滚开，贱狗！滚开，恶狗！你使我再也忍不住了。你真的把他杀了吗？从此之后，别再把你算作人吧！啊，看在我的面上，老老实实告诉我，告诉我，你，一个清醒的人，看见他睡着，而把他杀了吗？哎哟，真勇敢！一条蛇，一条毒蛇，都比不上你；因为它的分叉的毒舌，还不及你的毒心更毒！

狄米特律斯　你的脾气发得好没来由。我可以告诉你，我并没有杀死拉山德，他也并没有死。

赫米娅　那么请你告诉我他是平安的。

狄米特律斯　要是我告诉你，我将得到什么好处呢？

赫米娅　你将永远不再看见我。我从此离开你那可憎的脸；无论他死也罢活也罢，你再不要和我相见。（下）

狄米特律斯　在她这样盛怒之中，我还是不要跟着她。让我在这儿暂时停留一会儿。

睡眠欠下了沉忧的债，
心头加重了沉忧的担；
我且把黑甜乡暂时寻访，
还了些还不尽的糊涂账。（卧下睡去）

奥布朗　你干了些什么事呢？你已经大大地弄错了，把爱汁去滴在一个真心的恋人的眼上。为了这次错误，本来忠实的将要变了心肠，而不忠实的仍旧和以前一样。

迫克　一切都是命运在做主；保持着忠心的不过一个人，变心的，把盟誓起了一个毁了一个的，却有百万个人。

奥布朗　比风还快地去往林中各处访寻名叫海伦娜的雅典女郎吧！她是全然为爱情而憔悴的，痴心的叹息耗去她脸上的血色。用一些幻象把她引到这儿来；我将在他的眼睛上施上魔术，准备他们的见面。

迫克　我去，我去，瞧我一会儿便失了踪迹；鞑靼人的飞箭都赶不上我的迅疾。（下）

奥布朗　　这一朵紫色的小花，尚留着爱神的箭疤，
让它那灵液的力量，渗进他眸子的中央。
当他看见她的时光，让她显出庄严妙相，
如同金星照亮天庭，让他向她宛转求情。

【迫克重上。

迫克　　报告神仙界的头脑，海伦娜已被我带到，
她后面随着那少年，正在哀求着她眷怜。
瞧瞧那痴愚的形状，人们真蠢得没法想！

奥布朗　　站开些；他们的声音
将要惊醒睡着的人。

迫克　　两男合爱着一女，这把戏已够有趣；
最妙是颠颠倒倒，看着才叫人发笑。

【拉山德及海伦娜上。

拉山德　为什么你要以为我的求爱不过是向你嘲笑呢？嘲笑和戏谑是永不会伴着眼泪而来的。瞧，我在起誓的时候，是多么感泣着！这

样的誓言是不会被人认作虚谎的。明明有着可以证明是千真万确的表记，为什么你会以为我这一切都是出于讪笑呢？

海伦娜　你越来越俏皮了。要是人们所说的真话都是互相矛盾的，那么相信那一句真话好呢？这些誓言都是应当向赫米娅说的，难道你把她丢弃了吗？把你对她和对我的誓言放在两个秤盘里，一定称不出轻重来，因为都是像空话那样虚浮。

拉山德　当我向她起誓的时候，我实在一点见识都没有。

海伦娜　照我想起来，你现在把她丢弃了也不像是有见识的。

拉山德　狄米特律斯爱着她，但他不爱你。

狄米特律斯　（醒）啊，海伦！完美的女神！圣洁的仙子！我要用什么来比并你的秀眼呢，我的爱人？水晶是太昏暗了。啊，你的嘴唇，那吻人的樱桃，瞧上去是多么成熟，多么诱人！你一举起你那洁白的妙手，被东风吹着的滔勒斯高山上的积雪，就显得像乌鸦那么黯黑了。让我吻一吻那纯白的女王，这幸福的象征吧！

海伦娜　唉，倒霉！该死！我明白你们都在把我取笑；假如你们是懂得礼貌有教养的人，一定不会这样侮辱我。我知道你们都讨厌着我，那么就讨厌我好了，为什么还要联合起来讥讽我呢？你们瞧上去都像堂堂男子，如果真是堂堂男子，就不该这样对待一个有身份的妇女：发着誓，赌着咒，过誉着我的好处，但我能断定你们的心里却在讨厌我。你们两人一同爱着赫米娅，现在转过身来一同把海伦娜嘲笑，真是大丈夫的行为！为着取笑的缘故逼一个可怜的女人流泪，高尚的人决不会这样轻侮一个闺女，只是因为给你们寻寻开心，要逼到她忍无可忍。

拉山德　你太残忍，狄米特律斯，不要这样；因为你爱着赫米娅，这你知道我是十分明白的。现在我用全心和好意把我在赫米娅的爱情中的地位让给你，但你也得把海伦娜的让给我，因为我爱她，并且将要爱她到死。

海伦娜　从来不曾有过嘲笑者浪费过这样无聊的口舌。

狄米特律斯　拉山德，保留着你的赫米娅吧，我不要；要是我曾经爱过她，那爱情现在也已经消失了。我的爱不过像过客一样暂时驻留在她的身上，现在它已经回到它的永远的家，海伦娜的身边，再不到别处去了。

拉山德　海伦，他的话是假的。

狄米特律斯　不要侮蔑你所不知道的真理，否则你将以生命的危险重重补

偿你的过失。瞧！你的爱人来了；那边才是你的爱人。

【赫米娅上。

赫米娅　黑夜使眼睛失去它的作用，但却使耳朵的听觉更为灵敏。我的眼睛不能寻到你，拉山德，但多谢我的耳朵，使我能听见你的声音。你为什么那样忍心地离开了我呢？

拉山德　爱情驱赶一个人走的时候，为什么他要滞留呢？

赫米娅　哪一种爱情能把拉山德驱开我的身边？

拉山德　拉山德的爱情使他一刻也不能停留；美丽的海伦娜，她照耀着夜天，使一切明亮的繁星黯然无色。为什么你要来寻找我呢？难道这还不能使你知道我因为厌恶你的缘故，才这样离开了你吗？

赫米娅　你说的不是真话，那不会是真的。

海伦娜　瞧！她也是他们的一党。现在我明白了，他们三个人一起联合用这种恶作剧欺凌我。欺人的赫米娅！最没有良心的丫头！你竟然和这种人一同算计着向我开这种卑鄙的玩笑捉弄我吗？难道我们两人从前的种种推心置腹，约为姊妹的盟誓，在一起怨恨疾足的时间这样快便把我们拆分的那种时光，啊！都已经忘记了吗？我们在同学时的那种情谊，一切童年的天真，都已经完全在脑后了吗？赫米娅，我们两人曾经像两个巧手的神匠，在一起绣着同一朵花，描着同一个图样，我们同坐在一个椅垫上，齐声地曼吟着同一个歌儿，就像我们的手，我们的身体，我们的声音，我们的思想，都是连在一起不可分的样子。我们这样生长在一起，正如并蒂的樱桃，看似两个，其实却连生在一起；我们是结在同一茎上的两颗可爱的果实，我们的身体虽然分开，我们的心却只有一个。难道你竟把我们从前的友好丢弃不顾，而和男人们联合着嘲弄你的可怜的朋友吗？这种行为太没有朋友的情谊，而且也不

合一个少女的身份。不单是我，我们全体女人都可以攻击你，虽然受到委屈的只是我一个。

赫米娅　你这种愤激的话真使我惊奇。我并没有嘲弄你；似乎你在嘲弄我哩。

海伦娜　你不曾唆使拉山德跟随我，假意称赞我的眼睛和脸孔吗？你那另一个爱人，狄米特律斯，不久之前还曾要用他的脚踢开我，你不曾使他称我为女神、仙子，神圣而稀有的、珍贵的、超乎一切的人吗？为什么他要向他所讨厌的人说这种话呢？拉山德的灵魂里是充满了你的爱的，倘不是因为你的指使，因为你们曾经预先商量好，为什么他反而要摈斥你，却要把他的热情奉献给我？即使我不像你那样得人爱怜，那样被人追求不舍，那样好幸运，而是那样倒霉因为得不到我所爱的人的爱情，那和你又有什么关系呢？你应该可怜我而不应该侮蔑我。

赫米娅　我不懂你说这种话的意思。

海伦娜　好，尽管装腔下去，扮着这一副苦脸，等到我一转背，就要向我做鬼脸了；大家彼此眨眨眼睛，把这个绝妙的玩笑尽管开下去吧，将来会登载在历史上的。假如你们是有同情心、懂得礼貌的，就不该把我当作这样的笑柄。再会吧，一半也是我自己的不好，死别或生离不久便可以补赎我的错误。

拉山德　不要走，温柔的海伦娜！听我解释。我的爱！我的生命！我的灵魂！美丽的海伦娜！

海伦娜　多好听的话！

赫米娅　亲爱的，不要那样嘲笑她。

狄米特律斯　要是她的恳求不能使你不说那种话，我将强迫你闭住你的嘴。

拉山德　她也不能恳求我，你也不能强迫我。你的威胁正和她的软弱的祷告同样没有力量。海伦，我爱你！凭着我的生命起誓，我爱你！谁说我不爱你的，我愿意用我的生命证明他说谎；为了你我是乐意把生命捐弃的。

狄米特律斯　我说我比他更要爱你得多。

拉山德　要是你这样说，那么把剑拔出来证明一下吧。

狄米特律斯　好，快些，来！

赫米娅　拉山德，这一切究竟是怎么一回事呢？

拉山德　走开，你这黑丫头[①]！

狄米特律斯　你可不能骗我而自己逃走；假意说着来来，却在准备趁机溜去。你是个不中用的汉子，去吧！

拉山德　（向赫米娅）放开手，你这猫！你这牛蒡子！贱东西，放开手！否则我要像摔走一条蛇那样摔走你了。

赫米娅　为什么你变得这样凶暴？究竟是什么缘故呢，爱人？

拉山德　什么爱人！走开，黑鞑子！走开！可厌的毒物，给我滚吧！

赫米娅　你还是在开玩笑吗？

海伦娜　是的，你也是。

拉山德　狄米特律斯，我一定不失信于你。

狄米特律斯　你的话可有些不能算数，因为人家的柔情在牵系住你。我可信不过你的话。

拉山德　什么！难道要我伤害她、打她、杀死她吗？虽然我厌恨她，我还不至于这样残忍。

赫米娅　啊！还有什么事情比之你厌恨我更残忍呢？厌恨我！为什么呢？天哪！究竟是怎么一回事呢，我的好人？难道我不是赫米娅了吗？难道你不是拉山德了吗？我现在生得仍旧跟以前一个样子。就在这一夜里你还曾爱过我；但就在这一夜里你离开了我。那么你真的——唉，天哪！真的存心离开我吗？

拉山德　一点不错，而且再不要看见你的脸了。因此你可以断了念头，不必疑心，我的话是千真万确的：我厌恨你，我爱海伦娜，一点不是开玩笑。

赫米娅　天啊！你这骗子！你这花中的蛀虫！你这爱情的贼！哼！你趁着黑夜，悄悄地把我的爱人的心偷了去吗？

---

① 因赫米娅肤色微黑，故云。第二幕中有“把乌鸦换白鸽”之语，亦此意；海伦娜肤色白皙，故云白鸽也。

海伦娜　真好！难道你一点女人家的羞耻都没有，一点不晓得难为情了吗？哼！你一定要引得我破口说出难听的话来吗？哼！哼！你这装腔作势的人！你这给人家愚弄的小玩偶！

赫米娅　小玩偶！噢，原来如此。现在我才明白了她把她的身材跟我比较；她自夸她生得长，用她那身材，那高高的身材，赢得了他的心。因为我生得矮小，所以他便把你看得高不可及了吗？我是怎样一个矮法？你这涂脂抹粉的花棒儿！请你说，我是怎样矮法？矮虽矮，我的指爪还挖得着你的眼珠哩！

海伦娜　先生们，虽然你们都在嘲弄我，但我求你们别让她伤害我。我从来不曾使过性子，我也完全不懂得怎样跟人家吵架，我是一个胆小怕事的女子。不要让她打我。也许你们以为她比我生得矮些，我可以打得过她。

赫米娅　生得矮些！听，又来了！

海伦娜　好赫米娅，不要对我这样凶！我一直是爱你的，赫米娅，有什么事总跟你商量，从来不曾对你做过欺心的事。除了这次，为了对狄米特律斯的爱情的缘故，我把你私奔到这座林中的事告诉了他。他追踪着你；为了爱，我又追踪着他；但他一直是斥骂着我，威吓着我说要打我，踢我，甚至于要杀死我。现在你让我悄悄地去了吧，我愿带着我的愚蠢回到雅典去，不再跟着你们了。让我去；你瞧我是多么傻多么痴心！

赫米娅　好，你去就去吧，谁在拦住你？

海伦娜　一颗发痴的心，但我把它丢弃在这里了。

赫米娅　噢，给了拉山德了是不是？

海伦娜　不，是狄米特律斯。

拉山德　不要怕，她不会伤害你的，海伦娜。

狄米特律斯　当然不会的，先生；即使你帮着她也不要紧。

海伦娜　啊，她一发起怒来，真是又凶又狠。在学校里她就是出名的雌老虎；长得很小的时候，便已是那么凶了。

赫米娅　又是“很小”！老是矮啊小啊地说个不住！为什么你让她这样讥笑我呢？让我跟她拼命去。

拉山德　滚开，你这矮子！你这发育不全的三寸丁！你这小佛珠子！你这小青豆！

狄米特律斯　她用不着你的帮忙，因此不必那样乱献殷勤。让她去，不许你嘴里再提到海伦娜。要是你再向她献殷勤，就请你当心着吧！

拉山德　现在她已经不再拉住我了；你要是有胆子，跟我来吧，我们倒要试试看究竟海伦娜该是属于谁的。

狄米特律斯　跟你来？嘿，我要和你并着肩走呢！（拉山德、狄米特律斯二人下）

赫米娅　你，小姐，这一切的纷扰都是因为你的缘故。哎，别逃啊！

海伦娜　我怕你，我不敢跟脾气这么大的你在一起。打起架来，你的手比我快得多，但我的腿比你长些，逃起来你追不上我。（下）

赫米娅　我简直莫名其妙，不知道要说些什么话好。（下）

奥布朗　这都是因为你的粗心大意。倘不是你弄错了，就一定是你故意在捣蛋。

迫克　相信我，仙王，是我弄错了。你不是对我说只要认清楚那人穿着雅典的衣裳？照这样说起来我完全不曾错，因为我是把花汁滴在一个雅典人的眼上。事情会弄到这样我是满快活的，因为他们的吵闹看着怪有趣味。

奥布朗　你瞧这两个恋人找地方决斗去了。因此，罗宾，快去把夜天遮暗了；你就去用像冥河的水一样黑的浓雾盖住星空，再引这两个声势汹汹的仇人迷失了路，不要让他们碰在一起。有时你学着拉山德的声音痛骂狄米特律斯，有时学着狄米特律斯的样子斥责拉山德：用这种法子把他们两个分开，直到他们奔波得精疲力竭，让死一样的睡眠拖着铅样沉重的腿和蝙蝠的翅膀爬到他们的额上；然后你把这草挤出汁来涂在拉山德的眼睛上，它能够解去一切的错误，使他的眼睛恢复从前的眼光。等他们醒来之后，这一切的戏谑，就会像是一场梦境或是空虚的幻象；这一班恋人们便将回到雅典去，一同走着无穷的人生的路程直到死去。在我差遣你去做这件事的时候，我要去访问我的王后，向她讨那个印度孩子；

然后我要解除她眼中所见的怪物的幻觉，一切事情都将和平解决。

迫克　这事我们必须赶早办好，主公，因为黑夜已经驾起他的飞龙；

晨星，黎明的先驱，已照亮苍穹；一个个鬼魂四散地奔返殡宫：

还有那横死的幽灵抱恨长终，道旁水底有他们的白骨成丛，

为怕白昼揭破了丑恶的形容，早已向重泉归寝相伴着蛆虫；

他们永远照不到日光的融融，只每夜在暗野里凭吊着凄风。

奥布朗　但你我可完全不能比并他们；晨光中我惯和猎人一起游巡，

如同林居人一样踏访着丛林：即使东方开启了火红的天门，

大海上照耀万道灿烂的光针，青碧的波涛化成了一片黄金。

但我们应该早早办好这事情，最好别把它迁延着直到天明。（下）

迫克　奔到这边来，奔过那边去；我要领他们，奔来又奔去。

林间和市上，无人不怕我；我要领他们，走尽林中路。

这儿来了一个。

【拉山德重上。

拉山德　你在哪里，骄傲的狄米特律斯？说出来！

迫克　在这儿，恶徒！把你的剑拔出来准备着吧。你在哪里？

拉山德　我立刻就过来。

迫克　那么跟我来吧，到平坦一点的地方。（拉山德随声音下）

【狄米特律斯重上。

狄米特律斯　拉山德，你再开口啊！你逃走了，你这懦夫！你逃走了吗？说话呀！躲在哪一堆树丛里吗？你躲在哪里呀？

迫克　你这懦夫！你在向星星们夸口，向树林子挑战，但是却不敢过来吗？来，卑怯汉！来，你这小孩子！我要好好抽你一顿。谁要跟你比剑才真倒霉！

狄米特律斯　呀，你在那边吗？

迫克　跟我的声音来吧，这儿不是适宜我们战斗的地方。（同下）

【拉山德重上。

拉山德　他走在我的前头，老是挑激着我上前；一等我走到他叫喊着的地方，他又早已不在。这个坏蛋比我脚步快得多，我越是追得

快，他可逃走得更快，使我在黑暗崎岖的路上绊跌了一跤。让我在这儿休息一下吧。（躺下）来吧，你仁心的白昼！只要你一露出你的一线灰白的微光，我就可以看见狄米特律斯而洗雪这次仇恨了。（睡去）

【迫克及狄米特律斯重上。

迫克　呵！呵！呵！懦夫！你为什么不来？

狄米特律斯　要是你有胆量的话，等着我吧；我全然明白你跑在我前面，从这儿窜到那儿，不敢站住，也不敢当着我的面。你现在在什么地方？

迫克　过来，我在这儿。

狄米特律斯　哼，你在摆布我。要是天亮了我看见你的脸孔，你好好地留点儿神。现在，去你的吧！疲乏逼着我倒卧在这寒冷的地上，等候着白天的降临。（躺下睡去）

【海伦娜重上。

海伦娜　疲乏的夜啊！冗长的夜啊！减少一些你的时辰吧！从东方出来的安慰，快照耀起来啊！好让我借着晨光回到雅典去，离开这一群人，他们大家都讨厌可怜的我。慈悲的睡眠，有时你闭上了悲伤的眼睛，求你暂时让我忘却了自己的存在吧！（躺下睡去）

迫克　两男加两女，四个无错误；
三人已在此，一人在何处？
哈哈她来了，满脸愁云罩：
爱神真不好，惯惹女人恼！

【赫米娅重上。

赫米娅　从来不曾这样疲乏过，从来不曾这样伤心过！我的身上沾满了露水，我的衣裳被荆棘抓破。我跑也跑不动，爬也爬不动了，我的两条腿再也不能从着我的心愿。让我在这儿休息一下以待天明。要是他们真要格斗的话，愿天保佑拉山德啊！（躺下睡去）

迫克　梦将残，睡方酣，
神仙药，祛幻觉，
百般迷梦全消却。（挤草汁于拉山德眼上）

醒眼见，旧人脸，
乐满心，情不禁，
从此欢爱复深深。
一句俗语说得好，
各人各有各的宝，
待你醒来就知晓：
哥儿爱姐儿，
两两无参差；
失马复得马，
一场大笑话！（下）

第四幕

第一场　林　　中

【提泰妮娅及波顿上，众仙随侍；奥布朗潜随其后。

提泰妮娅　来，坐在这花床上。我要爱抚你的可爱的脸颊；我要把麝香玫瑰插在你柔软光滑的头颅上；我要吻你的美丽的大耳朵，我的温柔的宝贝！

波顿　豆花呢？

豆花　有。

波顿　替咱把头搔搔，豆花儿。蛛网先生在哪儿？

蛛网　有。

波顿　蛛网先生，好先生，把您的刀拿好，替咱把那蓟草叶尖上的红屁股的野蜂儿杀了。然后，好先生，替咱把蜜囊儿拿来。干那事的时候可别太性急，先生，而且，好先生，当心别把蜜囊儿给弄破了；要是您在蜜囊里头淹死了，那咱可不很乐意，先生。芥子先生在哪儿？

芥子　有。

波顿　把您的小手儿给我，芥子先生。请您不用多礼了吧，好先生。

芥子　你有什么吩咐？

波顿　没有什么，好先生，只是帮蛛网君替咱搔搔痒。咱一定得理发去，先生，因为咱觉得脸上毛得很。咱是一头感觉非常灵敏的驴子，要是一根毛把咱触痒了，咱就非得搔一下子不可。

提泰妮娅　你要不要听一些音乐，我的好人？

波顿　咱很懂得一点儿音乐。咱们来点儿响亮的吧。

提泰妮娅　好人，你要吃些什么呢？

波顿　真的，来一堆刍秣吧。您要是有好的干麦秆，也可以给咱大嚼一顿。咱想咱怪想吃那么一捆干草，好干草，美味的干草，什么也比不上它。

提泰妮娅　我有一个善于冒险的小神仙，可以给你到松鼠的仓里取下些新鲜的榛栗来。

波顿　咱宁可吃一把两把干豌豆。但是谢谢您，吩咐您那些人们别惊动咱吧，咱想要睡他妈的一个觉。

提泰妮娅　睡吧，我要把你抱在我怀里。神仙们，往各处散开去吧。（众仙下）菟丝也正是这样温柔地缠附着芬芳的金银花；女萝也正是这样缱绻着榆树的臂枝。啊，我是多么爱你！我是多么热恋着你！（同睡去）

【迫克上。

奥布朗　（上前）欢迎，好罗宾！你见不见这种可爱的情景？我对于她的痴恋开始有点不忍了。刚才我在树林后面遇见她正在为这个可憎的蠢货找寻爱情的礼物，我就谴责她，因为那时她把芬芳的鲜花制成花环环绕着他那毛茸茸的额角；原来在嫩蕊上晶莹饱满，如同东方的明珠一样的露水，如今却含在那一朵朵美艳的小花的眼中，像是盈盈欲泣的眼泪，痛心着它们所受的耻辱。我把她尽情嘲骂一番之后，她低声下气地请求我息怒，于是我便趁机向她索讨那个换儿；她立刻把他给了我，差她的仙侍把他送到了我的寝宫里。现在我已经到手了这个孩子，我将解去她眼中这种可憎的迷惑。好迫克，你去把这雅典村夫头上的变形的头盖揭下，好让他和大家一同醒来的时候，可以回到雅典去，把这晚间一切发生的事，只当作了一场梦魇。但是先让我给仙后解去了魔法吧。（以草触她的眼睛）

回复你原来的本性，

解去你眼前的幻景；

这一朵女贞花采自月姊园庭，

它会使爱情的小卉失去功能。

喂，我的提泰妮娅，醒醒吧，我的好王后！

提泰妮娅　我的奥布朗！我看见了怎样的幻景！好像我爱上了一头驴子啦。

奥布朗　那边就是你的爱人。

提泰妮娅　这一切事情怎么会发生的呢？啊，现在我看见他的样子是多么来气！

奥布朗　静一会儿。罗宾，把他的头壳揭下了。提泰妮娅，叫他们奏起音乐来吧，让这五个人睡得全然失去了知觉。

提泰妮娅　来，奏起催眠的乐声柔婉！（轻柔的音乐）

迫克　等你一醒来的时候，蠢汉。

用你自己的傻眼睛瞧看。

奥布朗　奏下去，音乐！（乐音渐强）来，我的王后，让我们携手同行，让我们的舞蹈震动这些人睡着的地面。现在我们已经言归于好，明天夜半将要一同到忒修斯公爵的府中跳着庄严的欢舞，祝福他家繁荣昌盛。这两对忠心的恋人也将在那里和忒修斯同时举行婚礼，大家心中充满了喜乐。

迫克　仙王，仙王，留心听，

我闻见云雀歌吟。

奥布朗　王后，让我们静静

追随着夜的踪影；

我们环绕着地球，

快过明月的光流。

提泰妮娅　夫君，请你在一路

告诉我一切缘故，

这些人来自何方，

当我熟睡的时光。（同下。幕内号角声）

【忒修斯、希波吕忒、伊吉斯及侍从等上。

忒修斯　你们中间谁去把猎奴唤来。我们已把五月节的仪式遵行，现在还不过是清晨，我的爱人应当听一听猎犬的音乐。把它们放在西面的山谷里；快去把猎奴唤来。（一侍从下）美丽的王后，让我们到山顶上去，领略着猎犬们的吠叫和山谷中的回声应和在一起的妙乐吧。

希波吕忒　我曾经同赫拉克勒斯和卡德摩斯一起在克里特林中行猎，他们用斯巴达的猎犬追赶着巨熊，那种雄壮的吠声我真是第一次听到；除了丛林之外，天空和群山，以及一切附近的区域，似乎混成了一片交互的呐喊。我从来不曾听见过那样谐美的喧声，那样悦耳的雷鸣。

忒修斯　我的猎犬也是斯巴达种，一样的颊肉下垂，一样的黄沙的毛色。它们的头上垂着两片挥拂晨露的耳朵；它们的膝骨是弯曲的，并且像塞萨利亚种的公牛一样喉头长着垂肉。它们在追逐时不很迅速，但它们的吠声彼此高下相应，就像钟声那样合调。无论在克里特、斯巴达，或是塞萨利亚，都不曾有过这么一队吠得更好听的猎犬；你听见了之后便可以自己判断。但是且慢！这些都是什么仙女？

伊吉斯　殿下，这是我的女儿；这是拉山德；这是狄米特律斯；这是海伦娜，奈达老人的女儿。我不知道他们怎么都躺在这儿。

忒修斯　他们一定早起守五月节，因为闻知了我们的意旨，所以赶到这儿来参加我们的典礼。但是，伊吉斯，今天不是赫米娅应该决定她的选择的日子了吗？

伊吉斯　是的，殿下。

忒修斯　去，叫猎奴们吹起号角来惊醒他们。（一侍从下，幕内号角及呐喊声；拉山德、狄米特律斯、赫米娅、海伦娜惊醒跳起）早安，朋友们！情人节早已过去了，你们这一辈林鸟到现在才配起对来吗？

拉山德　请殿下恕罪！（偕余人并跪下）

忒修斯　请你们站起来吧。我知道你们两人是对头冤家，怎么会变得这样和气，大家睡在一块儿，没有一点猜忌了呢？

拉山德　殿下，我现在还是糊里糊涂，不知道应当怎样回答您的问话，但是我敢发誓说我真的不知道怎么会在这儿，但是我想——我要说老实话，我现在记起了，一点不错，我是和赫米娅一同到这儿来的。我们想要逃出雅典，避过了雅典法律的峻严，我们便可以——

伊吉斯　够了，够了，殿下，话已经说得够了。我要求依法，依法惩办他。他们打算，他们打算逃走，狄米特律斯，用那种手段欺弄我们，使你的妻子落了空，使我给你的允许也落了空。

狄米特律斯　殿下，海伦娜告诉了我他们的出奔，告诉了我他们到这儿林中来的目的；我在盛怒之下追踪他们，同时海伦娜因为痴心的缘故也追踪着我。但是，殿下，我不知道一种什么力量——但一定是有一种力量——使我对于赫米娅的爱情会像霜雪一样溶解，现在想起来就像一段童年时所爱好的一件玩物的记忆一样。我一切的忠信，一切的心思，一切乐意的眼光，都是属于海伦娜一个人了。我在没有认识赫米娅之前，殿下，就已经和她订过盟约，但正如一个人在生病的时候一样，我厌弃着这一道珍馐，等到健康恢复，就会恢复了正常的胃口。现在我希求着她，珍爱着她，思慕着她，将要永远忠心于她。

忒修斯　俊美的恋人们，我们相遇得很巧；等会儿我们便可以再听你们把这段话讲下去。伊吉斯，你的意志只好屈服一下了：这两对少年不久便将跟我们一起在庙堂中缔结永久的鸳盟。现在清晨快将过去，我们本来准备的行猎只好中止。跟我们一起到雅典去吧，三三成对地，我们将要大张盛宴。来，希波吕忒。（忒修斯、希波吕忒、伊吉斯及侍从下）

狄米特律斯　这些事情似乎微细而无从捉摸，好像化为云雾的远山一样。

赫米娅　我觉得好像这些事情我都用昏花的眼睛看着，一切都化作了层叠的两重似的。

海伦娜　我也是这样想。我得到了狄米特律斯，像是得到了一颗宝石，好像是我自己的，又好像不是我自己的。

狄米特律斯　你们真能断定我们现在是醒着吗？我觉得我们还是在睡着

做梦。你们是不是以为公爵在这儿，叫我们跟他走吗?

赫米娅　是的，我的父亲也在。

海伦娜　还有希波吕忒。

拉山德　他确实曾叫我们跟他到庙里去。

狄米特律斯　那么我们真已经醒了。让我们跟着他走，一路上讲着我们的梦。(同下)

波顿　(醒)轮到咱的尾白的时候，请你们叫咱一声，咱就会答应。咱下面的一句是："最美丽的皮拉摩斯。"喂！喂！彼得·昆斯！弗鲁特，修风箱的！斯诺特，补锅子的！斯塔弗林！他妈的！悄悄地溜走了，把咱撇下在这儿一个人睡觉吗？咱做了一个奇怪得了不得的梦。没有人说得出那是怎样的一个梦；要是谁想把这个梦解释一下，那他一定是一头驴子。咱好像是——没有人说得出那是什么东西；咱好像是——咱好像有——但要是谁敢说出来咱好像有什么东西，那他一定是一个蠢材。咱那个梦啊，人们的眼睛从来没有听到过，人们的耳朵从来没有看见过，人们的手也尝不出来是什么味道，人们的舌头也想不出来是什么道理，人们的心也说不出来究竟那是怎样的一个梦。咱要叫彼得·昆斯给咱写一首歌儿咏一下这个梦，题目就叫作"波顿的梦"。咱要在演完戏之后当着公爵大人的面前唱这个歌——或者还是等咱死了之后再唱吧。(下)

第二场　雅典。昆斯家中

【昆斯、弗鲁特、斯诺特、斯塔弗林上。

昆斯　你们差人到波顿家里去过了吗？他还没有回家吗？

斯塔弗林　一点消息都没有。他准是给妖精拐了去了。

弗鲁特　要是他不回来，那么咱们的戏就要搁起来啦。它不能再演下去，是不是？

昆斯　那当然演不下去啰。整个雅典城里除了他之外就没有第二个人可以演皮拉摩斯。

弗鲁特　谁也演不了。他在雅典手艺人中间简直是最聪明的一个。

昆斯　对，而且也是顶好的人。他有一副好喉咙，吊起膀子来真是顶呱呱的。

弗鲁特　你说错了，你应当说"吊嗓子"。吊膀子，天老爷！那是一件难为情的事。

【斯纳格上。

斯纳格　列位，公爵大人刚从庙里出来，还有两三位贵人和小姐们也在同时结了婚。要是咱们的玩意儿能够干下去，咱们一定大家都有好处。

弗鲁特　哎呀，可爱的波顿好家伙！他从此就不能再拿到六便士一天的恩俸了。他准可以拿到六便士一天的。咱可以赌咒公爵大人见了他扮演皮拉摩斯，一定会赏给他六便士一天。他应该可以拿到六便士一天的；扮演了皮拉摩斯，应该拿六便士一天，少一个子儿都不行。

【波顿上。

波顿　孩儿们在什么地方？心肝们在什么地方？

昆斯　波顿！哎呀，顶好顶好的日子！顶吉利顶吉利的时辰！

波顿　列位，咱要讲古怪事儿给你们听，可不许问咱什么事。要是咱对你们说了，咱不算是真的雅典人。咱要把一切全都告诉你们，一个字也不漏掉。

昆斯　讲给咱们听吧，好波顿。

波顿　关于咱自己的事可一个字也不能告诉你们。咱要报告给你们知道的是，公爵大人已经用过正餐了。把你们的行头收拾起来，胡须上要用坚牢的穿绳，乌靴上要结簇新的缎带。立刻在宫门前集合，各人温熟了自己的台词。总而言之一句话，咱们的戏已经送上去了。无论如何，可得叫提斯柏穿一件干净一点的衬衫；还有扮演狮子的那位别把指甲修去，因为那是要露出在外面当作狮子的脚爪的。顶要紧的，列位老板们，别吃洋葱和大蒜，因为咱们可不能把人家熏倒了胃口。咱一定会听见他们说："这是一出风雅的喜剧。"完了，去吧！去吧！（同下）

第五幕

第一场　雅典。忒修斯宫中

【忒修斯、希波吕忒、菲劳斯特莱特及大臣、侍从等上。

希波吕忒　忒修斯，这些恋人们所说的话真是奇怪得很。

忒修斯　奇怪得不像是真实。我永不相信这种古怪的传说和神仙的游戏。情人们和疯子们都富于纷乱的思想和成形的幻觉，他们所理会到的永远不是冷静的理智所能充分了解的。疯子、情人和诗人，都是空想的产儿：疯子眼中所见的鬼，多过于广大的地狱所能容纳；情人，同样是那么狂妄地能从埃及人的黑脸上看见海伦的美貌；诗人的眼睛在神奇的狂放的一转中，便能从天上看到地下，从地下看到天上。想象会把不知名的事物用一种方式呈现出来，诗人的笔再使它们具有如实的形象，空虚的无物也会有了居处和名字。强烈的想象往往具有这种本领，只要一领略到一些快乐，就会相信那种快乐的背后有一个赐予的人；夜间一转到恐惧的念头，一株灌木一下子便会变成一头熊。

希波吕忒　但他们所说的一夜间全部的经历，以及他们大家心理上都受到同样影响的一件事实，可以证明那不会是幻想。虽然那故事是怪异而惊人，却并不令人不能置信。

忒修斯　这一班恋人们高高兴兴地来了。

【拉山德、狄米特律斯、赫米娅、海伦娜上。

忒修斯　恭喜，好朋友们！恭喜！愿你们心灵里永远享受着没有荫翳的爱情日子！

拉山德　愿更大的幸福永远追随着殿下的起居！

忒修斯　来，我们应当用什么假面剧或是舞蹈来消磨在尾餐和就寝之间的三点钟悠长的岁月呢？我们一向掌管戏乐的人在哪里？有哪几种余兴准备着？有没有一出戏剧可以袪除难挨的时辰里按捺不住的焦灼呢？叫菲劳斯特莱特过来。

菲劳斯特莱特　有，伟大的忒修斯。

忒修斯　说，你有些什么可以缩短这黄昏的节目？有些什么假面剧？有些什么音乐？要是一点娱乐都没有，我们怎么把这迟迟的时间消度过去呢？

菲劳斯特莱特　这儿是一张预备好的各种戏目的单子，请殿下自己拣选哪一项先来。（呈上单子）

忒修斯　“与半人马作战，由一个雅典太监和竖琴而唱。”那个我们不要听；我已经告诉过我的爱人这一段表彰我的姻兄赫拉克勒斯武功的故事了。“醉酒者之狂暴，色雷斯歌人惨遭肢裂的始末。”那是老调，当我上次征服忒拜凯旋的时候就已经表演过了。“九缪斯神痛悼学术的沦亡。”那是一段犀利尖刻的讽刺，不适合于婚礼时的表演。“关于年轻的皮拉摩斯及其爱人提斯柏的冗长的短戏，非常悲哀的趣剧。”悲哀的趣剧！冗长的短戏！那简直是说灼热的冰，发烧的雪。这种矛盾怎么能调和起来呢？

菲劳斯特莱特　殿下，一出一共只有十来个字那么长的戏，当然是再短没有了；然而即使只有十个字，也会嫌太长，叫人看了厌倦；因为在全剧之中，没有一个字是用得恰当的，没有一个演员是支配得恰如其分的。那本戏的确很悲哀，殿下，因为皮拉摩斯在戏里要把自己杀死。那一场我看他们预演的时候，我得承认确曾使我的眼中充满了眼泪；但那些泪都是在纵声大笑的时候忍不住而流着的，再没有人流过比那更开心的泪了。

忒修斯　扮演这戏的是些什么人呢？

菲劳斯特莱特　都是在这儿雅典城里做工过活的胼手胝足的汉子。他们从来不曾用过头脑，今番为了准备参加殿下的婚礼，才辛辛苦苦地把这本戏记诵起来。

忒修斯　好，就让我们听一下吧。

菲劳斯特莱特　不，殿下，那是不配烦渎您的耳朵的。我已经听完过他们一次，简直一无足取——除非你嘉纳他们的一片诚心和苦苦背诵的辛勤。

忒修斯　我要把那本戏听一次，因为纯朴和忠诚所呈献的礼物，总是可取的。去把他们带来。各位夫人女士们，大家请坐下。（菲劳斯特莱特下）

希波吕忒　我不欢喜看见贱微的人做他们力量所不及的事，忠诚因为努力的狂妄而变成毫无价值。

忒修斯　啊，亲爱的，你不会看见他们糟到那地步。

希波吕忒　他说他们根本不会演戏。

忒修斯　那更显得我们的宽宏大度，虽然他们的劳力毫无价值，他们仍能得到我们的嘉纳。我们可以把他们的错误作为取笑的资料。我们不必较量他们那可怜的忠诚所不能达到的成就，而该重视他们的辛勤。凡是我所到的地方，那些有学问的人都预先准备好欢迎辞迎接我；但是一看见了我，便发抖脸色变白，句子没有说完便中途顿住，话儿梗在喉中，吓得说不出来，结果是一句欢迎我的话都没有说。相信我，亲爱的，从这种无言中我却领受了他们一片欢迎的诚意；在诚惶诚恐的忠诚的畏怯上表示出来的意味，并不少于一条娓娓动听的辩舌。因此，爱人，照我所能观察到的，无言的纯朴所表示的情感，才是最丰富的。

【菲劳斯特莱特重上。

菲劳斯特莱特　请殿下示，念开场诗的预备登场了。

忒修斯　让他上来吧。（喇叭奏花腔）

【昆斯上，念开场诗。

昆斯　要是咱们，得罪了请原谅。

咱们本来是，一片的好意，

想要显一显。薄薄的伎俩，

那才是咱们原来的本意。

因此列位咱们到这儿来。

为的是让列位欢笑欢笑，

否则就是不曾。到这儿来，

如果咱们。惹动列位气恼，

一个个演员，都将，要登场，

你们可以仔细听个端详。

忒修斯　这家伙简直乱来。

拉山德　他念他的开场诗就像骑一头顽劣的小马一样，乱冲乱撞，该停的地方不停，不该停的地方偏偏停下。殿下，这是一个好教训：单是会讲话不能算数，要讲话总该讲得像个路数。

希波吕忒　真的他就像一个小孩子学吹笛，呜哩呜哩了一下，可是全不入调。

忒修斯　他的话像是一段纠缠在一起的链索，并没有毛病，可是全弄乱了。跟着是谁登场呢？

【一号手前导，皮拉摩斯及提斯柏、墙、月光、狮子上。

昆斯　列位大人，也许你们会奇怪这一班人跑出来干什么。不必寻根究底，自然而然地你们总会明白过来。这个人是皮拉摩斯，要是你们想要知道的话；这位美丽的姑娘不用说便是提斯柏啦。这个人手里拿着石灰和黏土，是代表着墙头，那堵隔开这两个情人的坏墙头；他们这两个可怜的人只好在墙缝里低声谈话，这是要请大家明白的。这个人提着灯笼，牵着犬，拿着柴枝，是代表着月亮；因为你们要知道，这两个情人只在月光底下才肯在尼纳斯的坟头聚首谈情。这一头可怕的畜生名叫狮子，那晚上忠实的提斯柏先到约会的地方，给它吓跑了，或者不如说是被它惊走了；她在逃走的时候脱落了她的外套，那件外套因为给那恶狮子咬住在它那张血嘴里，所以沾满了血斑。隔了不久，皮拉摩斯，那个勇敢的美少年，也来了，一见他那忠实的提斯柏的外套死在地上，便拔出一把血淋淋的剑来，对准他那热辣辣的胸脯里豁拉拉地刺了进去。那时提斯柏却躲在桑树的树荫里，等到她发现了这回事，便把他身上的剑拔出来，结果了她自己的性命。至于其余的一切，可以让狮子、月光、墙头和两个情人详详细细地告诉你们，当他们上场的时候。（昆斯及皮拉摩斯、提斯柏、狮子、月光同下）

忒修斯　我不知道狮子要不要说话。

狄米特律斯　殿下，这可不用怀疑，要是一班驴子都会讲人话，狮子当然也会说话啦。

墙　小子斯诺特是也，在这本戏文里扮作墙头。须知此墙不是他墙，乃是一堵有裂缝的墙，在那条裂缝里皮拉摩斯和提斯柏两个情人常常偷偷地低声谈话。这一把石灰，这一撮黏土，这一块砖头，表明咱是一堵真正的墙头，并非滑头冒牌之流。这便是那个鬼缝儿，这两个胆小的情人在那儿谈着知心话儿。

忒修斯　石灰和泥土筑成的东西，居然这样会说话，难得难得！

狄米特律斯　殿下，这是我所听到的中间最俏皮的一段。

忒修斯　皮拉摩斯走近墙边来了。静听！

【皮拉摩斯重上。

皮拉摩斯　板着脸的夜啊！漆黑的夜啊！

夜啊！白天一去，你就来啦！
夜啊！夜啊！哎呀！哎呀！哎呀！
咱担心咱的提斯柏要失约啦！
墙啊！亲爱的，可爱的墙啊！
你硬生生地隔分了咱们两人的家！
墙啊！亲爱的，可爱的墙啊！
露出你的裂缝，让咱向里头瞧瞧吧！（墙举手叠指做裂缝状）
谢谢你，殷勤的墙！上帝大大保佑你！
但是咱瞧见些什么呢？咱瞧不见伊。
刁恶的墙啊！不让咱瞧见可爱的伊；
愿你倒霉吧，因为你竟这样把咱欺！

忒修斯　这墙并不是没有知觉的，我想他应当反骂一下。

皮拉摩斯　没有的事，殿下，真的，他不能。“把咱欺”是该提斯柏接下去的尾白；她现在就要上场啦，咱就要在墙缝里看她。你们瞧着吧，下面做下去正跟咱告诉你们的完全一样。那边她来啦。

【提斯柏重上。

提斯柏　墙啊！你常常听得见咱的呻吟，

　　怨你生生把咱共他两两分拆！

咱的樱唇常跟你的砖石亲吻，

　　你那用泥胶得紧紧的砖石。

皮拉摩斯　咱瞧见一个声音；让咱去望望，

不知可能听见提斯柏的脸庞。

提斯柏！

提斯柏　那是咱的好人儿，咱想。

皮拉摩斯　尽你想吧，咱是你风流的情郎。

好像里芒德，咱此心永无变更[①]。

提斯柏　咱就像海伦，到死也决不变心。

皮拉摩斯　沙发勒斯对待普洛克勒斯不过如此[②]。

提斯柏　你就是普洛克勒斯，咱就是沙发勒斯。

皮拉摩斯　啊，在这堵万恶的墙缝中请给咱一吻！

提斯柏　咱吻着墙缝，可全然吻不到你的嘴唇。

皮拉摩斯　你肯不肯到尼内的坟头去跟咱相聚？

提斯柏　活也好，死也好，咱一准立刻动身前去。（二人下）

墙　现在咱已把墙头扮好，

因此咱便要拔脚去了。（下）

忒修斯　现在隔在这两份人家之间的墙头已经倒下了。

狄米特律斯　殿下，墙头要是都像这样随随便便偷听人家的谈话，可真没法好想。

希波吕忒　我从来没有听到过比这再蠢的东西。

忒修斯　最好的戏剧也不过是人生的一个缩影；最坏的只要用想象补足一下，也就不会坏到什么地方去。

---

① 里芒德是里昂德之讹，爱恋少女希罗，游水过河时淹死。下行扮提斯柏的弗鲁特又误以海伦为希罗。

② 沙发勒斯为色发勒斯之讹，为黎明女神所恋，但他忠于其妻普洛克里斯，此处误为普洛克勒斯。

希波吕忒　那该是你的想象，而不是他们的想象。

忒修斯　要是我们对于他们的想象并不比他们对于自己的想象更坏，那么他们也可以算得顶好的人。两只好东西登场了，一只是人，一只是狮子。

【狮子及月光重上。

狮子　各位太太小姐们，你们那柔弱的心一见了地板上爬着的一头顶小的老鼠就会害怕，现在看见一头凶暴的狮子发狂地怒吼，多半要发起抖来的吧？但是请你们放心，咱实在是细木工匠斯纳格，既不是凶猛的公狮，也不是一头母狮。要是咱真的是一头狮子而冲到这儿来，那咱才大倒其霉！

忒修斯　一头非常善良的畜生，有一颗好良心。

狄米特律斯　殿下，这是我所看见过的最好的畜生了。

拉山德　要说他的勇气，这头狮子实在像只狐狸。

忒修斯　要论智识，实在像只笨鹅。

狄米特律斯　殿下，不见得。他的勇气是撑不起他的知识的，可一只狐狸却拖得走一只鹅。

忒修斯　我敢说，他的知识决撑不起他的勇气，正如一只鹅拖不动一头狐狸。好啦，随他去吧，让我们听听月亮说些什么。

月亮　这盏灯笼代表着角儿弯弯的新月——

狄米特律斯　他应当把角装在头上。

忒修斯　他并不是新月，圆圆的哪里有什么角儿？

月亮　这盏灯笼代表着角儿弯弯的新月；咱好像就是月亮里的仙人。

忒修斯　这该是最大的错误了。应该把这个人放进灯笼里去；否则他怎么会是月亮里的仙人呢？

狄米特律斯　他因为怕蜡烛不敢进去。瞧，他恼了。

希波吕忒　这月亮真使我厌倦。他应该变化变化才好！

忒修斯　照他那知觉欠缺的样子看起来，他大概是一个残月；但是为着礼貌和一切的理由，我们得忍耐一下。

拉山德　说下去，月亮。

月亮　总而言之，咱要告诉你们的是，这灯笼便是月亮；咱便是月亮里的仙人；这柴枝是咱的柴枝；这狗是咱的狗。

狄米特律斯　嗨，这些都应该放进灯笼里去才对，因为它们都是在月亮里的。但是静些，提斯柏来了。

【提斯柏重上。

提斯柏　这是尼内老人的坟。咱的好人儿呢？

狮子　（吼）呜……呜！（提斯柏奔下）

狄米特律斯　吼得好，狮子！

忒修斯　奔得好，提斯柏！

希波吕忒　照得好，月亮！真的，月亮照得姿势很好。（狮子撕破提斯柏的外套）

【皮拉摩斯重上。

狄米特律斯　于是皮拉摩斯来了。

【狮子下。

拉山德　于是狮子不见了。

皮拉摩斯　可爱的月亮，咱多谢你的阳光；
谢谢你，因为你照得这么皎洁！
靠着你那慈和的闪烁的金光，
咱将要饱餐着提斯柏的秀色。
但是且住，啊该死！
瞧哪，可怜的骑士，
这是一场什么惨景！
眼睛，你看不看见？
这种事怎会出现？
可爱的宝贝啊，亲亲！
你的好外套一件，
怎么全都是血点？
过来吧，狰狞的凶神！
快把生命的羁缠
从此后一刀割断；
今朝咱了结了残生！

忒修斯　这一种情感再加上一个好朋友的死，很可以使一个人脸带愁容。

希波吕忒　该死！我倒真有点可怜这个人。

皮拉摩斯　苍天啊！你为什么要造下狮子，

　　让它在这里蹂躏了咱的爱人？

　她在一切活着爱着的人中，是

　　一个最美最美最最美的美人。

　　　淋漓地流吧，眼泪！

　　　咱要把宝剑一挥，

　　当着咱的胸头划破：

　　　一剑刺过了左胸，

　　　叫心儿莫再跳动，

　　这样咱就死啰死啰！（以剑自刺）

　　　现在咱已经身死，

　　　现在咱已经去世，

　　咱灵魂儿升到天堂；

　　　太阳，不要再照耀！

　　　月亮，给咱拔脚跑！（月亮下）

　咱已一命，一命丧亡。（死）

狄米特律斯　不是双亡，是单亡，因为他是孤零零地死去。

拉山德　他现在死去，不但成不了双，而且成不了单；他已经变成“没有”啦。

忒修斯　要是就去请外科医生来，也许还可以把他医活过来，叫他做一头驴子。

希波吕忒　提斯柏还要回来找她的爱人，月亮怎么这样性急便去了呢？

忒修斯　她可以在星光底下看见他的。现在她来了。她再痛哭流涕一下子，戏文也就完了。

【提斯柏重上。

希波吕忒　我想对于这样一个宝货的皮拉摩斯，她可以不必浪费口舌，我希望她说得短一点儿。

狄米特律斯　她跟皮拉摩斯较量起来真是旗鼓相当。上帝保佑我们不要嫁到这种男人，也保佑我们不要娶着这种妻子！

拉山德　她那秋波已经看见他了。

狄米特律斯　于是悲声而言曰：

提斯柏　睡着了吗，好人儿？

啊！死了，咱的鸽子？
皮拉摩斯啊，快醒醒！
说呀！说呀！哑了吗？
唉，死了！一堆黄沙
将要盖住你的美睛。
嘴唇像百合花开，
鼻子像樱桃可爱，
黄花像是你的面孔，
一齐消失，消失了，
有情人同声哀悼！
他眼睛绿得像青葱。
命运主宰三巫婆，
快快走近我身边。
伸出玉腕凝霜雪，
鲜血里面涮一涮。
咔嚓一声命剪断，
少年青春若琴弦。
舌头，不许再多言！
凭着这一柄好剑，
赶快把咱胸膛刺穿。（以剑自刺）
再会，亲爱的朋友！
提斯柏已经毕命。
再见吧，再见吧，再见！（死）

忒修斯　他们的葬事要让月亮和狮子来料理了吧？

狄米特律斯　是的，还有墙头。

波顿　（跳起）不，咱对你们说，那堵隔开他们两家的墙早已经倒了。

你们要不要瞧瞧收场诗，或者听一场咱们两个伙计的贝格摩舞[①]？

忒修斯　请把收场诗免了吧，因为你们的戏剧无须再有什么解释；扮戏的人一个个死了，我们还能责怪谁不成？真的，要是写那本戏的人自己来扮皮拉摩斯，把他自己吊死在提斯柏的裤带上，那倒真是一出绝妙的悲剧。实在你们这次演得很不错。现在把你们的收场诗搁在一旁，还是跳起你们的贝格摩舞来吧。（跳舞）夜钟已经敲过了十二点。恋人们，睡觉去吧，现在已经差不多是神仙们游戏的时间了。我担心我们明天早晨会起不来，因为今天晚上睡得太迟。这出粗劣的戏剧却使我们不觉打发了冗长的时间。好朋友们，去睡吧。我们要用半月工夫把这喜庆延续，夜夜有不同的寻欢作乐。（众下）

【迫克上。

迫克　饿狮在高声咆哮，豺狼在向月长嗥，
农夫们鼾息沉沉，完毕一天的辛勤。
炭火还留着残红，鸱鸮叫得人胆战，
传进愁人的耳中，仿佛见殓衾飘飐。
现在夜已经深深，坟墓都裂开大口，
吐出了百千幽灵，荒野里四散奔走。
我们跟着赫卡忒[②]，离开了阳光赫奕，
像一场梦景幽凄，追随黑暗的踪迹。
且把这空屋打扫，供大家一场欢闹；
驱走扰人的小鼠；还得揩干净门户。

【奥布朗、提泰妮娅及侍从等上。

奥布朗　屋中消沉的火星
微微地尚在闪耀；
跳跃着每个精灵

① 贝格摩为米兰东北地名，以产小丑著称。

② 赫卡忒为希腊神话中下界的女神。

像花枝上的小鸟；
随我唱一支曲调，
一齐轻轻地舞蹈。

提泰妮娅　先要把歌儿练熟，每个字玉润珠圆；
然后齐声唱祝福，手搀手缥缈回旋。（歌舞）

奥布朗　趁东方没有发白，让我们满屋溜达；
先去看一看新床，祝福它吉利祯祥。
这三对新婚伉俪，愿他们永无离弃，
生下来小小儿郎，一个个相貌堂堂，
不生黑痣不缺唇，再没有半点瘢痕。
用这神圣的野露，你们去浇洒门户，
祝福屋子的主人，永享着福禄康宁。
快快去，莫犹豫，天明时我们重聚。（除迫克外皆下）

迫克　要是我们这辈影子有拂了诸位的尊意，
就请你们这样思量，一切便可得到补偿：
这种种幻景的显现，不过是梦中的妄念；
这一段无聊的情节，真同诞梦一样无力。
先生们，请不要见笑！倘蒙原宥，定当补报。
万一我们幸而免脱，这一遭嘘嘘的指斥，
我们决不忘记大恩，迫克生平不会骗人。
再会了！肯赏个脸子的话，就请拍两下手，多谢多谢！

（下）

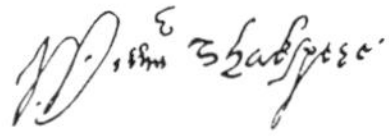

威尼斯商人

Merchant of Venice

剧中人物

威尼斯公爵

摩洛哥亲王
阿拉贡亲王 } 鲍西娅的求婚者

安东尼奥 威尼斯商人

巴萨尼奥 安东尼奥的朋友

葛莱西安诺
萨莱尼奥
萨拉里诺 } 安东尼奥和巴萨尼奥的朋友

罗兰佐 杰西卡的恋人

夏洛克 犹太富翁

杜伯尔 犹太人，夏洛克的朋友

朗斯洛特·高波 小丑，夏洛克的仆人

老高波 朗斯洛特的父亲

里奥那多 巴萨尼奥的仆人

鲍尔萨泽
斯丹法诺 } 鲍西娅的仆人

鲍西娅 富家嗣女

尼莉莎 鲍西娅的侍女

杰西卡 夏洛克的女儿

威尼斯众士绅、法庭官吏、狱吏、鲍西娅家中的仆人及其他侍从

地点

威尼斯；鲍西娅邸宅所在地贝尔蒙特

第一幕

第一场　威尼斯。街道

【安东尼奥、萨拉里诺及萨莱尼奥上。

安东尼奥　真的，我不知道我为什么这样忧郁。这真叫我厌烦。你们说这也让你们觉得厌烦；可是我是怎么染上这种忧郁的呢？怎么发现它、撞上它的呢？这种忧郁究竟是什么玩意儿，它是打哪儿钻出来的？对此，我却全不知道。忧郁已经使我变成了一个傻瓜，我简直有点自己都不明白自己了。

萨拉里诺　您的心是跟着您那些扯着满帆的大船，在海洋上簸荡着呢。它们就像水上的富绅，炫示着它们的豪华，那些随波跳荡的小商船向它们点头敬礼，它们却睬也不睬地扬帆飞驶。

萨莱尼奥　相信我，老兄，要是我也有这么一笔买卖在大洋上，那么这种海外的希望定会使我梦魂牵绕。我一定常常拔草观测风吹的方向，在地图上查看港口码头的名字，凡是足以使我担心我的货物的命运的一切事情，不用说都会使我忧愁。

萨拉里诺　当我想到海面上的一阵暴风，将会造成怎样一场灾祸的时候，吹凉我的粥的一口气，也会吹痛我的心。一看见沙漏的时计，我就会想起海边的沙滩，仿佛看见我那艘满载货物的商船栽进沙里，它的高高的桅樯吻着它的葬身之地。要是我到教堂里去，看见那用石头筑成的神圣的殿堂，我怎么会不立刻想起那些危险的礁石？它们只要略微碰一碰我那艘好船的船舷，就会把满船的香料倾泻在水里，让汹涌的波涛披戴着我的绸缎绫罗——方才还是价值连城，一转瞬尽归乌有。要是我想到了这种情形，我怎么会不担心这种事也许果然会发生而忧愁起来呢？不用对我说，我知道安东尼奥是因为想到他的货物而忧愁。

安东尼奥　不，请相信我：感谢我的命运，我的买卖的成败，并不完全寄托在一艘船上，更不是孤注一掷；我的全部财产，也不会因为这一年的盈亏而受到影响。我的货物问题并不能使我忧愁。

萨拉里诺　啊，那么您是坠入情网了。

安东尼奥　嗨！哪儿的话！

萨拉里诺　也不是在恋爱吗？那么我们就说，您因为不快乐，才忧愁；这就像您笑笑跳跳，就说您不忧愁，所以才快乐一样，再简单没有了。凭二脸神雅努斯起誓，老天造下人来，真是无奇不有：有的人老是半睁笑眼，好像鹦鹉对着吹风笛的人一样；有的人终日皱着眉头，即使涅斯托[①]发誓说那笑话很可笑，他也不肯露一露他的牙齿，装出一个笑容来。

【巴萨尼奥、罗兰佐及葛莱西安诺上。

萨莱尼奥　您的一位最尊贵的朋友，巴萨尼奥，跟葛莱西安诺、罗兰佐都来了。再见，您现在有了更好的同伴，我们可以少陪啦。

萨拉里诺　倘不是因为您的好朋友来了，我一定要叫您快乐了才走。

安东尼奥　你们的友谊我是十分看重的。照我看来，恐怕还是你们自己有事，才借着这个机会抽身离开的吧？

萨拉里诺　早安，各位老爷。

巴萨尼奥　两位先生，咱们什么时候再聚在一起谈谈笑笑？你们近来跟我越来越疏远了，难道这是必不可免的吗？

萨拉里诺　您什么时候有空，我们一定奉陪。（萨拉里诺、萨莱尼奥下）

罗兰佐　巴萨尼奥老爷，您现在已经找到安东尼奥，我们也要少陪啦，可是请您千万别忘记咱们吃饭的时候在什么地方会面。

---

① 涅斯托，荷马史诗中的希腊将领，以严肃著称。

巴萨尼奥　我一定不失约。

葛莱西安诺　安东尼奥先生，您的脸色不大好。您太关心俗事了。要知道过犹不及。请相信我，您现在比起从前来可真是判若两人啦。

安东尼奥　葛莱西安诺，我把这世界不过看作一个世界；每一个人必须在这舞台上扮演一个角色，我扮演的是一个悲哀的角色。

葛莱西安诺　让我扮演一个小丑吧，让我在嘻嘻哈哈的欢笑声中渐渐长出苍老的皱纹。宁可酒暖肝肠，不使愁结冰心。为什么一个身体里面流着热血的人，要那么正襟危坐，就像他的祖宗爷爷的石膏像一样呢？明明醒着的时候，为什么偏要像睡去了一般？为什么动不动就翻脸生气，把自己气出了一场黄疸病来？我告诉你吧，安东尼奥，我爱你，所以用爱心对你说话：世界上有一种人，他们的脸上装出一副心如止水的神气，故意表示他们的冷静，好让人家称赞他们一声智慧深沉，思想渊博；他们的神气之间，好像说，"我是天使下凡，我要是一张开嘴来，不许有一头狗乱叫！"啊，我的安东尼奥，我看透这一种人，他们只是因为不说话，博得了智慧的名声；可是我可以确定说一句，要是他们说起话来，听见的人谁都会骂他们是傻瓜的。等有机会的时候，我再告诉你关于这种人的笑话吧；可是请你千万别再用悲哀做钓饵，去钓这种无聊的名誉了。来，好罗兰佐。回头见，等我吃完了饭，再来向你结束我的劝告。

罗兰佐　好，咱们在吃饭的时候再见吧。我一定也是他所说的那种装聋作哑的聪明人，因为葛莱西安诺从不让我有说话的机会。

葛莱西安诺　嘿，你只要再跟我两年，就会连你自己说话的声音也听不出来。

安东尼奥　再见，有你这一番话，我会变得能说会道起来。

葛莱西安诺　那就再好没有了；只有干牛舌和没人要的老处女，才是应该沉默的。（葛莱西安诺、罗兰佐下）

安东尼奥　确实是这样的——或者说你想怎么样就是怎么样的！

巴萨尼奥　葛莱西安诺比全威尼斯城里无论哪一个人都更会拉上一大堆

废话。他的道理就像藏在两桶砻糠里的两粒麦子，你必须费去整天工夫方才能够把它们找到，可是找到了它们以后，你会觉得费这许多气力找它们出来，是一点不值得的。

安东尼奥　好，您现在告诉我您发誓要去秘密拜访的那位姑娘的名字吧，你今天答应过要告诉我的。

巴萨尼奥　安东尼奥，您是知道的，我为了维持体面的生活排场，入不敷出地花销，都快倾家荡产了。我现在倒不是在哀叹家道中落；我的最大的烦恼是怎样才可以了清我过去由于铺张浪费而积欠下的重重债务。无论在钱财方面或是友谊方面，安东尼奥，我欠您的债都是顶多的；因为你我交情深厚，我才敢大胆把我心里所打算的怎样了清这一切债务的计划全部告诉您。

安东尼奥　好巴萨尼奥，请您告诉我吧。只要您的计划跟您向来的立身行事一样光明正大，那么我的钱囊可以让您任意取用，我自己也可以供您驱使。我愿意用我所有的力量，帮助您达到目的。

巴萨尼奥　我在学校里练习射箭的时候，每次把一支箭射得不知去向，便用另一支箭向着同一方向射过去，眼睛看准了它掉在什么地方，这样往往可以把那失去的箭也找回来。所以，我冒了双倍的危险，也就往往有双倍的收获。我提起这一件儿童时代的往事，因为我下面要对您说的话，完全出于一种儿童式的天真。我欠了您很多的债，而且像一个不听话的孩子一样，把借来的钱全都挥霍完了；可是您要是愿意向着您放射第一支箭的方向，再把您的第二支箭射过去，那么这一回我一定会把目标看准，即使不把两支箭一起找回来，至少也可以把第二支箭交还给您，让我仍旧对于您先前给我的援助做一个知恩图报的负债者。

安东尼奥　您是知道我的为人的，现在您用这种机巧的比喻来试探我的友谊，不过是浪费时间罢了。要是您怀疑我不肯尽力相助，那就要比把我所有的钱一起花掉还要对我不起。所以您只要对我说我应该怎么做，如果您知道那件事是我的力量所能办到的，我一定会乐于效劳。您说吧。

巴萨尼奥　在贝尔蒙特有一位富家的嗣女，长得非常美貌，尤其值得称道的，是她有非常卓越的德行。她的双眼有时对我暗送秋波。她的名字叫作鲍西娅，比起古代凯图的女儿，勃鲁托斯的贤妻鲍西娅来，她也毫无逊色。这广大的世界也没有漠视了她的优点，四方的风从每一处海岸上带来了声名赫赫的求婚者。她的光亮的长发就像是传说中的金羊毛，引诱着无数的伊阿宋[1]前来追求她。啊，我的安东尼奥！只要我有相当的财力，可以和他们中间的某一个人匹敌，那么我觉得我有充分的把握，一定会达到愿望的。

安东尼奥　你知道我的全部财产都在海上。我现在既没有钱，也没有可以变换一笔现款的货物。所以我们还是去试一试我的信用，看它在威尼斯城里有些什么效力吧。我一定凭着我这一点面子，尽力供给你到贝尔蒙特去见那位美貌的鲍西娅。去，我们两人就去分头打听什么地方可以借得到钱，我就用我的信用作担保，或者用我自己的名义给你借下来。（同下）

① 伊阿宋是希腊神话中的英雄，曾率众英雄远征黑海东获取金羊毛。

第二场　贝尔蒙特。鲍西娅家中一室

【鲍西娅及尼莉莎上。

鲍西娅　真的，尼莉莎，我这小小的身体已经厌倦了这个广大的世界了。

尼莉莎　好小姐，您的不幸要是跟您的好运气一样大，那么无怪您会厌倦这个世界的；可是照我的愚见看来，吃得太饱的人，跟挨着饿不吃东西的人一样，是会害病的，所以行中庸之道才是最大的幸福：富贵催人生白发，布衣蔬食易长年呀。

鲍西娅　妙语，念得好。

尼莉莎　要是能够照着它去做，那就更好了。

鲍西娅　倘使做一件事情，就跟知道什么事情是应该做的一样容易，那么小教堂都要变成大礼拜堂，穷人的草屋都要变成王侯的宫殿了。言行一致的牧师才算好牧师。我可以教导二十个人，吩咐他们应该做些什么事，可是要我做这二十个人中间的一个，履行我自己的教训，我就要敬谢不敏了。理智可以制定法律来约束感情，可是热情激动起来，就会蔑弃冷酷的法令；年轻人是一头不受拘束的野兔，它会跳过老年人所设立的理智的藩篱。可是我这样大发议论，是不会帮助我选择一个丈夫的。唉，说什么选择！我既不能选择我所中意的人，又不能拒绝我所憎厌的人；一个活着的女儿的意志，却要被一个死了的父亲的遗嘱所钳制。尼莉莎，像我这样不能选择，也不能拒绝，不是太叫人难堪了吗？

尼莉莎　老太爷生前德高望重，大凡有道君子，临终之时，必有神悟。他既然定下这抽签取决的方法，叫谁能够在这金银铅三匣之中选中了他预定的一只，便可以跟您匹配成亲，那么能够选中的人，一定是值得您倾心相爱的。可是在这些已经到来向您求婚的王孙公子中间，您对于哪一个最有好感呢？

鲍西娅　请你列举他们的名字，当你提到什么人的时候，我就对他下几句评语；凭着我的评语，你就可以知道我对于他们各人的印象。

尼莉莎　第一个是那不勒斯的亲王[①]。

鲍西娅　嗯，他真是一匹小马。他不讲话则已，讲起话来，老是说他的马怎么怎么，让人感到他最大的本事就是能够替他自己的马装上蹄铁。我很有点儿疑心他母亲跟某位铁匠有过勾搭。

尼莉莎　还有那位巴拉廷伯爵呢？

鲍西娅　他一天到晚皱着眉头，好像说，“你要是不爱我，随你的便。”他听见笑话也不露一丝笑容。我看他年纪轻轻，就这么愁眉苦脸，到老来只好一天到晚痛哭流涕了。我宁愿嫁给一个骷髅，也不愿嫁给这两人中间的任何一个。上帝保佑我不要落在这两个人的手里！

尼莉莎　您说那位法国贵族勒·滂先生怎样？

鲍西娅　既然上帝造下他来，就算他是个人吧。凭良心说，我知道讥笑人家是一桩罪过，可是他！嘿！他的马比那不勒斯亲王那一头好一点，他的皱眉头的坏脾气也胜过那位巴拉廷伯爵。什么人的坏处他都有一点，可是一点没有自己的特色。听见画眉鸟唱歌，他就会手舞足蹈；见了自己的影子，也会跟它比剑。我倘若嫁给他，等于嫁给二十个丈夫。要是他瞧不起我，我会原谅他，因为即使他爱我爱到发狂，我也是永远不会报答他的。

尼莉莎　那么您说那个英国的少年男爵，福根勃立琪呢？

鲍西娅　你知道我没有对他说过什么话，因为我的话他听不懂，他的话我也听不懂。他既不会说拉丁话、法国话，也不会说意大利话，至于我的英国话的程度，你是可以替我出席法庭作证的。他的模样倒还长得不错，可是，唉！谁高兴跟一个哑巴做手势谈话呀？他的装束多么古怪！我想他的紧身衣是在意大利买的，他的长筒袜是在法国买的，他的软帽是在德国买的，至于他的行为举止，那是他从四方八面学来的。

尼莉莎　您觉得他的邻居，那位苏格兰贵族怎样？

鲍西娅　他很懂得礼尚往来的睦邻之道，因为那个英国人曾经赏给他一

---

① 莎士比亚时代的那不勒斯人颇善治马。

记耳光，他发誓说，一有机会，立即奉还；我想那法国人是他的保人，他已经签署契约，声明将来加倍报偿哩。

尼莉莎　您看那位德国少爷，撒克逊公爵的侄子怎样？

鲍西娅　他在早上清醒的时候，就已经很坏了，一到下午喝醉了酒，尤其坏透。当他顶好的时候，叫他是个人还有点不够资格，当他顶坏的时候，他简直比畜生好不了多少。要是最不幸的祸事降临到我身上，我也希望永远不要跟他在一起。

尼莉莎　要是他要求选择，结果居然给他选中了预定的匣子，那时候您如果拒绝嫁给他，岂不是违背了老太爷的遗命了吗？

鲍西娅　为了预防万一起见，所以我要请你替我在错误的匣子上放好一杯满满的莱茵河葡萄酒；要是魔鬼在他的心里，诱惑在他的面前，我相信他一定会选了那一只匣子的。什么事情我都愿意做，尼莉莎，只要不让我嫁给一个酒鬼。

尼莉莎　小姐，您放心吧，您再也不会嫁给这些贵族中间的任何一个的。他们已经把他们的决心告诉了我，说除了您父亲所规定的用选择匣子决定去取的办法以外，要是他们不能用别的方法取得您的应允，那么他们决定动身回国，不再麻烦您了。

鲍西娅　要是没有人愿意照我父亲的遗命把我娶去，那么即使我长命如西比尔，也只好终身不嫁如狄安娜①。我很高兴这一群求婚者都是这么懂事，因为他们中间没有一个人我不是唯望其速去的。求上帝赐给他们一路顺风吧！

尼莉莎　小姐，您还记不记得，当老太爷在世的时候，有一个跟着蒙脱佛拉侯爵到这儿来的文武全才的威尼斯人？

鲍西娅　是的，是的，那是巴萨尼奥，我想这是他的名字。

尼莉莎　正是，小姐。照我这双痴人的眼睛看起来，他是一切男子中间最值得匹配一位佳人的。

鲍西娅　我很记得他，他果然值得你的夸奖。

---

① 西比尔，希腊神话中美女。阿波罗想赢得西比尔的爱，答应她想要什么就给什么。于是西比尔拿出一把沙子，说沙子有多少粒。她就想要活多少年。狄安娜，罗马神话中处女神。

【一仆人上。

鲍西娅　啊！什么事？

仆人　小姐，那四位客人要来向您告别，另外第五位客人摩洛哥亲王差了一个人先来报信，说他今天晚上就要到这儿来了。

鲍西娅　要是我能够竭诚欢迎这第五位客人，就像我竭诚欢送那四位客人一样，那就好了。假如他有圣人般的德行，偏偏生着一副魔鬼样的面貌，那么与其让他做我的丈夫，还不如让他听我的忏悔。来，尼莉莎，前面带路。正是——

垂翅狂蜂方出户，寻芳浪蝶又登门。（同下）

第三场　威尼斯。广场

【巴萨尼奥及夏洛克上。

夏洛克　三千块钱，嗯？

巴萨尼奥　是的，大叔，三个月为期。

夏洛克　三个月为期，嗯？

巴萨尼奥　我已经对你说过了，这一笔钱可以由安东尼奥签立借据。

夏洛克　安东尼奥签立借据，嗯？

巴萨尼奥　你愿意帮助我吗？你愿意应承我吗？可不可以让我知道你的答复？

夏洛克　三千块钱，借三个月，安东尼奥签立借据。

巴萨尼奥　你的答复呢？

夏洛克　安东尼奥是个好人。

巴萨尼奥　你有没有听见人家说过他不是个好人？

夏洛克　啊，不，不，不，不。我说他是个好人，我的意思是说他是个有资格的人。可是他的财产却还有些问题：他有一艘商船开到特里坡利斯，另外一艘开到西印度群岛，我在交易所里还听人说起，他有第三艘船在墨西哥，第四艘到英国去了，此外还有遍布在海外各国的买卖。可是船不过是几块木板钉起来的东西，水手也不过是些血肉之躯，岸上有旱老鼠，水里也有水老鼠，陆地有强盗，水里也有强盗，我是说有海盗，还有风波礁石各种危险。不过话虽这么说，他这个人还算有些家底的。三千块钱，我想我可以接受他的契约。

巴萨尼奥　你放心吧，不会有错的。

夏洛克　我一定要放了心才敢把债放出去，所以还是让我再考虑考虑吧。我可不可以跟安东尼奥谈谈？

巴萨尼奥　不知道你愿不愿意陪我们吃一顿饭？

夏洛克　是的，叫我去闻猪肉的味道，吃你们拿撒勒先知[1]把魔鬼赶进去的脏东西的身体！我可以跟你们做买卖、讲交易、谈天散步，以及诸如此类的事情，可是我不能陪你们吃东西喝酒做祷告。交易所里有些什么消息？那边来的是谁？

【安东尼奥上。

巴萨尼奥　是安东尼奥先生。

夏洛克　（旁白）他的样子多么像一个摇尾乞怜的税吏！我恨他因为他是个基督徒，可是尤其因为他是个傻子，借钱给人不取利钱，把咱们在威尼斯城里放债这一行的利息都压低了。要是我有一天抓住他的把柄，一定要痛痛快快地向他报复我的深仇宿怨。他憎恶我们神圣的民族，甚至在商人会集的地方当众辱骂我，辱骂我的交易，辱骂我辛辛苦苦赚下来的钱，说那些都是些暴利。要是我饶过了他，让我们的民族永远没有翻身的日子！

巴萨尼奥　夏洛克，你听见吗？

夏洛克　我正在估计我手头的现款，照我大概记得起来的数目，要一时凑足三千块钱，恐怕办不到。可是那没有关系，我们族里有一个犹太富翁杜伯尔，可以借给我必要的数目。且慢！您打算借几个月？（向安东尼奥）您好，好先生，哪一阵好风把尊驾吹了来啦？

安东尼奥　夏洛克，虽然我跟人家互通有无，从来不讲利息，可是为了我的朋友的急需，这回我要破一次例。（向巴萨尼奥）他有没有知道你需要多少？

夏洛克　嗯，嗯，三千块钱。

安东尼奥　三个月为期。

夏洛克　我倒忘了，正是三个月，（转对巴萨尼奥）您对我说过的。好，您的借据呢？让我瞧一瞧。可是听着，好像您说您借钱不管是向别人借钱还是借钱给别人，都从来不讲利息。

安东尼奥　我从来不讲利息。

---

① 拿撒勒先知即耶稣。

夏洛克　当雅各替他的舅父拉班牧羊的时候①——这个雅各是我们圣祖亚伯兰的后裔，他的聪明的母亲设计使他做第三代的族长，是的，他是第三代——

安东尼奥　为什么说起他呢？他也是取利息的吗？

夏洛克　不，不是取利息，不是像你们所说的那样直接取利息。听好雅各用些什么手段：拉班跟他约定，生下来的小羊凡是有条纹斑点的，都归雅各所有，作为他的牧羊的酬劳。到晚秋的时候，那些母羊因为淫情发动，跟公羊交合，这个狡猾的牧人就趁着这些毛畜正在进行传种工作的当儿，削好了几根木棒，插在淫浪的母羊的面前，它们这样怀了孕，一到生产的时候，产下的小羊都是有斑纹的，所以都归雅各所有。这是致富的妙法，上帝也祝福他——只要不是偷窃，会打算盘总是好事。

安东尼奥　雅各虽然幸而获中，可是这也是他按约应得的酬报；上天的意旨成全了他，却不是出于他自己的力量。你提起这一件事，是不是要证明取利息是一件好事？还是说金子银子就是你的公羊母羊？

夏洛克　这我倒说不清；我只是叫它像母羊生小羊一样地快快生利息。可是先生，您听我说。

安东尼奥　你听，巴萨尼奥，魔鬼也会引证《圣经》来替自己辩护哩。一个指着神圣的名字做证的恶人，就像一个脸带笑容的奸徒，又像一只外观美好中心腐烂的苹果。唉，奸伪的表面是多么动人！

夏洛克　三千块钱，这是一笔可观的整数。一年十二个月中的三个月，让我看看利钱应该有多少。

安东尼奥　好，夏洛克，我们可不可以仰仗你这一次？

夏洛克　安东尼奥先生，好多次您在交易所里骂我，说我盘剥取利，我总是忍气吞声，耸耸肩膀，没有跟您争辩，因为忍受迫害，本来是我们民族的特色。您骂我异教徒，杀人的狗，把唾沫吐在我的犹太长袍上，只因为我用我自己的钱博取几个利息。好，看来

---

① 见《旧约·创世记》。

现在是您要来向我求助了。您跑来见我，您说："夏洛克，我们要几个钱。"您这样对我说。您曾把唾沫吐在我的胡子上，用您的脚踢我。好像我是您门口的一条野狗一样；现在您却来问我要钱，我应该怎样对您说呢？我要不要这样说："一条狗会有钱吗？一条狗能够借人三千块钱吗？"或者我应不应该弯下身子，像一个奴才似的低声下气、恭恭敬敬地说："好先生，您上星期三将唾沫吐在我身上；有一天您用脚踢我；还有一天您骂我狗；为了报答您的这许多恩典，所以我应该借给您这么些钱吗？"

安东尼奥　我巴不得再这样骂你唾你踢你。要是你愿意把这钱借给我，不要把它当作借给你的朋友，哪有朋友之间通融几个臭钱也要斤斤计较地计算利息的道理？你就把它当作借给你的仇人吧，倘使我失了信用，你尽管拉下脸来照约处罚就是了。

夏洛克　哎哟，瞧您生这么大的气！我愿意跟您交个朋友，大家要好好的。您从前加在我身上的种种羞辱，我愿意完全忘掉；您现在需要多少钱，我愿意如数供给您，而且不要您一个子儿的利息；可是您却不愿意听我说下去。我这完全是一片好心哩。

安东尼奥　这倒果然是一片好心。

夏洛克　我要叫你们看看我到底是不是一片好心。跟我去找一个公证人，就在那儿签好了约。我们不妨开个玩笑，在约里写明，要是您不能按照约中所规定的条件，在某日某地还给我一笔某某数目的钱，那您就得随我的意思，在您身上的任何部分割下一磅白肉，作为处罚。

安东尼奥　很好，就是这么办吧。我愿意签下这样一张约，还要对人家说这个犹太人的心肠倒不坏呢。

巴萨尼奥　我宁愿安守贫困，也不能让你为了我的缘故签这样的约。

安东尼奥　老兄，你怕什么！我决不会受罚的。就在这两个月之内，离开这约的满期还有一个月，我就可以有十倍这借款的数目进门。

夏洛克　亚伯兰老祖宗啊！瞧这些基督徒因为自己待人刻薄，所以疑心人家也对他们不怀好意。请您告诉我，要是他到期不还，我照着约上规定的条款向他执行处罚了，那对我又有什么好处？从人身上割下来的一磅肉，它的价值可以比得上一磅羊肉、牛肉或是山羊肉吗？我为了要博得他的好感，所以才向他买这样一个交情。要是他愿意接受我的条件，很好，否则也就算了。千万请你们不要误会了我这一番诚意。

安东尼奥　好，夏洛克，我愿意签约。

夏洛克　那么就请您先到公证人的地方等我，告诉他这一张游戏契约怎样写法；我马上就去把钱凑起来，还要回到家里去瞧瞧，让一个不知俭省的奴才看守着门户，有点放心不下。然后我立刻就来瞧您。

安东尼奥　那快去吧，善良的犹太人。（夏洛克下）这犹太人快要变作基督徒了，他的心肠变好多啦。

巴萨尼奥　我不喜欢口蜜腹剑的人。

安东尼奥　好了好了，这又有什么要紧？再过两个月，我的船就要回来了。（同下）

第二幕

第一场　贝尔蒙特。鲍西娅家中一室

【喇叭吹花腔。摩洛哥亲王率侍从，鲍西娅、尼莉莎及婢仆等同上。

摩洛哥亲王　不要因为我的肤色而憎厌我，我是骄阳的近邻，我这一身黝黑的制服，便是它的威焰的赐予。给我到终年不见阳光、冰山雪柱的北极，找一个最白皙姣好的人来，让我们刺血查验对您的爱情，看看究竟是他的血红还是我的血红。我告诉你，小姐，我这副容貌曾经吓破了勇士的肝胆，可是凭着我的爱情起誓，我们国土里最有声誉的少女也曾为它害过相思。我不愿变更我的肤色，除非为了取得您的欢心，我的温柔的女王！

鲍西娅　讲到选择这一件事，我倒并不单单信赖一双善于挑剔的少女的眼睛，而且我的命运由抽签决定，自己也没有任意去选择的权力。要是我的父亲倘不曾用他的聪明办法把我束缚住，使我只能委身于按照他所规定的方法赢得我的男子，那么您，声名卓著的王子，您的容貌在我的心目之中，并不比我已经看到的那些求婚者有什么逊色。

摩洛哥亲王　谢谢您这一番话，请您带我去瞧瞧那几个匣子，试一试我的命运吧。凭着这一柄曾经手刃波斯王，并且使一个三次战败苏里曼苏丹的波斯王子授首的宝剑起誓：我要瞪眼吓退世间最狰狞的猛汉，跟全世界最勇武的壮士比赛胆量，从母熊的胸前夺下哺乳的小熊；当一头饿狮咆哮攫食的时候，我要嘲弄它——只为博得您的垂青，小姐。可是，唉！即使像赫拉克勒斯那样的盖世英雄，要是跟他的奴仆赌起骰子来，也许他的运气还不如一个下贱之人。我现在听从着盲目的命运的指挥，也许结果终于失望，眼看着一个不如我的人把我的意中人夺走，而自己在悲哀中死去。

鲍西娅　您必须信任命运，或者死了心放弃选择的尝试，或者当您开始选择以前，先发誓，要是选得不对，终身不再向任何女子求婚；所以还是请您考虑考虑吧。

摩洛哥亲王　我的主意已决，不必考虑了。来，带我去试我的运气吧。

鲍西娅　先去教堂。吃过饭后，您就可以试试您的命运。

摩洛哥亲王　好，但愿走运！不是传为佳话，就是遗臭万年。（奏喇叭；众下）

第二场　威尼斯。街道

【朗斯洛特·高波上。

朗斯洛特　要是我从我的主人这个犹太人的家里逃走，我的良心是一定要责备我的。可是魔鬼拉着我的臂膀，引诱着我，对我说："高波，朗斯洛特·高波，好朗斯洛特，快撒开你的腿儿，跑吧！"我的良心说："不，留心，老实的朗斯洛特。留心，老实的高波。"或者就是这么说："老实的朗斯洛特·高波，别逃跑，用你的脚跟把逃跑的念头踢得远远的。"好，那个大胆的魔鬼却劝我卷起铺盖滚蛋！"去呀！"魔鬼说，"去呀！看在老天的面上，提起勇气来，跑吧！"好，我的良心挽住我心里的脖子，很聪明地对我说："朗斯洛特我的老实朋友，你是一个老实人的儿子！"——或者还不如说一个老实妇人的儿子，因为我的父亲的确有点儿不大老实，有点儿很丢脸的坏脾气——好，我的良心说："朗斯洛特，别动！"魔鬼说："动！"我的良心说："别动！""良心，"我说，"你说得不错。""魔鬼，"我说，"你说得有理。"要是听良心的话，我就应该留在我的犹太主人家里，上帝恕我这样说，我的主人是一个魔鬼；要是从犹太人的地方逃走，那么我就要听从魔鬼的话，对不住，他本身就是魔鬼。可是我说，那犹太人一定就是魔鬼的化身。凭良心说话，我的良心劝我留在犹太人家里，未免良心太狠。还是魔鬼的话说得像个朋友。我要跑，魔鬼，我的脚跟听从着你的指挥。我一定要逃跑。

【老高波携篮上。

老高波　年轻的先生，请问一声，到犹太老爷的家里是怎么去的？

朗斯洛特　（旁白）天啊！这是我的亲生的父亲，因为他的眼睛差不多瞎了，所以认不出我。待我把他戏弄一下。

老高波　年轻的少爷先生，请问一声，到犹太老爷的家里是怎么去的？

朗斯洛特　你在转下一个弯的时候，往右手转过去；临了一次转弯的时候，往左手转过去；再下一次转弯的时候，什么手也不用转，曲曲弯弯地转下去，就转到那犹太人的家里了。

老高波　哎哟，这条路可不容易走哩！您知道不知道有一个住在他家里的朗斯洛特，现在还在不在他家里？

朗斯洛特　你说的是朗斯洛特少爷吗？（旁白）瞧着我吧，现在我要诱他流起眼泪来了——你说的是朗斯洛特少爷吗？

老高波　不是什么少爷，先生，他是一个穷人的儿子；他的父亲，不是我说一句，是个老老实实的穷光蛋——多谢上帝，他还活得好好儿的。

朗斯洛特　好，不要管他的父亲是个什么人，咱们讲的是朗斯洛特少爷。

老高波　他是您少爷的朋友，他就是叫朗斯洛特。

朗斯洛特　对不住，老人家，所以我要问你，你说的是朗斯洛特少爷吗？

老高波　是朗斯洛特，少爷。

朗斯洛特　所以就是朗斯洛特少爷。老人家，你别提起朗斯洛特少爷啦，因为这位年轻的少爷，根据天命气数鬼神这一类阴阳怪气的说法，是已经去世啦，或者说得明白一点，是已经归天啦。

老高波　哎哟，天哪！这孩子是我老年的拐杖，我的唯一的靠傍哩。

朗斯洛特　（旁白）我难道像一根棒儿，或是一根柱子吗？父亲，您不认识我吗？

老高波　唉，我不认识您，年轻的少爷，可是请您告诉我，我的孩子——上帝安息他的灵魂——究竟是活着还是死了？

朗斯洛特　您不认识我吗，父亲？

老高波　唉，少爷，我是个瞎子，我不认识您。

朗斯洛特　噢，真的，您就是眼睛明亮，也许会不认识我，只有聪明的父亲才会认识他自己的儿子。好，老人家，让我告诉您关于您儿子的消息吧。请您给我祝福；真理总会显露出来，杀人的凶手总会给人捉住；儿子虽然会暂时躲了过去，事实到临了总是瞒不过的。

老高波　少爷，请您站起来。我相信您一定不会是朗斯洛特，我的孩子。

朗斯洛特　废话少说，请您给我祝福。我是朗斯洛特，从前是您的孩子，现在是您的儿子，将来也还是您的小子。

老高波　我不能想象您是我的儿子。

朗斯洛特　那我倒不知道应该怎样想法，可是我的确是在犹太人家里当仆人的朗斯洛特，我也相信您的妻子玛葛蕾就是我的母亲。

老高波　她的名字果真是玛葛蕾。你倘然真的就是朗斯洛特，那么你是我的亲生血肉了。如果是这样真该谢谢上帝！瞧！你长了多长的一把胡子啦①！你脸上的毛，比我那拖车子的马儿道平尾巴上的毛还多呐！

朗斯洛特　这样看起来，那么道平的尾巴一定是越长越短的；我还清楚记得，上一次我看见它的时候，它尾巴上的毛比我脸上的毛多得多哩。

老高波　上帝啊！你多么变了样子啦！你跟主人合得来吗？我给他带了点儿礼物来了。你们现在合得来吗？

朗斯洛特　嗯，是，是，可是从我自己这一方面讲，我既然已经决定逃跑，那么非到跑走了一程路之后，我是决不会停止下来的。我的主人是个十足的犹太人。给他礼物？还是给他一根上吊的绳子吧。我替他做事情，把个身体都饿瘦了；您可以用我的肋骨摸出我的每一条手指来。爸爸，您来了我很高兴。把您的礼物送给一位叫巴萨尼奥的大爷吧，他是会赏漂亮的新衣服给佣人穿的。我要是不能服侍他，我宁愿跑到地球的尽头去。啊，运气真好！正是他来了。到他跟前去，爸爸。我要是再继续服侍这个犹太人，连我自己都要变作犹太人了。

【巴萨尼奥率里奥那多及其他仆人上。

巴萨尼奥　你们就这样做吧，可是要赶快，晚饭最迟必须在五点钟预备好。这几封信替我分别送出；叫裁缝把制服做起来；回头再请葛莱西安诺立刻到我的寓所里来。（一仆人下）

朗斯洛特　上去，爸爸。

---

① 朗斯洛特可能低着头，他父亲摸到了他的头发，以为是胡子。

老高波　上帝保佑老爷！

巴萨尼奥　谢谢你，有什么事？

老高波　老爷，这是我的儿子，一个苦命的孩子——

朗斯洛特　不是苦命的孩子，老爷，我是那位犹太富翁的跟班。不瞒老爷说，我想要——我的父亲会说明白的——

老高波　老爷，正像人家说的，他一心一意地想要伺候——

朗斯洛特　总而言之一句话，我本来是伺候那个犹太人的，可是我很想要——我的父亲会说明白的——

老高波　不瞒老爷说，他的主人跟他有点儿意见不合——

朗斯洛特　干脆一句话，实实在在说，这犹太人欺侮了我，所以我——我希望就像我的父亲，他是个老头子，会向你说明白的——

老高波　我这儿有一盘烹好的鸽子送给老爷，我要请求老爷一件事——

朗斯洛特　废话少说，这请求是关于我的事情，这位老实的老人家可以告诉您。不是我说一句，我这父亲虽然是个老头子，却是个苦人儿。

巴萨尼奥　让一个人说话。你们究竟要什么？

朗斯洛特　伺候您，老爷。

老高波　正是这一件事，老爷。

巴萨尼奥　我认识你。我可以答应你的要求。你的主人夏洛克今天曾经向我说起，要把你举荐给我。可是你不去伺候一个有钱的犹太人，反要来做一个穷绅士的跟班，恐怕没有什么好处吧？

朗斯洛特　老爷，一句老古话刚好在我的主人夏洛克跟您之间分成两半[①]：他有钱；您呢，有上帝的恩惠。

巴萨尼奥　你说得很好。老人家，你带着你的儿子，先去向他的旧主人告别，然后再来打听我的住址。（向仆人）给他做一身比别人格外鲜艳一点的制服，不可有误。

朗斯洛特　爸爸，进去吧。我不能得到一个好差使吗？我生了嘴不会说话吗？好，（视手掌）要是在意大利有谁生得一手比我还要好的命

① 这句老古话的全句是："有上帝恩惠者有钱。"

运掌纹，我一定会交好运的。好，这儿是一条不显眼的寿命线；这儿有不多几个老婆；唉！十五个老婆算得什么，十一个寡妇，再加上九个黄花闺女，对于一个男人也不算太多啊！还要三次溺水不死，有一次几乎在一张天鹅绒的床边送了性命，好几次死里逃生！好，要是命运之神是个女的，她倒是个很好的娘们儿。爸爸，来，我要用一眨眼的工夫向那犹太人告别。（朗斯洛特及老高波下）

巴萨尼奥　好里奥那多，请你记好，这些东西买到以后，把它们安排停当，就赶紧回来，因为我今晚要宴请我的最有名望的相识。快去吧。

里奥那多　我一定给您尽力办去。

【葛莱西安诺上。

葛莱西安诺　你家主人呢?

里奥那多　他就在那边走着，先生。（下）

葛莱西安诺　巴萨尼奥老爷!

巴萨尼奥　葛莱西安诺!

葛莱西安诺　我要向您提出一个要求。

巴萨尼奥　我答应你。

葛莱西安诺　您不能拒绝我；我一定要跟您到贝尔蒙特去。

巴萨尼奥　啊，那么我只好让你去了。可是听着，葛莱西安诺，你这个人太随便，太不拘礼节，太爱高声说话了。这几点本来对于你是再合适不过的，在我们的眼睛里也不以为嫌，可是在陌生人的地方，那就好像有点儿放肆啦。请你千万留心在你的活泼的天性里尽力放进几分冷静进去，否则人家见了你这样狂放的行为，也许会对我发生误会，害我不能达到我的希望。

葛莱西安诺　巴萨尼奥老爷，听我说。我一定会装出一副安详的态度，说起话来恭而敬之，难得赌一两句咒，口袋里放一本祈祷书，脸孔上堆满了庄严。不但如此，在念食前祈祷的时候，我还要把帽子拉下来遮住我的眼睛，叹一口气，说一句“阿门”。我一定遵守一切礼仪，就像人家有意装得循规蹈矩，去讨他老祖母的欢喜一样。要是我不照这样的话去做，您以后不用相信我好了。

巴萨尼奥　好，我们倒要瞧瞧你装得像不像。

葛莱西安诺　今天晚上可不算，您不能按照我今天晚上的行动来判断我。

巴萨尼奥　不，那未免太煞风景了。我倒要请你今天晚上痛痛快快地欢畅一下，因为我已经跟几个朋友约定，大家都要尽兴狂欢。现在我还有点事情，等会儿见。

葛莱西安诺　我也要去找罗兰佐及别的那些人。吃晚饭的时候我们一定来看您。（各下）

第三场　同前。夏洛克家中一室

【杰西卡及朗斯洛特上。

杰西卡　你这样离开我的父亲，使我很不高兴。我们这个家是一座地狱，幸亏有你这淘气的小鬼，多少解除了几分闷气。可是再会吧，朗斯洛特，这一块钱你且拿了去；你在晚饭的时候，可以看见一位叫作罗兰佐的，是你新主人的客人，这封信你替我交给他，留心别让旁人看见。现在你快去吧，我不敢让我的父亲瞧见我跟你谈话。

朗斯洛特　再见！眼泪哽住了我的舌头。顶美丽的异教徒，顶温柔的犹太人！倘不是一个基督徒跟你母亲私通，生了你下来，就算我有眼无珠。再会吧！这些傻气的泪点，快要把我的男子气概都淹沉啦。再见！

杰西卡　再见，好朗斯洛特。（朗斯洛特下）唉，我真是罪恶深重，竟会羞于做我父亲的孩子！可是虽然我在血统上是他的女儿，在行为上却不是他的女儿。罗兰佐啊！你要是能够守信不渝，我将要结束我的内心的冲突，皈依基督教，做你的亲爱的妻子。（下）

第四场　同前。街道

【葛莱西安诺、罗兰佐、萨拉里诺、萨莱尼奥同上。

罗兰佐　不，咱们就在吃晚饭的时候溜出去，在我的寓所里化装好，只消一点钟工夫就可以把事情办好回来。

葛莱西安诺　咱们还没有好好儿准备过呢。

萨拉里诺　咱们还没有提到过拿火炬的人。

萨莱尼奥　那一定要经过一番训练，否则叫人瞧着笑话。依我看来，还是不用了吧。

罗兰佐　现在还不过四点钟，咱们还有两个钟点可以准备起来。

【朗斯洛特持函上。

罗兰佐　朗斯洛特朋友，有什么消息吗？

朗斯洛特　请您把这封信拆开吧，它会告诉您的。

罗兰佐　我认识这一手字；真是一手漂亮好字；而那写这封信的手，比这信纸还要洁白。

葛莱西安诺　一定是情书。

朗斯洛特　老爷，小的告辞了。

罗兰佐　你还要到哪儿去？

朗斯洛特　呃，老爷，我要去请我的犹太旧主人今天晚上陪我的基督徒新主人吃饭。

罗兰佐　慢着，这几个钱赏给你；你去回复温柔的杰西卡，我不会误她的约。留心说话的时候别给旁人听见。各位，去吧。（朗斯洛特下）你们愿意去准备今天晚上的假面跳舞会吗？我已经有了一个拿火炬的人了。

萨拉里诺　是，我立刻就去准备。

萨莱尼奥　我也去。

罗兰佐　再过一点钟左右，我和诸位在葛莱西安诺的寓所里会面。

萨拉里诺　这样最好。（萨拉里诺、萨莱尼奥同下）

葛莱西安诺　那封信不是杰西卡写给你的吗？

罗兰佐　我必须把一切都告诉你。她已经教我怎样带着她逃出她父亲的家，还告诉我她随身带了多少金银珠宝，并已经准备好怎样一身小童的服装。要是她的那个犹太人父亲有一天会上天堂，那一定因为上帝看在他善良的女儿面上特别开恩。厄运再也不敢侵犯她，除非因为她的父亲是一个奸诈的犹太人。来，跟我一块儿去，你可以一边走一边读这封信。美丽的杰西卡将是替我举着火炬的人。（同下）

第五场　同前。夏洛克家门前

【夏洛克及朗斯洛特上。

夏洛克　好，你就可以知道，你就可以亲眼瞧瞧，夏洛克老头子跟巴萨尼奥有什么不同啦。喂，杰西卡！——你再不能狼吞虎咽了，你在我家里放肆惯了——喂，杰西卡！——又睡觉，又打鼾，又撕破衣服——喂，杰西卡！

朗斯洛特　喂，杰西卡！

夏洛克　谁叫你喊的？我没有叫你喊呀。

朗斯洛特　您老人家不是常常怪我没有人吩咐，我就什么都不会干吗？

【杰西卡上。

杰西卡　是叫我吗？有什么吩咐？

夏洛克　杰西卡，人家请我去吃晚饭；这儿是我的钥匙，你好生收管着。可是我去干什么呢？人家又不是真心邀请我，他们不过拍拍我的马屁而已。可是我因为恨他们，倒要去这一趟，受用受用这个浪子基督徒的酒食。杰西卡，我的孩子，留心照看门户。我实在有点不愿意去，昨天晚上我做梦看见钱袋，恐怕不是个吉兆。

朗斯洛特　老爷，请您一定去，我家少爷在等着您赏光呢。

夏洛克　我也在等着他赏我一记耳光哩。

朗斯洛特　他们已经商量好了。我并不说您可以看到一场假面跳舞，可是您要是果然看到了，那就怪不得我在上一个黑色星期一早上六点钟会流起鼻血来啦，那一年正是在圣灰节星期三第四年的下午。

夏洛克　怎么，还有假面跳舞吗？听好，杰西卡，把家里的门锁上！听见鼓声和弯笛子的怪叫声音，不许爬到窗格子上张望，也不要伸出头去，瞧那些脸上涂得花花绿绿的傻基督徒们打街道上走过。所有的窗都给我关起来，别让那些无聊的胡闹的声音钻进我的清静的屋子里。凭着雅各的牧羊杖发誓，我今晚真有点不想出去

参加什么宴会。可是就去这一次吧。小子，你先回去，说我就来了。

朗斯洛特　那么我先去了，老爷。小姐，甭管他的吩咐，留心看好窗外——（下）

夏洛克　嘿，那个夏甲的傻瓜后裔[①]说些什么？

杰西卡　没有说什么，他只是说，“再会，小姐。”

夏洛克　这蠢材心肠倒还好，就是食量太大；做起事来，慢吞吞像条蜗牛一般；白天睡觉的本领，比野猫还胜过几分。我家里可容不得懒惰的黄蜂，所以才打发他走了，让他去跟着那个人，好把他借来的钱花个精光。好，杰西卡，进去吧，也许我一会儿就回来。记住我的话，把门儿随手关了。“缚得牢，跑不了”，这是一句千古不变的至理名言。（下）

杰西卡　再会，要是我的命运不跟我作梗，那么我将要失去一个父亲，你也要失去一个女儿了。（下）

① 夏甲为犹太人始祖亚伯兰之妾。此处“夏甲后裔”表“贱种”之意。见《旧约·创世记》。

第六场　同前

【葛莱西安诺及萨拉里诺戴假面同上。

葛莱西安诺　这儿屋檐下便是罗兰佐叫我们守望的地方。

萨拉里诺　他约定的时间快要过去了。

葛莱西安诺　他会迟到真是件怪事，因为恋人们总是赶在时钟前面的。

萨拉里诺　啊！维纳斯的鸽子飞去缔结新欢的盟约，比之履行旧日的诺言，总是要快上十倍。

葛莱西安诺　那是一定的道理。谁在席终人散以后，他的食欲还像初入座时候那么强烈？哪一匹马在冗长的归途上，会像它起程时那么长驱疾驰？对世间的一切事物，人们追求时兴致总要比享用时的兴致浓烈。一艘新下水的船只扬帆出港的当儿，多么像一个娇养的少年，给那轻狂的风儿爱抚搂抱！可是等到它回来的时候，船身已遭风日的侵蚀，船帆也变成了百结的破衲，它又多么像一个落魄的浪子，给那轻狂的风儿肆意欺凌！

萨拉里诺　罗兰佐来啦；这些话你留着以后再说吧。

【罗兰佐上。

罗兰佐　两位好朋友，累你们久等了，对不起得很，实在是因为我有点事情，急切里抽身不出。等你们将来也要偷妻子的时候，我一定也替你们守这么些时候。过来，这儿就是我的犹太岳父所住的地方。喂！里面有人吗？

【杰西卡着男装自上方上。

杰西卡　你是哪一个？我虽然认识你的声音，可是为了免得错认了人，请你把名字告诉我。

罗兰佐　我是罗兰佐，你的爱人。

杰西卡　你果然是罗兰佐，也的确是我的爱人，谁会使我爱得像你一样呢？罗兰佐，除了你之外，谁还知道我究竟是不是属于你的呢？

罗兰佐　上天和你的思想，都可以证明你是属于我的。

杰西卡　来，把这匣子接住了，你拿了去大有好处的。幸亏在夜里，你瞧不见我，我改扮成这个怪样子，怪不好意思哩。可是恋爱是盲目的，恋人们瞧不见他们自己所干的傻事；要是他们瞧得见的话，那么丘比特瞧见我变成一个男孩子，也会脸红起来哩。

罗兰佐　下来吧，你必须替我拿着火炬。

杰西卡　怎么？我必须拿着烛火，照亮自己的羞耻吗？像我这样子，已经太轻狂了，应该遮掩遮掩才是，怎么反而要在别人面前露脸？

罗兰佐　亲爱的，你穿上这一身漂亮的男孩子衣服，人家不会认出你来的。快来吧，夜色已经在不知不觉中深了起来，巴萨尼奥在等着我们去赴宴呢。

杰西卡　让我把门窗关好，再收拾些银钱带在身边，然后立刻就来。（自上方下）

葛莱西安诺　凭着我的头巾发誓，她真是个基督徒，不是个犹太人。

罗兰佐　我从心底里爱着她。要是我有判断的能力，那么她是聪明的；要是我的眼睛没有欺骗我，那么她是美貌的；她已经替自己证明她是忠诚的。像她这样又聪明，又美丽，又忠诚，怎么不叫我把她永远放在自己的灵魂里呢？

【杰西卡上。

罗兰佐　啊，你来了吗？朋友们，走吧！我们的舞伴们现在一定在那儿等着我们了。（罗兰佐、杰西卡、萨拉里诺同下）

【安东尼奥上。

安东尼奥　那边是谁？

葛莱西安诺　安东尼奥先生！

安东尼奥　咦，葛莱西安诺！还有那些人呢？现在已经九点钟啦，我们的朋友们，大家在那儿等着你们。今天晚上的假面跳舞会取消了。风势已转，巴萨尼奥就要立刻上船。我已经差了二十个人来找你们了。

葛莱西安诺　那好极了！我巴不得今天晚上就开船出发。（同下）

第七场　贝尔蒙特。鲍西娅家中一室

【喇叭奏花腔。鲍西娅及摩洛哥亲王各率侍从上。

鲍西娅　去把帐幕揭开，让这位尊贵的王子瞧瞧那几个匣子。现在请殿下自己选择吧。

摩洛哥亲王　第一只匣子是金的，上面刻着这几个字："谁选择了我，将要得到众人所希求的东西。"第二只匣子是银的，上面刻着这样的约许："谁选择了我，将要得到他所应得的东西。"第三只匣子是用沉重的铅打成的，上面刻着像铅一样冷酷的警告："谁选择了我，必须准备把他所有的一切作为牺牲。"我怎么可以知道我选得错不错呢？

鲍西娅　这三只匣子中间，有一只里面藏着我的小像；您要是选中了那一只，我就是属于您的了。

摩洛哥亲王　求神明指示我！让我看，我且先把匣子上面刻着的字句再推敲一遍。这一个铅匣子上面说些什么？"谁选择了我，必须准备把他所有的一切作为牺牲。"必须准备牺牲？为什么？为了铅吗？为了铅而牺牲一切吗？这匣子说的话儿倒有些吓人。人们为了希望得到重大的利益，才会不惜牺牲一切；一颗贵重的心，决不会屈躬俯就鄙贱的外表。我不愿为了铅的缘故而作任何的牺牲。那个色泽皎洁的银匣子上面说些什么？"谁选择了我，将要得到他所应得的东西。"得到他所应得的东西！且慢，摩洛哥，把你自己的价值作一下公正的估计吧。照你自己判断起来，你应该得到很高的评价，可是也许凭着你这几分长处，还不配娶到这样一位小姐；然而我要是疑心我自己不够资格，那未免太小看自己了。得到我所应得的东西！当然那就是指这位小姐而说的。讲到家世、财产、人品、教养，我在哪一点上配不上她？可是超乎这一切之上，凭着我这一片深情，也就应该配得上她了。那么我不必迟疑，就选了这一个匣子吧。让我再瞧瞧那金匣子上说些什么话："谁选择了我，将要得到众人所希求的东西。"啊，那正是这位小姐了！整个儿的世界都希求着她，从地球的四角他们迢迢而来，顶礼这位尘世的仙真：希尔卡尼亚的沙漠和广大的阿拉伯辽阔荒野，现在已经成为各国王子们前来瞻仰美貌的鲍西娅的通衢大道；把唾沫吐在天庭面上的傲慢不逊的海洋，也不能阻止外邦的远客，他们越过汹涌的波涛，就像跨过一条小河一样，为了要看一看鲍西娅的绝世姿容。在这三只匣子中间，有一只里面藏着她的天仙似的小像。难道那铅匣子里会藏着她吗？想起这样一个卑劣的思想，就是一种亵渎。那么她是会藏在那价值只及纯金十分之一的银匣子里面吗？啊，罪恶的思想！这样一颗珍贵的珠宝，决不会装在比金子低贱的匣子里。把钥匙交给我！我已经选定了，但愿我的希望能够实现！

鲍西娅　亲王，请您拿着这钥匙。要是这里边有我的小像，我就是您的了。

（摩洛哥亲王开金匣）

摩洛哥亲王　哎哟，该死！这是什么？一个死人的骷髅，那空空的眼眶里藏着一张有字的纸卷。让我读一读上面写着什么。

闪光的不全是黄金，
这话常听人说得分明；
多少世人出卖了一生，
不过看到了我的外形，
蛆虫占据着镀金的坟。
你要是又大胆又聪明，
手脚年轻，见识却老成，
就不会得到这样回音：
再见，劝你冷却这片心。

冷却这片心！真的是枉费辛劳。
永别了，热情！欢迎，凛冽的寒风！
再见，鲍西娅；悲伤塞满了心胸，
莫怪我这败军之将去得匆匆。（率侍从下；喇叭奏花腔）

鲍西娅　他去得倒还知趣。把帐幕拉下来。但愿像他一样肤色的人，都像他一样选不中。（同下）

第八场　威尼斯。街道

【萨拉里诺及萨莱尼奥上。

萨拉里诺　啊，朋友，我看见巴萨尼奥开船，葛莱西安诺也跟他同船去。我相信罗兰佐一定不在他们船里。

萨莱尼奥　那个恶犹太人大呼小叫地吵到公爵那儿去，公爵已经跟着他去搜巴萨尼奥的船了。

萨拉里诺　他去迟了一步，船已经开出。可是有人告诉公爵，说他们曾经看见罗兰佐跟他的多情的杰西卡在一艘平底船里，而且安东尼奥也向公爵证明他们并不在巴萨尼奥的船上。

萨莱尼奥　那犹太狗在街上一路乱叫乱喊，我从未听到过有人这样用充满混乱的、奇特的、狂怒的激情颠三倒四地叫喊："我的女儿！啊，我的银钱！啊，我的女儿！跟一个基督徒逃走啦！啊，我的基督徒的银钱！公道啊！法律啊！我的银钱，我的女儿！一袋封好的，两袋封好的银钱，给我的女儿偷去了！还有珠宝！两颗宝石，两颗珍贵的宝石，都给我的女儿偷去了！公道啊！把那女孩子找出来！她身边带着宝石，还有银钱。"

萨拉里诺　威尼斯城里所有的小孩子们，都跟在他背后，喊着：他的宝石呀，他的女儿呀，他的银钱呀。

萨莱尼奥　安东尼奥应该留心那笔债款不要误了期，否则他要在他身上报复的。

萨拉里诺　对了，你想得不错。昨天我跟一个法国人谈天，他对我说起，在英法两国之间的狭隘的海面上，有一艘从咱们国里开出去的满载着货物的船只出了事了。我一听见这句话，就想起安东尼奥，但愿那艘船不是他的才好。

萨莱尼奥　你最好把你听见的消息告诉安东尼奥；可是你要轻描淡写地说，免得害他着急。

萨拉里诺　世上没有一个比他更仁厚的君子。我看见巴萨尼奥跟安东尼奥告别，巴萨尼奥对他说，他一定尽早回来，他回答说："不必，巴萨尼奥，不要为了我的缘故而误了你的正事，你等到一切事情圆满完成以后再回来吧；至于我在那犹太人那里签下的约，你不必放在心上，你只管高高兴兴，一心一意地进行你的好事，施展你的全副精神，去博得美人的欢心吧。”说到这里，他不禁热泪盈眶，就回转身去，把手伸到背后，亲亲热热地握着巴萨尼奥的手。他们就这样分别了。

萨莱尼奥　我看他只是为了他的缘故才爱这世界的。咱们现在就去找他，想些开心的事儿替他解解愁闷，你看好不好？

萨拉里诺　很好很好。（同下）

第九场　贝尔蒙特。鲍西娅家中一室

【尼莉莎及一仆人上。

尼莉莎　快，快，扯开那帐幕。阿拉贡亲王已经宣过誓，就要来选匣子啦。

【喇叭奏花腔。阿拉贡亲王及鲍西娅各率侍从上。

鲍西娅　瞧，尊贵的王子，那三个匣子就在这儿。您要是选中了有我的小像藏在里头的那一只，我们就可以立刻举行婚礼；可是您要是失败了的话，那么殿下，不必多言，您必须立刻离开这儿。

阿拉贡亲王　我已经宣誓遵守三项条件：第一，不得告诉任何人我所选的是哪一只匣子；第二，要是我选错了，终身不得再向任何女子求婚；第三，要是我选不中，必须立刻离开此地。

鲍西娅　为了我这微贱的身子来此冒险的人，没有一个不曾立誓遵守这几个条件。

阿拉贡亲王　我也是这样宣誓过了。但愿命运满足我的心愿！一只是金的，一只是银的，还有一只是下贱的铅的。“谁选择了我，必须准备牺牲他所有的一切。”你要我为你牺牲，应该再好看一点才是。那个金匣子上面说的什么？“谁选择了我，将要得到众人所希求的东西。”众人所希求的东西！那“众人”也许是指那无知的群众，他们只知道凭着外表取人，信赖着一双愚妄的眼睛，不知道窥察到内心，就像暴风雨中的燕子，把巢筑在屋外的墙壁上，自以为可保万全，不想到灾祸就会接踵而至。我不愿选择众人所希求的东西，因为我不愿随波逐流，与粗俗的群众为伍。那么还是让我瞧瞧你吧，你这白银的宝库，待我再看一遍刻在你上面的字句：“谁选择了我，将要得到他所应得的东西。”说得好，一个人要是自己没有货真价实的长处，怎么可以妄图非分？尊荣显贵，原来不是无德之人所可以忝窃的。唉！要是世间的爵禄官职，都能够因功授赏，不借钻营，那么多少脱帽侍立的人将会高冠盛服，多少发号施令的人将会俯首听命，多少卑劣鄙贱的渣滓将从高贵的种子中间剔分出来，多少隐暗不彰的贤才异能，可以从世俗的糠秕中间筛选出来，大放它们的光泽！闲话少说，还是让我考虑考虑怎样选择吧。“谁选择了我，将要得到他所应得的东西。”那么我要取之无愧了。把这匣子上的钥匙给我，让我立刻开匣放出藏在这里面的我的命运。（开银匣）

鲍西娅　您在这里面瞧见些什么？怎么呆住了一声也不响？

阿拉贡亲王　这是什么？一个眯着眼睛的傻瓜的画像，上面还写着字句！让我读一下看。唉！你跟鲍西娅相去得多么远！你跟我的希望又相去得多么远！“谁选择了我，将要得到他所应得的东西。”难道我只应得到一副傻瓜的嘴脸吗？那便是我的奖品吗？我不该得到好一点的东西吗？

鲍西娅　毁谤和评判，是两件作用不同、性质相反的事。

阿拉贡亲王　这儿写着什么？

这银子在火里烧过七遍；
那永远不会错误的判断，
也必须经过七次的试炼。
有的人终身向幻影追逐，
只好在幻影里寻求满足。
我知道世上尽有些呆鸟，
空有着一个镀银的外表。
随你娶一个怎样的妻房，
摆脱不了这傻瓜的皮囊。
去吧，先生，莫再耽搁时光！

我要是再留在这儿发呆，
愈显得是个十足的蠢材；
顶一颗傻脑袋来此求婚，
带两个蠢头颅回转家门。
别了，美人，我愿遵守誓言，
默忍着厄运带来的熬煎。（阿拉贡亲王率侍从下）

鲍西娅　正像飞蛾在烛火里伤身，

这些傻瓜们自恃着聪明，
免不了被聪明误了前程。

尼莉莎　古话说得好，上吊娶媳妇，
都是一个人注定的天数。

鲍西娅　来，尼莉莎，把帐幕拉下了。

【一仆人上。

仆人　小姐呢？

鲍西娅　在这儿。有什么事？

仆人　小姐，门口有一个年轻的威尼斯人，说是来通知一声，他的主人就要来啦。他说他的主人叫他先来向小姐致意，除了一大堆恭维的客套以外，还带来了几件很贵重的礼物。小的从来没有见过这么一位体面的爱神的使者；预报繁茂的夏季快要来临的四月的天气，也不及这个为主人先驱的俊仆的温雅。

鲍西娅　请你别说下去了吧。你这样天花乱坠地称赞他，我怕你就要说他是你的亲戚了。来，来，尼莉莎，我倒很想瞧瞧这一位爱神差来的体面的使者。

尼莉莎　爱神啊，但愿来的是巴萨尼奥！（同下）

第三幕

第一场　威尼斯。街道

【萨莱尼奥及萨拉里诺上。

萨莱尼奥　交易所里有什么消息？

萨拉里诺　他们都在那里说安东尼奥有一艘满装着货物的船在海峡里倾覆了。那地方的名字好像是古德温，是一处很危险的沙滩，听说有许多大船的残骸埋葬在那里，要是那些传闻之辞不是来自长舌妇之口的话。

萨莱尼奥　我但愿那些谣言就像那些吃饱了饭没事做，嚼嚼生姜，或者一把鼻涕一把眼泪地假装为了她第三个丈夫死去而痛哭的那些婆子们所说的鬼话一样靠不住。可是那的确是事实——不说啰里啰唆的废话，也不说枝枝节节的闲话——这位善良的安东尼奥，正直的安东尼奥——啊，但愿我有一个可以充分形容他的好处的字眼！

萨拉里诺　好了好了，别说下去了吧。

萨莱尼奥　嘿！你说什么！总归一句话，他损失了一艘船。

萨拉里诺　但愿这是他最末一次的损失。

萨莱尼奥　让我赶快喊“阿门”，免得给魔鬼打断了我的祷告，因为他已经扮成一个犹太人的样子来啦。

【夏洛克上。

萨莱尼奥　啊，夏洛克！商人们有什么消息？

夏洛克　有什么消息！我的女儿逃走啦，这件事情是你比谁都格外知道得详细的。

萨拉里诺　那当然啦，就是我也知道她飞走的那对翅膀是哪一个裁缝替她做的。

萨莱尼奥　夏洛克自己也何尝不知道，她羽毛已长，当然要离开娘家啦。

夏洛克　她干出这种不要脸的事来，死了一定要下地狱。

萨拉里诺　假如是魔鬼做她的判官，那是当然的事情。

夏洛克　我自己的血肉向我造反！

萨莱尼奥　（故意曲解）老不死的，你都这把年纪了，还有那种肉欲？

萨拉里诺　你的肉跟她的肉比起来，比黑炭和象牙还差得远；你的血跟她的血比起来，比红葡萄酒和白葡萄酒还差得远。可是告诉我们，你听不听见人家说起安东尼奥在海上遭到了损失？

夏洛克　说起他，又是我的一桩倒霉事情。这个败家精，这个破落户，他不敢在交易所里露一露脸。他平常到市场上来，穿着得多么齐整，现在可变成一个叫花子啦。让他留心他的借约吧。他老是骂我盘剥取利，让他留心他的借约吧。他是本着基督徒的精神，放债从来不取利息的，让他留心他的借约吧！

萨拉里诺　我相信要是他不能按约偿还借款，你一定不会要他的肉的，那有什么用处呢？

夏洛克　拿来钓鱼也好，即使他的肉不中吃，至少也可以出出我这一口气。他曾经羞辱过我，夺去我几十万块钱的生意，讥笑我亏了本，挖苦我赚了钱，侮蔑我的民族，破坏我的买卖，离间我的朋友，煽动我的仇敌。他的理由是什么？只因为我是一个犹太人。难道犹太人没有眼睛吗？难道犹太人没有五官四肢，没有知觉，没有感情，没有血气吗？他不是吃着同样的食物，同样的武器可以伤害他，同样的医药可以治疗他，冬天同样会冷，夏天同样会热，就像一个基督徒一样吗？你们要是用刀剑刺我们，我们不是也会出血的吗？你们要是搔我们的痒，我们不是也会笑起来吗？

你们要是用毒药谋害我们，我们不是也会死的吗？那么要是你们欺侮了我们，我们难道不会复仇吗？要是在别的地方我们都跟你们一样，那么在这一点上也是彼此相同的。要是一个犹太人欺侮了一个基督徒，那基督徒会忍耐吗？不。他怎样？报仇。要是一个基督徒欺侮了一个犹太人，那么照着基督徒的榜样，那犹太人应该怎样？报仇呀。你们已经把残虐的手段教给我，我一定会照着你们的教训实行，而且还要加倍奉敬哩。

【一仆人上。

仆人　两位先生，我家主人安东尼奥在家里，要请两位过去谈谈。

萨拉里诺　我们正在到处找他呢。

【杜伯尔上。

萨莱尼奥　又是一个他的族中人来啦。世上再也找不到第三个像他们这样的人，除非魔鬼自己也变成了犹太人。（萨莱尼奥、萨拉里诺及仆人下）

夏洛克　啊，杜伯尔！热那亚有什么消息？你有没有找到我的女儿？

杜伯尔　我所到的地方，往往听见人家说起她，可是总找不到她。

夏洛克　哎呀，糟糕！糟糕！糟糕！我在法兰克福出两千块钱买来的那颗金刚钻也丢啦！诅咒到现在才降落到咱们民族头上；我到现在才觉得它的厉害。那一颗金刚钻就是两千块钱，还有别的贵重的珠宝。我希望我的女儿死在我的脚下，那些珠宝都挂在她的耳朵上；我希望她就在我的脚下入土安葬，那些银钱都放在她的棺材里！不知道他们的下落吗？哼，我不知道为了寻访他们，又花去了多少钱。你这你这——损失上再加损失！贼子偷了这么多走了，还要花这么多去访寻贼子，结果仍旧是一无所得，出不了这一口怨气。只有我一个人倒霉，只有我一个人叹气，只有我一个人流眼泪！

杜伯尔　倒霉的不单是你一个人。我在热那亚听人家说，安东尼奥——

夏洛克　什么？什么？什么？他也倒了霉吗？他也倒了霉吗？

杜伯尔　——有一艘从特里坡利斯来的大船，在途中触礁。

夏洛克　谢谢上帝！谢谢上帝！是真的吗？是真的吗？

杜伯尔　我曾经跟几个从那船上出险的水手谈过话。

夏洛克　谢谢你，好杜伯尔。好消息，好消息！哈哈！什么地方？在热那亚吗？

杜伯尔　听说你的女儿在热那亚一个晚上花去八十块钱。

夏洛克　你把一把刀戳进我心里了！我也再瞧不见我的金子啦！一下子就是八十块钱！八十块钱！

杜伯尔　有几个安东尼奥的债主跟我同路到威尼斯来，他们肯定地说他这次一定要破产。

夏洛克　我很高兴。我要摆布摆布他，我要整治整治他。我很高兴。

杜伯尔　有一个人给我看一个指环，说是你女儿用它向他换了一只猴子。

夏洛克　该死该死！杜伯尔，你提起这件事，真叫我心里难过；那是我的绿玉指环，是我的妻子莉莎在我没有结婚的时候送给我的，即使人家把一大群猴子来向我交换，我也不愿把它给人。

杜伯尔　可是安东尼奥这次一定完了。

夏洛克　对了，这是真的，一点不错。去，杜伯尔，现在离借约期满还有半个月，你先给我到衙门里走动走动，花费几个钱。要是能罚他，我要挖出他的心来；即使他不在威尼斯，我也不怕他逃出我的掌心。去，去，杜伯尔，咱们在会堂里见面。好杜伯尔，去吧，会堂里再见，杜伯尔。（各下）

第二场　贝尔蒙特。鲍西娅家中一室

【巴萨尼奥、鲍西娅、葛莱西安诺、尼莉莎及侍从等上。

鲍西娅　请您不要太急，停一两天再选吧，因为要是您选得不对，咱们就不能再在一块儿，所以请您暂时缓一下吧。我心里仿佛有一种什么感觉——可是那不是爱情——告诉我我不愿失去您，您一定也知道，嫌憎是不会向人说这种话的。一个女孩儿家本来不该信口说话，可是因为怕您不能懂得我的意思，我真想留您在这儿住上一两个月，然后再让您为我而冒险一试。我可以教您怎样选才不会有错——可是这样我就要违犯了誓言，那是断断不可的。然而您如果自行其是，您也许会选错；要是您选错了，您一定会使我起了一个有罪的愿望，懊悔我不该为了不敢背誓而忍心让您失望。顶可恼的是您这一双眼睛，它们已经瞧透了我的心，把我分成两半：半个我是您的，还有那半个我也是您的——不，我的意思是说那半个我是我的，可是既然是我的，也就是您的，所以整个儿的我都是您的。唉！都是这些无聊的世俗的礼法，使人们不能享受他们合法的权利，所以我虽然是您的，却又不是您的。如果情形果真如此，该下地狱的是命运，不是我。我说得太啰唆了，可是我的目的是要尽量拖延时间，不放您马上就去选择。

巴萨尼奥　让我选吧。我现在提心吊胆，正像给人拷问一样活受罪。

鲍西娅　给人拷问，巴萨尼奥！那么你给我招认出来，在你的爱情之中，隐藏着什么奸谋？

巴萨尼奥　没有什么奸谋，我只是有点怀疑忧惧，但恐我的痴心化为徒劳；奸谋跟我的爱情正像冰炭一样，是无法相容的。

鲍西娅　嗯，可是我怕你是因为受不住拷问的痛苦，才说这样的话。

巴萨尼奥　您要是答应赦我一死，我愿意招认真情。

鲍西娅　好，赦你一死，你招认吧。

巴萨尼奥　“爱”便是我所能招认的一切。多谢我的刑官，您教给我怎样免罪地答话了！可是让我去瞧瞧那几个匣子，试试我的运气吧。

鲍西娅　那么去吧！在那三个匣子中间，有一个里面锁着我的小像，您要是真的爱我，您会把我找出来的。尼莉莎，你跟其余的人都站开些。在他选择的时候，把音乐奏起来，要是他失败了，好让他像天鹅一样在音乐声中死去；把这比喻说得更恰当一些，我的眼睛就是他葬身的清流。也许他会胜利的，那么那音乐又像什么呢？那时候音乐就像忠心的臣子俯伏迎接新加冕的君王的时候所吹奏的号角，又像是黎明时分送进正在做着好梦的新郎的耳中，催他起来举行婚礼的甜柔的琴韵。现在他去了，他的沉毅的姿态，就像少年赫拉克勒斯奋身前去，在特洛亚人的呼叫声中，把他们祭献给海怪的处女拯救出来一样，可是他心里却藏着更多的爱情。我站在这儿作牺牲，她们站在旁边，就像泪眼模糊的特洛亚妇女们，出来看这场争斗的结果。去吧，赫拉克勒斯！我的生命悬在你手里，但愿你安然生还；我这观战的人心中，比你上场作战的人还要惊恐万倍！

【巴萨尼奥独白时，乐队奏乐唱歌。

（歌）

告诉我爱情生长在何方？
是在脑海里，还是在心房？
它怎样发生？它怎样成长？
回答我，回答我。
爱情的火在眼睛里点亮，
凝视是爱情生活的滋养，
它的摇篮便是它的坟茔。
让我们把爱的丧钟鸣响，
叮当！　叮当！
叮当！　叮当！（众和）

巴萨尼奥　外观往往和事物的本身完全不符，世人却容易为表面的装饰所欺骗。在法律上，哪一件卑鄙邪恶的陈诉，不可以用娓娓动听的言辞掩饰它的罪状？在宗教上，哪一桩罪大恶极的过失，不可以引经据典，文过饰非，证明它的确上合天心？任何彰明昭著的罪恶，都可以在外表上装出一副道貌岸然的样子。多少没有胆量的懦夫，他们的心其实软散如沙，他们的肝其实白如牛奶，可他们的颊上却长着天神一样威武的须髯，让人们只看着他们的外表，就不禁生出敬畏之心！再看那些世间所谓美貌吧，那是完全靠着脂粉装点出来的，愈是轻浮的女人，所涂的脂粉也愈重。至于那些随风飘扬，像蛇一样的金丝卷发，看上去果然漂亮，不知道却是从坟墓中死人的骷髅上借下来的。所以装饰不过是一道把船只诱进凶涛险浪的怒海中去的陷人的海岸，又像是遮掩着一个黑丑蛮女的一道美丽的面幕，总而言之，它是狡诈的世人用来欺诱智士的似是而非的真理。所以，你，炫目的黄金，迈达斯王的坚硬的食物[①]，我不要你；你，惨白的银子，在人们手里来来去去的下贱的奴才，我也不要你；可是你，寒碜的铅，你的形状只能使人退走，一点没有吸引人的力量，然而你的质朴却比巧妙的言辞更能打动我的心，我就选了你吧，但愿结果美满！

鲍西娅 （旁白）一切纷杂的思绪、多心的疑虑、鲁莽的绝望、战栗的恐惧、酸性的猜忌，多么快地烟消云散了！爱情啊！把你的狂喜节制一下，不要让你的欢乐溢出界限，让你的情绪越过分寸；你使我感觉到太多的幸福，请你把它减轻几分吧，我怕我快要给快乐窒息而死了！

巴萨尼奥 这里面是什么？（开铅匣）美丽的鲍西娅的副本！这是谁的神功之笔，描画出这样一位绝世的美人？这双眼睛是在转动吗？还是因为我的眼球在转动，所以仿佛它们也在随着转动？她的微启的双唇，是因为她嘴里吐出来的甘美芳香的气息而分裂了；无论怎样亲密的朋友，受到了这样的麻醉，都会变成路人的。画师在描画她的头发的时候，一定曾经化身为蜘蛛，织下了这么一个金丝的发网，来诱捉男子们的心；哪一个男子见了它，不会比飞蛾投入蛛网还快地陷下网罗呢？可是她的眼睛！他怎么能够睁了眼睛把它们画

---

① 迈达斯，古代传说中弗里吉亚王，向神求得点金术，结果手触到的食物也成了金而无法进食。

出来呢？他在画了一只眼睛以后，我想它的逼人的光芒，一定会使他自己目眩神夺，再也描画不成另外的一只。可是瞧，我用尽一切赞美的字句，还不能充分形容出这一个画中幻影的美妙；然而这幻影跟它的实体比较起来，又是多么望尘莫及！这儿是一纸手卷，宣判着我的命运。

你选择不凭着外表，
果然给你直中鹄心！
胜利既已入你怀抱，
你莫再往别处追寻。
这结果倘使你满意，
就请接受你的幸运，
赶快回转你的身体，
给你的爱深深一吻。

温柔的纶音！美人，请恕我大胆，（吻鲍西娅）
我奉命来把彼此的深情交换。
像一个夺标的健儿驰骋身手，
耳旁只听见沸扬的人声如吼，
虽然明知道胜利已在他手掌，
却不敢相信人们在把他赞赏。
绝世的美人，我现在神眩目晕，
仿佛闯进了一场离奇的梦境；
除非你亲口证明这一切是真，
我再也不相信我自己的眼睛。

鲍西娅　巴萨尼奥公子，您瞧我站在这儿，不过是这样的一个人。虽然为了我自己的缘故，我不愿妄想自己比现在的我更好一点；可是为了您的缘故，我希望我能够六十倍胜过我的本身，再加上一千倍的美丽，一万倍的富有；我但愿我有无比的贤德、美貌、财产和亲友，好让我在您的心目中占据一个很高的位置。可是我这一身却是一无所有，我只是一个不学无术、没有教养的女子。幸亏她的年纪还不是顶大，来得及发愤学习；她的天资也不是顶笨，可以加以教导之功；尤其大幸的，她有一颗柔顺的心灵，愿意把它奉献给您，听从您的指导，把您当作她的主人，她的统治者和她的君王。我自己以及我所有的一切，现在都变成您的所有了。刚才我还拥有着这一座华丽的大厦，我的仆人都听从着我的指挥，我是支配我自己的女王，可是就在现在，这屋子、这些仆人和这一个我，都是属于您的了，我的夫君。凭着这一个指环，我把这一切完全呈献给您；要是您让这指环离开您的身边，或者把它丢了，或者把它送给别人，那就预示着您的爱情的毁灭，我可以因此责怪您的。

巴萨尼奥　小姐，您使我说不出一句话来，只有我的热血在我的血管里跳动着向您陈诉。我的精神是在一种恍惚的状态中，正像喜悦的群众在听到他们所爱戴的君王的一篇美妙的演辞以后那种心灵眩惑的神情，除了口头的赞叹和内心的欢乐以外，一切的一切都混合起来，化成白茫茫的一片模糊。可是这指环要是有一天离开这手指，那么我的生命也一定已经终结；那时候您可以放胆地说，巴萨尼奥已经死了。

尼莉莎　姑爷，小姐，我们站在旁边，眼看我们的愿望成为事实，现在该让我们来道喜了。恭喜姑爷！恭喜小姐！

葛莱西安诺　巴萨尼奥老爷和我的温柔的夫人，愿你们享受一切的快乐！我还有一个请求，要是你们决定在什么时候举行嘉礼，我也想跟你们一起结婚。

巴萨尼奥　很好，只要你能够找到一个妻子。

葛莱西安诺　谢谢老爷，您已经替我找到一个了。不瞒老爷说，我这一双眼睛瞧起人来，并不比老爷您慢。您瞧见了小姐，我也瞧见了使女；您发生了爱情，我也发生了爱情。您的命运靠那几个匣子决定，我也是一样；因为我在这儿千求万告，身上的汗出了一身又是一身，指天誓日地说到唇干舌燥，才算得到这位好姑娘的一句回音，答应我要是您能够得到她的小姐，我也可以得到她的爱情。

鲍西娅　这是真的吗，尼莉莎？

尼莉莎　是真的，小姐，要是您赞成的话。

巴萨尼奥　葛莱西安诺，你也是出于真心吗？

葛莱西安诺　是的，老爷。

巴萨尼奥　我们的喜筵有你们的婚礼添兴，那真是喜上加喜了。

葛莱西安诺　我们要跟他们打赌一千块钱，看谁先养儿子。可是谁来啦？罗兰佐和他的异教徒吗？什么！还有我那威尼斯老朋友萨莱尼奥？

【罗兰佐、杰西卡及萨莱尼奥上。

巴萨尼奥　罗兰佐，萨莱尼奥，虽然我也是初履此地，让我僭用着这里主人的名义，欢迎你们的到来。亲爱的鲍西娅，请您允许我接待我这几个同乡朋友。

鲍西娅　我也是竭诚欢迎他们。

罗兰佐　谢谢。巴萨尼奥老爷，我本来并没有想到要到这儿来看您，因为在路上碰见萨莱尼奥，给他不由分说地硬拉着一块儿来啦。

萨莱尼奥　是我拉他来，老爷，我是有理由的。安东尼奥先生叫我替他向您致意。（给巴萨尼奥一信）

巴萨尼奥　在我没有拆开这信以前，请你告诉我，我的好朋友近来好吗？

萨莱尼奥　他没有病，除非有点儿心病；您看了他的信，就可以知道他的近况。

葛莱西安诺　尼莉莎，招待招待那位客人。把你的手给我，萨莱尼奥，威尼斯有些什么消息？那位善良的商人安东尼奥怎样？我知道他听见了我们的成功，一定会十分高兴；我们是两个伊阿宋，把金羊毛取了来啦。

萨莱尼奥　我希望你们能够把他失去的金羊毛取了回来，那就好了。

鲍西娅　那信里一定有些什么坏消息，巴萨尼奥的脸色都变白了；多半是一个什么好朋友死了，否则不会有别的事情会把一个堂堂男子激动到这个样子的。怎么，还有更坏的事情吗？恕我冒渎，巴萨尼奥，我是您自身的一半，这封信所带给您的任何不幸的消息，也必须让我分担一半。

巴萨尼奥　啊，亲爱的鲍西娅！这信里所写的，是自有纸墨以来最悲惨的字句。好小姐，当我初次向您倾吐我的爱慕之情的时候，我坦白地告诉您，我的高贵的家世是我仅有的财产，那时我并没有对您说谎；可是，亲爱的小姐，单单把我说成一个两袖清风的寒士，还未免有点自夸，因为我不但一无所有，而且还负着一身的债务；不但欠了我的一个好朋友许多钱，还累他为了我的缘故，欠了他仇家的钱。这一封信，小姐，那信纸就像是我朋友的身体，上面的每一个字，都是一处血淋淋的创伤。可是，萨莱尼奥，那是真的吗？难道他的船舶都一起遭难了？竟没有一艘平安到港吗？从特里坡利斯，从墨西哥，从英国、里斯本、巴巴里和印度来的船只，没有一艘能够逃过那些毁害商船的礁石的可怕的撞击吗？

萨莱尼奥　一艘也没有逃过。而且即使他现在有钱还那犹太人，那犹太人也不肯收他。我从来没有见过这样一个样子像人的家伙，一心一意只想残害他的同类；他不分昼夜地在公爵耳边唠叨，说是他们倘不给他主持公道，那么威尼斯根本不成其为一个自由邦。二十个商人、公爵自己，还有那些最有名望的士绅，都曾劝过他，可是谁也不能叫他回心转意，放弃他那狠毒的起诉。他一口咬定：要求公道，照约行罚。

杰西卡　我在家里的时候，曾经听见他向杜伯尔和丘斯，他的两个同族的人谈起，说他宁可取安东尼奥身上的肉，不愿收受比他的欠款多二十倍的钱。要是法律和威权不能拒绝他，那么可怜的安东尼奥恐怕在劫难逃了。

鲍西娅　遭到这样危难的人，是不是您的好朋友？

巴萨尼奥　我的最亲密的朋友，一个心肠最仁慈的人，热心为善，多情尚义，在他身上存留着比任何意大利人更多的古代罗马的仁侠精神。

鲍西娅　他欠那犹太人多少钱？

巴萨尼奥　他为了我的缘故，向他借了三千块钱。

鲍西娅　什么，只有这一点数目吗？还他六千块钱，把那借约毁了！两倍六千块钱，或者照这数目再倍三倍都可以，可是万万不能因为巴萨尼奥的过失，害这样一位好朋友损伤一根毛发。先陪我到教堂里去结为夫妇，然后你就到威尼斯去看你的朋友；鲍西娅决不让你抱着一颗不安宁的良心睡在她的身旁。你可以带偿还这笔小小借款的二十倍那么多的钱去，债务清了以后，就带你的忠心的朋友到这儿来。我的侍女尼莉莎陪着我在家里，仍旧像未嫁的时候一样，守候着你们的归来。来，今天就是你结婚的日子，大家快快乐乐，好好招待你的朋友们。你既然是用这么大的代价买来的，我也一定加倍地爱你。可是让我听听你朋友的信。

巴萨尼奥　“巴萨尼奥挚友如握：弟船只悉数遇难，债主煎迫，家业荡然。犹太人之约，业已衍期；履行罚则，殆无生望。足下前此欠弟债项，一切勾销，唯盼及弟未死之前，来相临视。或足下燕婉情浓，不忍遽别，则亦不复相强，此信置之可也。”

鲍西娅　啊，亲爱的，快把一切事情办好，立刻就去吧！

巴萨尼奥　既然蒙您允许，我就赶快收拾动身，可是——

此去经宵应少睡，长留魂魄系相思。（同下）

第三场　威尼斯。街道

【夏洛克、萨拉里诺、安东尼奥及狱吏上。

夏洛克　狱官，留心看住他，不要对我讲什么慈悲。这就是那个放债不取利息的傻瓜。狱官，留心看住他。

安东尼奥　再听我说句话，好夏洛克。

夏洛克　我一定要照约实行；你如果想推翻这一张契约，那还是请你免开尊口的好。我已经发过誓，非得照约实行不可。你曾经无缘无故骂我是狗，既然我是狗，那么你就小心我的狗牙吧。公爵一定会给我主持公道的。你这糊涂的狱官，我真不懂你老是会答应他的请求，陪着他到外边来。

安东尼奥　请你听我说。

夏洛克　我一定要照约实行，不要听你讲什么鬼话。我一定要照约实行，所以请你闭嘴吧。我不像那些软心肠流眼泪的傻瓜们一样，听了基督徒的几句劝告，就会摇头叹气，懊悔屈服。别跟着我，我不要听你说话，我要照约实行。（下）

萨拉里诺　这是人世间一头最顽固的恶狗。

安东尼奥　别理他。我也不愿再费无益的唇舌向他哀求了。他要的是我的命，他这样做原因我很清楚。常常有许多人因为不堪他的剥削，向我诉苦，是我帮助他们脱离他的压迫，所以他才恨我。

萨拉里诺　我相信公爵一定不会允许他实行这一种处罚。

安东尼奥　公爵不能变更法律的规定，因为威尼斯的繁荣，完全倚赖着各国人民的来往通商，要是剥夺了异邦人应享的权利，一定会使人对威尼斯的法治精神发生重大的怀疑。去吧，这些不如意的事情，已经把我搅得心力交瘁，我怕到明天身上也许割不下一磅肉来偿还我这位不怕血腥气的债主了。狱官，走吧。求上帝，让巴萨尼奥来亲眼看见我替他还债，我就死而无怨了！（同下）

第四场　贝尔蒙特。鲍西娅家中一室

【鲍西娅、尼莉莎、罗兰佐、杰西卡及鲍尔萨泽上。

罗兰佐　夫人，不是我当面恭维您，您的确有一颗高贵真诚、不同凡俗的仁爱之心。尤其像这次敦促尊夫上路，宁愿割舍儿女的私情，这一种精神毅力，真令人万分钦佩。可是您倘使知道受到您这种好意的是个什么人，您所救援的是怎样一个正直的君子，他对于尊夫的交情又是怎样深挚，我相信您一定会格外因为做了这一件好事而自傲，不仅仅认为这是在人道上一件不得不尽的义务而已。

鲍西娅　我做了好事从来不后悔，现在当然也不会。因为凡是常在一块儿谈心游戏的朋友，彼此之间都有一种相互的友爱，他们在容貌上、风度上、习性上，也必定相去不远。所以在我想来，这位安东尼奥既然是我丈夫的心腹好友，他的为人一定很像我的丈夫。要是我的猜想果然不错，那么我把一个跟我的灵魂相仿的人从残暴的迫害下救赎出来，花了这点点儿代价，算得什么！可是这样的话，太近于自吹自擂了，所以别说了吧，还是谈些其他的事情。罗兰佐，在我的丈夫没有回来以前，我要劳驾您替我照管家里；我自己已经向天许下密誓，要在祈祷和默念中过着生活，只让尼莉莎一个人陪着我，直到我们两人的丈夫回来。在两里路之外有一所修道院，我们就预备住在那儿。我向您提出这一个请求，不只是为了个人的私情，还有其他事实上的必要，请您不要拒绝我。

罗兰佐　夫人，您有什么吩咐，我无不乐于遵命。

鲍西娅　我的仆人们都已知道我的决心，他们会把您和杰西卡当作巴萨尼奥和我自己一样看待。后会有期，再见了。

罗兰佐　但愿美妙的思想和安乐的时光追随在您的身旁！

杰西卡　愿夫人一切如意！

鲍西娅　谢谢你们的好意，我也愿意用同样的愿望祝福你们。再见，杰西卡。（杰西卡、罗兰佐下）鲍尔萨泽，我一向知道你诚实可靠，希望你现在仍然诚实可靠。这一封信你给我火速送到帕度亚，交给我的表兄培拉里奥博士亲手收拆；要是他有什么回信和衣服交给你，你就赶快带着它们到码头上，乘公共渡船到威尼斯去。不要多说话，去吧，我会在威尼斯等你。

鲍尔萨泽　小姐，我尽快去就是了。（下）

鲍西娅　来，尼莉莎，我现在还要干一些你尚不知道的事情，我们要在我们的丈夫还没有想到我们之前去跟他们相会。

尼莉莎　我们要让他们看见我们吗？

鲍西娅　他们将会看见我们，尼莉莎，可是我们要打扮得叫他们认不出我们的本来面目。我可以跟你打赌无论什么东西，要是我们都扮成了少年男子，我一定比你漂亮点儿，带起刀子来也比你格外神气点儿。我会沙着喉咙讲话，就像一个正在发育的男孩子一样；我会把两个姗姗细步变成一个男人家的阔步；我会学着那些爱吹牛的哥儿们的样子，谈论一些击剑比武的玩意儿，再随口编造些巧妙的谎话，什么谁家的千金小姐爱上了我啦，我不接受她的好意，她害起病来死啦，我怎么心中不忍，后悔不该害了人家的性命啦，以及二十个诸如此类的无关重要的谎话。人家听见了，一定以为我走出学校的门还不满一年。这些爱吹牛的娃娃们的鬼花样儿我有一千种在脑袋里，都可以搬出来应用。

尼莉莎　怎么，我们要扮成男人吗？

鲍西娅　为什么不？来，车子在门口等着我们。我们上了车，我可以把我的整个计划一路告诉你。快去吧，今天我们要赶二十里路呢。（同下）

第五场　同前。花园

【朗斯洛特及杰西卡上。

朗斯洛特　真的，不骗您，父亲的罪恶是要子女承当的，所以我倒真的在替您捏着一把汗呢。我一向喜欢对您说老实话，所以现在我也老老实实地把我心里所担忧的事情告诉您。您放心吧，我想您总免不了下地狱。只有一个希望也许可以帮帮您的忙，可是那也是个不大高妙的希望。

杰西卡　请问你，是什么希望呢？

朗斯洛特　嗯，您可以存着一半儿的希望，希望您不是您的父亲所生，不是这个犹太人的女儿。

杰西卡　这个希望可真的太不高妙啦；这样说来，我母亲的罪恶又要降到我的身上来了。

朗斯洛特　那倒也是真的，您不是为您的父亲下地狱，就是为您的母亲下地狱；逃过了凶恶的礁石，逃不过危险的漩涡。好，您下地狱是下定了。

杰西卡　我可以靠着我的丈夫得救，他已经使我变成一个基督徒。

朗斯洛特　这就是他大大的不该。咱们本来已经有很多的基督徒，简直快要挤都挤不下啦。要是再这样把基督徒一批一批制造出来，猪肉的价钱一定会飞涨，大家吃起猪肉来，恐怕每人只好分到一片薄薄的咸肉了。

杰西卡　朗斯洛特，你这样胡说八道，我一定要告诉我的丈夫。他来啦。

【罗兰佐上。

罗兰佐　朗斯洛特，你要是再拉着我的妻子在壁角里说话，我真的要吃起醋来了。

杰西卡　不，罗兰佐，你放心好了，我已经跟朗斯洛特翻脸啦。他老实不客气地告诉我，上天不会对我发慈悲，因为我是一个犹太人的女儿；他又说你不是国家的好公民，因为你把犹太人变成了基督徒，提高了猪肉的价钱。

罗兰佐　要是政府向我质问起来？我自有话说。可是，朗斯洛特，你把那黑人的女儿弄大了肚子，这该作何解释呢？

朗斯洛特　那摩尔姑娘如果是失去理智而干了那事，那倒非同小可；但如果她本来就不是良家妇女，倒要算是我把她抬举了一番。

罗兰佐　瞧，哪一个笨蛋都可以玩一点文字游戏！这样一来，盖世无双的辩才只好哑口无言，唯有八哥口里的话才受人称道了。进去，小鬼，叫他们预备吃饭了。

朗斯洛特　先生，他们早已预备好了。他们都是有肚子的呢。

罗兰佐　嘿，你的嘴真尖利！那么，就叫他们把饭预备好吧。

朗斯洛特　那也准备好了，老爷，就只差说："安排饭桌。"

罗兰佐　那么，先生，您愿意"安排饭桌"吗？

朗斯洛特　先生，小的不敢，唯知恪守本职。

罗兰佐　竟是一个机会都不肯放过！你想把你的全部才智在一转眼里全部和盘端出吗？我是个老实人，不会跟你歪扯。去对你那些同伴们说，桌子可以铺起来，饭菜可以端上来，我们要进来吃饭啦！

朗斯洛特　是，先生，我就去叫他们把饭菜铺起来，桌子端上来；至于您进不进来吃饭，那可悉随尊便。（下）

罗兰佐　瞧他毫无破绽，瞧他的话真是说得珠联璧合。傻瓜把大量好话都栽种在记忆里。我确实知道，有许多傻瓜跟他一样装束，地位也比他高，会为了一句俏皮话而抛开正事不管。你好吗，杰西卡？亲爱的好人儿，现在告诉我，你对于巴萨尼奥的夫人有什么意见？

杰西卡　好到没有话说。巴萨尼奥大爷娶到这样一位好夫人，享尽了人世天堂的幸福，自然应该不会走上邪路了。要是有两个天神打赌，各自拿一个人间的女子做赌注，如其中一个是鲍西娅，那么还有一个必须另外加上些什么，才可以彼此相抵，因为这一个寒碜的世界还不能产生一个跟她同样好的人来。

罗兰佐　他娶到了她这么一个好妻子，你也嫁着了我这么一个好丈夫。

杰西卡　那可要先问问我的意见。

罗兰佐　可以可以，可是先让我们吃了饭再说。

杰西卡　不，让我趁着胃口没有倒之前，先把你恭维两句。

罗兰佐　不，你有话还是留到吃饭的时候说吧，那么不论你说得好说得坏，我都可以连着饭菜一起吞下去。

杰西卡　好，你且等着听我怎样说你吧。（同下）

第四幕

第一场　威尼斯。法庭

【公爵、众绅士、安东尼奥、巴萨尼奥、葛莱西安诺、萨拉里诺、萨莱尼奥及余人等同上。

公爵　安东尼奥来了吗？

安东尼奥　来了，殿下。

公爵　我很为你发愁。你来跟一个心如铁石的对手当庭对质，那是个不懂得怜悯、没有一丝慈悲心的不近人情的恶汉。

安东尼奥　听说殿下曾经用尽力量，劝他不要把事情做绝，可是他一味坚持，不肯略作让步。既然没有合法的手段可以使我脱离他的怨毒的掌握，我只有默然承受他的愤怒，安心等待着他的残暴的处置。

公爵　来人，传那犹太人到庭。

萨拉里诺　他在门口等着，他来了，殿下。

【夏洛克上。

公爵　大家让开些，让他站在我的面前。夏洛克，人家都以为你不过故意装出这一副凶恶的姿态，到了最后关头，就会显出你的仁慈恻隐来，比你现在这种表面上的残酷更加出人意料。现在你虽然坚持着照约处罚，一定要从这个不幸的商人身上割下一磅肉来，但到了那时候，你不但愿意放弃这一种处罚，而且因为受到良心上的感动，说不定还会豁免他一部分的欠款。人家都这样说，我也这样猜想着。你看他最近接连遭逢的巨大损失，足以使无论怎样富有的商人倾家荡产，即使铁石一样的心肠，从来不知道同情人类的野蛮人，也不能不对他的境遇发生怜悯。犹太人，我们都在等候你一句温和的回答。

夏洛克　我的意思已经向殿下禀告过了。我也已经指着我们的圣安息日起誓，一定要照约行罚；要是殿下不准许我的请求，那就是蔑视宪章，我要到京城里上告去，要求撤销贵邦的特权。您要是问我为什么不愿接受三千块钱，宁愿拿一块腐烂的臭肉，那我可没有什么理由可以回答您，我只能说我欢喜这样。这是不是一个回答？要是我的屋子里有了耗子，我高兴出一万块钱叫人把它们赶掉，谁管得了我？这不是回答了您吗？有的人不爱看张开嘴的猪，有的人瞧见一只猫就要发脾气，还有人听见人家吹风笛的声音就忍不住要小便；因为一个人的感情完全受着喜恶的支配，谁也做不了自己的主。现在我就这样回答您：为什么有人受不住一头张开嘴的猪，有人受不住一只有益无害的猫，还有人受不住咿咿唔唔的风笛的声音，这些都是毫无充分的理由的，只是因为天生的癖性，使他们一受到感触，就会情不自禁地现出丑相来。所以我不能举什么理由，也不愿举什么理由，只是因为我对于安东尼奥抱着久积的仇恨和深刻的反感，所以才会向他进行一场对于我自己并没有好处的诉讼。现在您不是已经得到我的回答了吗？

巴萨尼奥　你这冷酷无情的家伙，这样的回答辩解不了你目前的残忍。

夏洛克　我的回答本来不是为耀讨你的欢喜。

巴萨尼奥　难道人们对于他们所不喜欢的东西，都一定要置之死地吗？

夏洛克　哪一个人会恨他所不愿意杀死的东西？

巴萨尼奥　初次的冒犯，不应该就引为仇恨。

夏洛克　什么！你愿意给毒蛇咬两次吗？

安东尼奥　请你想一想，你现在跟这个犹太人讲理，就像站在海滩上，叫那大海的怒涛减低它的奔腾的威力，责问豺狼为什么害母羊为了失去它的羔羊而哀啼，或是叫那山上的松柏，在受到天风吹拂的时候，不要摇头摆脑，发出簌簌的声音。要是你能够叫这个犹太人的心变软——世上还有什么东西比它更硬呢？——那么还有什么难事不可以做到？所以我请你不用再跟他商量什么条件，也不用替我想什么办法，让我爽爽快快受到判决，满足这犹太人的心愿吧。

巴萨尼奥　借了你三千块钱，现在拿六千块钱还你好不好？

夏洛克　即使这六千块钱中间的每一块钱都可以分作六份，每一份都可以变成一块钱，我也不要。我只要照约处罚。

公爵　你这样一点没有慈悲之心，将来怎么能够希望人家对你慈悲呢？

夏洛克　我又不干错事，怕什么刑罚？你们买了许多奴隶，把他们当作驴狗骡马一样看待，叫他们做种种卑贱的工作，因为他们是你们出钱买来的。我可不可以对你们说，让他们自由，叫他们跟你们的子女结婚吧！为什么他们要在重担之下流着血汗呢？让他们的床铺得跟你们的床同样柔软，让他们的舌头也尝尝你们所吃的东西吧！你们会回答说："这些奴隶是我们所有的。"所以我也可以回答你们：我向他要求的这一磅肉，是我出了很大的代价买来的。它是我的所有，我一定要把它拿到手。您要是拒绝了我，那么你们的法律根本就是骗人的东西！我现在等候着判决，请快些回答我，我可不可以拿到这一磅肉？

公爵　我已经差人去请培拉里奥，一位有学问的博士，来替我们审判这件案子了。要是他今天不来，我可以有权宣布延期判决。

萨拉里诺　殿下，外面有一个使者刚从帕度亚来，带着这位博士的书信，等候着殿下的召唤。

公爵　把信拿来给我，叫那使者进来。

巴萨尼奥　高兴起来吧，安东尼奥！喂，老兄，不要灰心！这犹太人可以把我的肉、我的血、我的骨头，我的一切都拿去，可是我决不让你为了我的缘故流一滴血。

安东尼奥　我是羊群里一头不中用的病羊，死是我的应分；最软弱的果子最先落到地上，让我就这样结束了我的一生吧。你应当继续活下去，巴萨尼奥；我的墓志铭除了你以外，是没有人写得好的。

【尼莉莎扮律师书记上。

公爵　你是从帕度亚培拉里奥那里来的吗？

尼莉莎　是，殿下。培拉里奥叫我向殿下致意。（呈上一信）

巴萨尼奥　你这样使劲儿磨着刀干什么？

夏洛克　从那破产的家伙身上割下那磅肉来。

葛莱西安诺　狠心的犹太人，你的刀不应该放在你的靴底磨，应该放在你的灵魂里磨，才可以磨得锐利；就是刽子手的钢刀，也及不上你的刻毒的心肠厉害。难道什么恳求都不能打动你吗？

夏洛克　不能，无论你说得多么婉转动听，都没有用。

葛莱西安诺　万恶不赦的狗，看你死后不下地狱！让你这种东西活在世上，真是公道不生眼睛。你简直使我的信仰发生摇动，相信起毕达哥拉斯所说畜生的灵魂可以转生人体的议论来了。你的前生一定是一头豺狼，因为吃了人，给人捉住吊死，它那凶恶的灵魂就从绞架上逃了出来，钻进了你那老娘的肮脏的胎里，因为你的性情正像豺狼一样残暴贪婪。

夏洛克　除非你能够把我这一张契约上的印章骂掉，否则像你这样拉开了喉咙直嚷，不过白白伤了你的肺，何苦来呢？好兄弟，我劝你还是修养修养你的聪明吧，免得它将来一起毁坏得不可收拾。我在这儿要求法律的裁判。

公爵　培拉里奥在这封信上介绍一位年轻有学问的博士出席我们的法庭。他在什么地方？

尼莉莎　他就在这儿附近等着您的答复，不知道殿下准不准许他进来？

公爵　非常欢迎。来，你们去三四个人，恭恭敬敬领他到这儿来。现在让我们把培拉里奥的来信当庭宣读。

书记　（读）“尊翰到时，鄙人抱疾方剧；适有一青年博士鲍尔萨泽君自罗马来此，致其慰问，因与详讨犹太人与安东尼奥一案，遍稽群籍，折衷是非，遂恳其为鄙人庖代，以应殿下之召。凡鄙人对此案所具意见，此君已深悉无遗；其学问才识，虽穷极赞辞，亦不足道其万一，务希勿以其年少而忽之，盖如此少年老成之士，实鄙人生平所仅见也。倘蒙延纳，必能不辱使命。敬祈钧裁。”

公爵　你们已经听到了博学的培拉里奥的来信。这儿来的大概就是那位

博士了。

【鲍西娅扮律师上。

公爵　把您的手给我。足下是从培拉里奥老前辈那儿来的吗？

鲍西娅　正是，殿下。

公爵　欢迎欢迎，请上座。您有没有明了今天我们在这儿审理的这件案子的两方面的争议点？

鲍西娅　我对于这件案子的详细情形已经完全知道了。这儿哪一个是那商人，哪一个是犹太人？

公爵　安东尼奥，夏洛克，你们两人都上来。

鲍西娅　你的名字就叫夏洛克吗？

夏洛克　夏洛克是我的名字。

鲍西娅　你这场官司打得倒也奇怪，可是按照威尼斯的法律，你的控诉是可以成立的。（向安东尼奥）你的生死现在操在他的手里，是不是？

安东尼奥　他是这样说的。

鲍西娅　你承认这借约吗？

安东尼奥　我承认。

鲍西娅　那么犹太人应该慈悲一点。

夏洛克　为什么我应该慈悲一点？把您的理由告诉我。

鲍西娅　慈悲不是出于勉强，它是像甘霖一样从天上降下尘世；它不但给幸福于受施的人，也同样给幸福于施予的人。它有超乎一切的无上威力，比皇冠更足以显出一个帝王的高贵：御杖不过象征着俗世的威权，使人民对于君上的尊严凛然生畏；慈悲的力量却高出于权力之上，它深藏在帝王的内心，是一种属于上帝的德行。执法的人倘能把慈悲调剂着公道，人间的权力就和上帝的神力没有差别。所以，犹太人，虽然你所要求的是公道，可是请你想一想，要是真的按照公道执行起赏罚来，谁也没有死后得救的希望。我们既然祈祷着上帝的慈悲，就应该自己做一些慈悲的事。我说了这一番话，为的是希望你能够从你的法律的立场上作几分让步；可是如果你坚持着原来的要求，那么威尼斯的法庭是执法无私的，只好把那商人宣判定罪了。

夏洛克　我只要求法律允许我照约行罚。

鲍西娅　他是不是不能清还你的债款？

巴萨尼奥　不，我愿意替他当庭还清，照原数加倍也可以。要是这样他还不满足，那么我愿意签署契约，还他十倍的数目，倘然不能如约，他可以割我的手，砍我的头，挖我的心。要是这样还不能使他满足，那就是存心害人，不顾天理了。请堂上运用权力，把法律稍为变通一下，犯一次小小的错误，干一件大大的功德，别让这个残忍的恶魔逞他杀人的兽欲。

鲍西娅　那可不行，在威尼斯谁也没有权力变更既成的法律；要是开了这一个恶例，以后谁都可以借口有例可援，什么坏事情都可以干了。这是不行的。

夏洛克　一个但尼尔[①]来做法官了！真的是但尼尔再世！聪明的青年法官啊，我真佩服你！

鲍西娅　请你让我瞧一瞧那借约。

夏洛克　在这儿，可尊敬的博士，请看吧。

鲍西娅　夏洛克，他们愿意出三倍的钱还你呢。

夏洛克　不行，不行，我已经对天发过誓啦，难道我可以让我的灵魂背上毁誓的罪名吗？不，把整个儿的威尼斯给我我都不能答应。

鲍西娅　好，那么就应该照约处罚。根据法律，这犹太人有权要求从这商人的胸口割下一磅肉来。还是慈悲一点，把三倍原数的钱拿去，让我撕了这张约吧。

夏洛克　等他按照约中所载条款受罚以后，再撕不迟。您瞧上去像是一个很好的法官；您懂得法律，您讲的话也很有道理，不愧是法律界的中流砥柱，所以现在我就用法律的名义，请您立刻进行宣判。凭着我的灵魂起誓，谁也不能用他的口舌改变我的决心。我现在但等着执行原约。

安东尼奥　我也诚心请求堂上从速宣判。

---

① 但尼尔，以色列人的著名士师，以善于折狱著称。

鲍西娅　好，那么就是这样：你必须准备让他的刀子刺进你的胸膛。

夏洛克　啊，尊严的法官！好一位优秀的青年！

鲍西娅　因为这约上所写的惩罚，就法律条文而言，是完全有效的。

夏洛克　对极了！啊，聪明正直的法官！想不到你瞧上去这样年轻，见识却这么老练！

鲍西娅　所以你应该把你的胸膛袒露出来。

夏洛克　对了，“他的胸部”，约上是这么说的，不是吗？尊严的法官，“附近心口的所在”，约上写得明明白白的。

鲍西娅　不错，称肉的天平有没有预备好？

夏洛克　我已经带来了。

鲍西娅　夏洛克，你应该自己拿出钱来，请一位外科医生替他堵住伤口，免得他流血而死。

夏洛克　约上有这样的规定吗？

鲍西娅　约上并没有这样的规定，可是那又有什么相干呢？为了仁慈起见，你这样做总是不错的。

夏洛克　我找不到。这一条约上没有这样写。

鲍西娅　商人，你还有什么话要说吗？

安东尼奥　我没有多少话要说。我已经准备好了。把你的手给我，巴萨尼奥，再会吧！不要因为我为了你的缘故遭到这种结局而悲伤，因为命运对我已经特别照顾了：她往往让一个不幸的人在家产荡尽以后继续活下去，用他凹陷的眼睛和满是皱纹的额角去接受贫困的暮年。这一种拖延时日的刑罚，她已经对我豁免了。替我向尊夫人致意，告诉她安东尼奥的结局；对她说我怎样爱你，替我在死后说几句好话。等到你把这一段故事讲完以后，再请她判断一句，巴萨尼奥是不是曾经有过一个真心爱他的朋友。不要因为你将要失去一个朋友而懊恨，替你还债的人是死而无怨的。只要那犹太人的刀刺得深一点，我就可以在一刹那的时间把那笔债完全还清。

巴萨尼奥　安东尼奥，我爱我的妻子，就像爱我自己的生命一样，可是我的生命、我的妻子，以及整个的世界，在我的眼中都不比你的生命更为贵重。我愿意丧失一切，把它们献给这恶魔做牺牲，来救出你的生命。

鲍西娅　尊夫人要是就在这儿听见您说这样的话，恐怕不见得会感谢您吧。

葛莱西安诺　我有一个妻子，我可以发誓我是爱她的，可是我希望她马上归天，好去求告上帝改变这恶狗一样的犹太人的心。

尼莉莎　幸亏尊驾在她的背后说这样的话，否则府上一定要吵得鸡犬不宁了。

夏洛克　这些便是相信基督教的丈夫！我有一个女儿，我宁愿她嫁给强盗的子孙，也不愿她嫁给一个基督徒！别再浪费光阴了，请快些儿宣判吧。

鲍西娅　那商人身上的一磅肉是你的。法庭判给你，法律许可你。

夏洛克　最公平正直的法官！

鲍西娅　你必须从他的胸前割下这磅肉来。法律许可你，法庭判给你。

夏洛克　最博学多才的法官！判得好！来，预备！

鲍西娅　且慢，还有别的话哩。这约上并没有允许你取他的一滴血，只是写明着“一磅肉”。所以你可以照约拿一磅肉去，可是在割肉的时候，要是流下一滴基督徒的血，你的土地财产，按照威尼斯的法律，就要全部充公。

葛莱西安诺　啊，公平正直的法官！听着，犹太人！啊，博学多才的法官！

夏洛克　法律是这样说的吗?

鲍西娅　你自己可以去查查明白。既然你要求公道，我就给你公道，不管这公道是不是你所希望的。

葛莱西安诺　啊，博学多才的法官！听着，犹太人！好一个博学多才的法官！

夏洛克　那么我愿意接受还款。照约上的数目三倍还我，放了那基督徒吧。

巴萨尼奥　钱在这儿。

鲍西娅　别忙！这犹太人必须得到绝对的公道。别忙！他除了照约处罚以外，不能接受其他的赔偿。

葛莱西安诺　啊，犹太人！一个公平正直的法官，一个博学多才的法官！

鲍西娅　所以你准备着动手割肉吧。不准流一滴血，也不准割得超过或是不足一磅的重量。要是你割下来的肉，比一磅略微轻一点或是重一点，即使相差只有一丝一毫，或者仅仅一根汗毛之微，就要把你抵命，你的财产全部充公。

葛莱西安诺　一个再世的但尼尔，一个但尼尔！犹太人，现在你可掉在我的手里了，你这异教徒！

鲍西娅　那犹太人为什么还不动手？

夏洛克　把我的本钱还我，放我去吧。

巴萨尼奥　钱我已经预备好在这儿，你拿去吧。

鲍西娅　他已经当庭拒绝过了。我们现在只能给他公道，让他履行原约。

葛莱西安诺　好一个但尼尔，一个再世的但尼尔！谢谢你，犹太人，你教会我说这句话。

夏洛克　难道我不能单单拿回我的本钱吗？

鲍西娅　犹太人，除了冒着你自己生命的危险，割下那一磅肉以外，你不能拿一个钱。

夏洛克　好，那么魔鬼保佑他去享用吧！我不要打这场官司了。

鲍西娅　等一等，犹太人，法律上还有一点牵涉你。威尼斯的法律规定：凡是一个异邦人企图用直接或间接手段，谋害任何公民，查明确有实据者，他的财产的半数应当归被企图谋害的一方所有，其余的半数没收入公库；犯罪者的生命悉听公爵处置，他人不得过问。你现在刚巧陷入这一条法网，因为根据事实的发展，已经足以证明你确有运用直接间接手段，危害被告生命的企图，所以你已经遭逢着我刚才所说起的那种危险了。快快跪下来，请公爵开恩吧。

葛莱西安诺　求公爵开恩，让你自己去寻死，因为你的财产现在充了公，一根绳子也买不起啦，所以还是要让公家破费把你吊死。

公爵　让你瞧瞧我们基督徒的精神，你虽然没有向我开口，我自动饶恕了你的死罪。你的财产一半划归安东尼奥，还有一半没收入公库；要是你能够诚心悔过，也许还可以减处你一笔较轻的罚款。

鲍西娅　这是说没收入公库的那一部分，不是说划归安东尼奥的那一部分。

夏洛克　不，把我的生命连着财产一起拿了去吧，我不要你们的宽恕。你们夺去了我的养家活命的根本，就是夺去了我的家，活活地要了我的命。

鲍西娅　安东尼奥，你能给他一点慈悲吗？

葛莱西安诺　白送给他一根上吊的绳子吧！看在上帝的面上，不要给他别的东西！

安东尼奥　要是殿下和堂上愿意从宽发落，免予没收他的财产的一半，我就十分满足了，只是要他能够让我接管他的另外一半的财产，等他死了以后，把它交给最近和他的女儿私奔的那位绅士。可是还要有两个附带的条件：第一，他接受了这样的恩典，必须立刻改信基督教；第二，他必须当庭写下一张文契，声明他死了以后，他的全部财产传给他的女婿罗兰佐和他的女儿。

公爵　他必须办到这两个条件，否则我就撤销刚才所宣布的赦令。

鲍西娅　犹太人，你满意吗？你有什么话说？

夏洛克　我满意。

鲍西娅　书记，写下一张授赠产业的文契。

夏洛克　请你们允许我退庭，我身子不大舒服。文契写好了送到我家里，我在上面签名就是了。

公爵　去吧，可是临时变卦是不成的。

葛莱西安诺　你在受洗礼的时候，可以有两个教父；要是我做了法官，我一定给你请十二个教父，不是领你去受洗，是送你上绞架。（夏洛克下）

公爵　先生，我想请您到舍间去用餐。

鲍西娅　请殿下多多原谅，我今天晚上要回帕度亚去，必须现在就动身，恕不奉陪了。

公爵　您这样匆忙，不能容我略尽寸心，真是抱歉得很。安东尼奥，谢谢这位先生，你这回全亏了他。（公爵、众士绅及侍从等下）

巴萨尼奥　最可尊敬的先生，我跟我这位敝友今天多赖您的智慧，免去了一场无妄之灾。为了表示我们的敬意，这三千块钱本来是预备还那犹太人的，现在就奉送给先生，聊以报答您的辛苦。

安东尼奥　您的大恩大德，我们是永远不忘记的。

鲍西娅　一个人做了心安理得的事，就是得到了最大的酬报；我这次能使二位解脱困境，心里已十分满足，用不到再谈什么酬谢了。但愿咱们下次见面的时候，两位仍旧认识我。现在我就此告辞了。

巴萨尼奥　好先生，我不能不再向您提出一个请求，请您随便从我们身上拿些什么东西去，不算是酬谢，只好算是留个纪念。请您答应接受我两件礼物，赏我这一个面子，原谅我的礼轻意重。

鲍西娅　你们这样殷勤，我只好却之不恭了。（向安东尼奥）把您的手套送给我，让我戴在手上留个纪念吧；（向巴萨尼奥）为了纪念您的盛情，让我拿了这戒指去。不要缩回您的手，我不再向您要什么了；您既然是一片诚意，想来总也不会拒绝我吧。

巴萨尼奥　这指环吗，好先生？唉！它是个不值钱的玩意儿，我不好意思把这东西送给您。

鲍西娅　我什么都不要，就是要这指环。现在我想我非得把它要了来不可。

巴萨尼奥　这指环的本身并没有什么价值，可是因为有其他的关系，我不能把它送人。我愿意搜访威尼斯最贵重的一枚指环来送给您，可是这一枚却只好请您原谅了。

鲍西娅　先生，您原来是个口惠而实不至的人。您先教我怎样乞讨，然后再教我怎样应付别人的乞讨。

巴萨尼奥　好先生，这指环是我的妻子给我的；她把它套上我的手指的时候，曾经叫我发誓永远不把它出卖、送人或是遗失。

鲍西娅　人们在吝惜他们的礼物的时候，都可以用这样的话做推托的。要是尊夫人不是一个疯婆子，她知道了我对于这指环是多么受之无愧，一定不会因为您把它送掉了而跟您长久反目的。好，愿你

们平安！（鲍西娅、尼莉莎同下）

安东尼奥　我的巴萨尼奥少爷，让他把那指环拿去吧；看在他的功劳和我的交情的分上，违反一次尊夫人的命令，想来不会有什么要紧。

巴萨尼奥　葛莱西安诺，你快追上他们，把这指环送给他；要是可能的话，领他到安东尼奥的家里去。去，赶快！（葛莱西安诺下）来，我就陪着你到你府上，明天一早咱们两人就飞到贝尔蒙特去。来，安东尼奥。（同下）

第二场　同前。街道

【鲍西娅及尼莉莎上。

鲍西娅　打听打听这犹太人住在什么地方，把这文契交给他，叫他签了字。我们要比我们的丈夫先一天到家，所以一定得在今天晚上动身。罗兰佐拿到了这一张文契，一定高兴得不得了。

【葛莱西安诺上。

葛莱西安诺　好先生，我好容易追上了您。我家老爷巴萨尼奥再三考虑之下，决定叫我把这指环拿来送给您，还要请您赏光陪他吃一顿饭。

鲍西娅　那可没法应命。他的指环我收下了，请你替我谢谢他。我还要请你给我这小兄弟带路到夏洛克老头儿的家里。

葛莱西安诺　可以可以。

尼莉莎　大哥，我要向您说句话儿。（向鲍西娅旁白）我要试一试我能不能把我丈夫的指环拿下来，我曾经叫他发誓永远保存的。

鲍西娅　你一定能够。我们回家以后，一定可以听听他们指天发誓，说他们把指环送给了男人；可是我们要压倒他们，比他们发更厉害的誓。你快去吧，你知道我会在什么地方等你。

尼莉莎　来，大哥，请您给我带路。（各下）

第五幕

第一场　贝尔蒙特。通至鲍西娅住宅的林荫路

【罗兰佐及杰西卡上。

罗兰佐　好皎洁的月色！微风轻轻地吻着树枝，不发出一点声响；我想正是在这样一个夜里，特洛伊罗斯登上了特洛亚的城墙，遥望着克瑞西达所寄宿的希腊人的军营，发出他心中的悲叹。

杰西卡　正是在这样一个夜里，提斯柏心惊胆战地踩着露水，去赴她情人的约会，因为看见了一头狮子的影子，吓得远远逃走。

罗兰佐　正是在这样一个夜里，狄多手拿柳枝，站在辽阔的海滨，招她的爱人回到迦太基来。

杰西卡　正是在这样一个夜里，美狄亚采集了灵芝仙草，使衰迈的伊阿宋返老还童。

罗兰佐　正是在这样一个夜里，杰西卡从犹太富翁的家里逃出来，跟着一个不中用的情郎从威尼斯一直走到贝尔蒙特。

杰西卡　正是在这样一个夜里，年轻的罗兰佐发誓说他爱她，用许多忠诚的盟言偷去了她的灵魂，可是没有一句话是真的。

罗兰佐　正是在这样一个夜里，可爱的杰西卡像一个小泼妇似的，信口毁谤她的情人，可是他饶恕了她。

杰西卡　倘不是有人来了，我可以搬弄出比你所知道的更多的夜的典故来。可是听！这不是一个人的脚步声吗？

【斯丹法诺上。

罗兰佐　谁在这静悄悄的深夜里跑得这么快？

斯丹法诺　一个朋友。

罗兰佐　一个朋友！什么朋友？请问朋友尊姓大名？

斯丹法诺　我的名字是斯丹法诺，我来向你们报个信，我家女主人在天明以前，就要到贝尔蒙特来了；她一路上看见圣十字架，便停步下来，长跪祷告，祈求着婚姻的美满。

罗兰佐　谁陪她一起来？

斯丹法诺　没有什么人，就是一个修道的隐士和她的侍女。请问我家主人有没有回来？

罗兰佐　他没有回来，我们也没有听到他的消息。可是，杰西卡，我们进去吧，让我们按照着礼节，准备一些欢迎这屋子的女主人的仪式。

【朗斯洛特上。

朗斯洛特　索拉！索拉！哦哈呵！索拉！索拉！

罗兰佐　谁在那儿嚷？

朗斯洛特　索拉！你看见罗兰佐老爷吗？罗兰佐老爷！索拉！索拉！

罗兰佐　别嚷啦，朋友，他就在这儿。

朗斯洛特　索拉！哪儿？哪儿？

罗兰佐　这儿。

朗斯洛特　对他说我家主人差一个人带了许多好消息来了。他在天明以前就要回家来啦。（下）

罗兰佐　亲爱的，我们进去，等着他们回来吧。不，还是不用进去。我的朋友斯丹法诺，请你进去通知家里的人，你们的女主人就要来啦，叫他们准备好乐器到门外来迎接。（斯丹法诺下）月光多么恬静地睡在山坡上！我们就在这儿坐下来，让音乐的声音悄悄送进我们的耳边；柔和的静寂和夜色，是最足以衬托出音乐的甜美的。坐下来，杰西卡。瞧，天宇中嵌满了多少灿烂的金钹；你所看见的每一颗微小的天体，在转动的时候都会发出天使般的歌声，永远应和着嫩眼的天婴的妙唱。在永生的灵魂里也有这一种音乐，可是当它套上这一具泥土制成的俗恶易朽的皮囊以后，我们便再也听不见了。

【众乐工上。

罗兰佐　来啊！奏起一支圣歌来唤醒狄安娜女神；用最温柔的节奏倾注到你们女主人的耳中，让她被乐声吸引着回来。（音乐）

杰西卡　我听见了柔和的音乐，总觉得有些惆怅。

罗兰佐　这是因为你有一颗敏感的灵魂。你只要看一群野性未驯的小马，逞着它们奔放的血气，乱跳狂奔，高声嘶叫，倘若偶尔听到一声喇叭，或是任何乐调，就会一齐立定，它们狂野的眼光，因为中了音乐的魅力，变成了温和的注视。所以诗人会造出俄耳甫斯用音乐感动木石、平息风浪的故事，因为无论怎样坚硬顽固狂暴的事物，音乐都可以立刻改变它们的性质。灵魂里没有音乐，或是听了甜蜜和谐的乐声而不会感动的人，都是善于为非作恶、使奸弄诈的。他们的灵魂像黑夜一样昏沉，他们的感情像鬼蜮一样幽暗。这种人是不可信任的。听这音乐！

【鲍西娅及尼莉莎自远处上。

鲍西娅　那灯光是从我家里发出来的。一支小小的蜡烛，它的光照耀得多么远！一件善行也正像这支蜡烛一样，在这罪恶的世界发出广大的光辉。

尼莉莎　月光明亮的时候，我们就瞧不见灯光。

鲍西娅　小小的荣耀也正是这样给更大的光荣所掩盖。国王出巡的时候，摄政的威权未尝不就像一个君主，可是一等国王回来，他的威权就归于无有，正像溪涧中的细流注入大海一样。音乐！听！

尼莉莎　小姐，这是我们家里的音乐。

鲍西娅　没有比较，就显不出长处；我觉得它比在白天好听得多呢！

尼莉莎　小姐，那是因为晚上比白天静寂的缘故。

鲍西娅　当自唱自赏的时候，乌鸦也可以唱得和云雀一样；要是夜莺在白天杂在群鹅的聒噪里歌唱，人家决不以为它比鹪鹩唱得更美。多少事情因为逢到有利的环境，才能够达到尽善的境界，博得一声恰当的赞赏！喂，静下来！月亮正在拥着她的情郎！酣睡，不

肯就醒来呢。（音乐停止）

罗兰佐　要是我没有听错，这分明是鲍西娅的声音。

鲍西娅　我的声音太难听，所以一下子就给他听出来了；正像瞎子能够辨认杜鹃一样。

罗兰佐　好夫人，欢迎您回家来！

鲍西娅　我们在外边为我们的丈夫祈祷平安，希望他们能够因我们的祈祷而多福。他们已经回来了吗？

罗兰佐　夫人，他们还没有来；可是刚才有人来送过信，说他们就要来了。

鲍西娅　进去，尼莉莎，吩咐我的仆人们，叫他们就当我们两人没有出去过一样。罗兰佐，您也给我保守秘密；杰西卡，您也不要多说。（喇叭声）

罗兰佐　您的丈夫来啦，我听见他的喇叭的声音。我们不是搬嘴弄舌的人，夫人，您放心好了。

鲍西娅　我觉得这样的夜色就像一个昏沉沉的白昼，不过略微惨淡点儿；没有太阳的白天，瞧上去也不过如此。

【巴萨尼奥、安东尼奥、葛莱西安诺及从者等上。

巴萨尼奥　要是您在没有太阳的地方走路，我们就可以和地球那一面的人共同享有着白昼。

鲍西娅　让我发出光辉，可是不要让我像光一样轻浮；因为一个轻浮的妻子，是会使丈夫的心头沉重的，我决不愿意巴萨尼奥为了我而心头沉重。可是一切都是上帝做主！欢迎您回家来，夫君！

巴萨尼奥　谢谢您，夫人。请您欢迎我这位朋友。这就是安东尼奥，我曾经受过他无穷的恩惠。

鲍西娅　他的确使您受惠无穷，因为我听说您曾经使他受累无穷呢。

安东尼奥　没有什么，现在一切都已经圆满解决了。

鲍西娅　先生，我们非常欢迎您的光临；可是口头的空言不能表示诚意，所以一切客套的话，我都不说了。

葛莱西安诺　（向尼莉莎）我凭着那边的月亮起誓，你冤枉了我；我真的把它送给了那法官的书记。好人，你既然把这件事情看得这么重，那么我但愿拿了去的人是个割掉了鸡巴的。

鲍西娅　啊！已经在吵架了吗？为了什么事？

葛莱西安诺　为了一个金圈圈儿，她给我的一个不值钱的指环，上面刻着的诗句，就跟那些刀匠们刻在刀子上的差不多，什么“爱我毋相弃”。

尼莉莎　你管它什么诗句，什么值钱不值钱。我当初给你的时候，你曾经向我发誓，说你要戴着它直到死去，死了就跟你一起葬在坟墓里；即使不为我，为了你所发的重誓，你也应该把它看重，好好儿地保存着。送给一个法官的书记！呸！上帝可以替我判断，拿了这指环去的那个书记，一定是个脸上永远不会长毛的人。

葛莱西安诺　他年纪长大起来，自然会有胡子的。

尼莉莎　一个女人也会长成男子吗？

葛莱西安诺　我举手起誓，我的确把它送给一个少年人，一个年纪小小、发育不全的孩子。他的个儿并不比你高。这个法官的书记，他是个多话的孩子，一定要我把这指环给他作酬劳，我实在不好意思不给他。

鲍西娅　恕我说句不客气的话，这是你的不对。你怎么可以把你妻子的第一件礼物随随便便给了人？你已经发过誓把它套在你的手指上，它就是你身体上不可分的一部分。我也曾经送给我的爱人一个指环，使他发誓永不把它抛弃；他现在就在这儿，我敢代他发誓，即使把世间所有的财富向他交换，他也不肯丢掉它或是把它从他的手指上取下来。真的，葛莱西安诺，你太对不起你的妻子了；倘然是我的话，我早就发起脾气来啦。

巴萨尼奥　（旁白）哎哟，我应该把我的左手砍掉了，就可以发誓说，因为强盗要我的指环，我不肯给他，所以连手都给砍下来了。

葛莱西安诺　巴萨尼奥老爷也把他的指环给了那法官了，因为那法官一定要向他讨那指环；其实他就是拿了那指环去，也一点不算过分。那个孩子，那法官的书记，因为写了几个字，也就讨了我的指环去作酬劳。他们主仆两人什么都不要，就是要这两个指环。

鲍西娅　我的爷，您把什么指环送了人哪？我想不会是我给您的那一个吧？

巴萨尼奥　要是我可以用说谎来加重我的过失，那么我会否认的，可是您瞧我的手指上没有指环。它已经没有了。

鲍西娅　正像你的虚伪的心里没有一丝真情。我对天发誓，除非等我见了这指环，我再也不跟你同床共枕。

尼莉莎　要是我看不见我的指环，我也再不跟你同床共枕。

巴萨尼奥　亲爱的鲍西娅，要是您知道我把这指环送给什么人，要是您知道我为了谁的缘故把这指环送人，要是您能够想到为了什么理由我把这指环送人，我又是多么舍不下这个指环，可是人家偏偏什么也不要，一定要这个指环，那时候您就不会生这么大的气了。

鲍西娅　要是你知道这指环的价值，或是把这指环给你的那人的一半好处，或是你自己保存着这指环的光荣，你就不会把这指环抛弃。只要你用诚恳的话向他恳切解释，世上哪有这样不讲理的人，会好意思硬要人家留作纪念品的东西？尼莉莎讲的话一点不错，我可以用我的生命赌咒，一定是什么女人把这指环拿了去了。

巴萨尼奥　不，夫人，我用我的名誉、我的灵魂起誓，并不是什么女人拿去，的确是送给那位法学博士的。他不接受我送给他的三千块钱，一定要讨这指环，我不答应，他就老大不高兴地去了。就是他救了我的好朋友的性命，我应该怎么说呢，好太太？我没有法子，只好叫人追上去送给他。人情和礼貌逼着我这样做，我不能让我的名誉上沾上忘恩负义的污点。原谅我，好夫人，凭着天上的明灯起誓，要是那时候您也在那儿，我想您一定会恳求我把这指环送给这位贤能的博士的。

鲍西娅　让那博士再也不要走近我的屋子。他既然拿去了我所珍爱的宝物，又是你所发誓永远为我保存的东西，那么我也会像你一样慷慨。我会把我所有的一切都给他，即使他要我的身体，或是我的丈夫的眠床，我都不会拒绝他。我总有一天会认识他的。你还是一夜也不要离开家里，像个百眼怪人那样看守着我吧，否则我可以凭着我的尚未失去的贞操起誓，要是你让我一个人在家里，我一定要跟这个博士睡在一床的。

尼莉莎　我也要跟他的书记睡在一床，所以你还是留心不要走开我的身边。

葛莱西安诺　好，随你的便，只要不让我碰到他；要是他给我捉住了，我就折断这个少年书记的那支笔。

安东尼奥　都是我的不是，引出你们这一场吵闹。

鲍西娅　先生，这跟您没有关系。您来我们是很欢迎的。

巴萨尼奥　鲍西娅，饶恕我这一次出于不得已的错误；当着这许多朋友们的面前，我向你发誓，凭着你的这一双美丽的眼睛，在它们里面我可以看见我自己——

鲍西娅　你们听他的话！我的左眼里也有一个他，我的右眼里也有一个他；你用你的两重人格发誓，我还能够相信你吗？

巴萨尼奥　不，听我说。原谅我这一次错误，凭着我的灵魂起誓，我以后再不违犯对你所作的誓言。

安东尼奥　我曾经为了他的幸福，把我自己的身体向人抵押，倘不是幸亏那个把您丈夫的指环拿去的人，我几乎送了性命。现在我敢再立一张契约，把我的灵魂作为担保，保证您的丈夫决不会再有故意背信的行为。

鲍西娅　那么就请您做他的保证人，把这个给他，叫他比上回那一个保存得牢一些。

安东尼奥　拿着，巴萨尼奥，请您发誓永远保存这一个指环。

巴萨尼奥　天哪！这就是我给那博士的那一个！

鲍西娅　我就是从他手里拿来的。原谅我，巴萨尼奥，因为凭着这个指环，那博士已经跟我睡过觉了。

尼莉莎　原谅我，我的好葛莱西安诺，就是那个发育不全的孩子，那个博士的书记，因为我问他讨这指环，昨天晚上已经跟我睡在一起了。

葛莱西安诺　哎哟，这就像是在夏天把铺得好好的道路重新翻造。嘿！我们就这样冤冤枉枉地当了王八了吗？

鲍西娅　不要说得那么难听。你们大家都有点莫名其妙。这儿有一封信，拿去慢慢念吧，它是培拉里奥从帕度亚寄来的。你们从这封信里，就可以知道那位博士就是鲍西娅，她的书记便是这位尼莉莎。罗兰佐可以向你们证明，当你们出发以后，我就立刻动身。我回家来还没有多少时候，连大门也没有进去过呢。安东尼奥，我们非常欢迎您到这儿来，我还带着一个您所意料不到的好消息给您，请您拆开这封信，您就可以知道您有三艘商船，已经满载而归，快要到港了。您再也想不出这封信怎么会巧巧儿地到了我的手里。

安东尼奥　我傻眼了。

巴萨尼奥　你就是那个博士，我却不认识你吗？

葛莱西安诺　你就是要叫我当王八的那个书记吗？

尼莉莎　是的，可是除非那书记会长成一个男子，他再也不能叫你当王八。

巴萨尼奥　好博士，你今晚就陪着我睡觉吧；当我不在的时候，你可以睡在我妻子的床上。

安东尼奥　好夫人，您救了我的命，又给了我一条活路。我从这封信里得到了确实的消息，我的船只已经平安到港了。

鲍西娅　喂，罗兰佐！我的书记也有一件好东西要给您哩。

尼莉莎　是的，我可以免费送给他。这儿是那犹太富翁亲笔签署的一张授赠产业的文契，声明他死了以后，全部遗产都传给您和杰西卡，请你们收下了。

罗兰佐　两位好夫人，你们像是散布玛哪[①]的天使，救济着饥饿的人们。

鲍西娅　天已经差不多亮了，可是我知道你们还想把这些事情知道得详细一点。我们大家进去吧；你们还有什么疑惑的地方，尽管再向我们发问，我们一定老老实实地回答一切的问题。

葛莱西安诺　很好，我要我的尼莉莎宣誓答复的第一个问题，是现在离白昼只有两小时了，我们还是就去睡觉呢，还是等明天晚上再睡？正是——

---

① 玛哪，天降的食粮，见《旧约·出埃及记》。

不惧黄昏近，但愁白日长；
翩翩书记俊，今夕喜同床。
金环束指间，灿烂自生光。
为恐娇妻骂，莫将弃道旁。（众下）

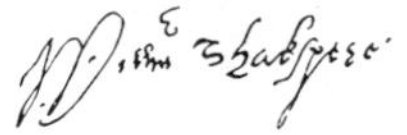

温莎的风流娘儿们

The Merry Wives of Windsor

剧中人物

约翰·福斯塔夫爵士
范　顿　少年绅士
夏　禄　乡村法官
斯兰德　夏禄的侄儿
福　德 } 温莎地方的两个绅士
培　琪 }
威　廉　培琪的幼子
休·爱文斯师父　威尔士籍牧师
卡厄斯大夫　法国籍医生
嘉德饭店的店主
巴道夫 }
毕斯托尔 } 福斯塔夫的随从
尼　姆 }
罗　宾　福斯塔夫的侍童
辛普儿　斯兰德的仆人
鲁格比　卡厄斯大夫的仆人

福德太太
培琪太太
安·培琪　培琪的女儿，与范顿相恋
快嘴桂嫂　卡厄斯的女仆
培琪、福德两家的仆人及其他

地点

温莎及其附近

第一幕

第一场　温莎。培琪家门前

【夏禄、斯兰德及休·爱文斯上。

夏禄　休师父，别劝我，我一定要告到御前法庭里去；就算他是二十个约翰·福斯塔夫爵士，他也不能欺侮夏禄老爷。

斯兰德　夏禄老爷是葛罗斯特州的治安法官。

夏禄　说得对，斯兰德侄儿，还是个档案管理官员呢。

斯兰德　说得对，还是一个档案呢。牧师先生，我告诉您吧，他出身就是个绅士，签起名字来，总是要加上“大人”两个字，无论什么公文、笔据、账单、契约，写起来总是“夏禄大人”。

夏禄　对了，这三百年来，一直都是这样。

斯兰德　他的子孙在他以前就是这样了，他的祖宗在他以后也可以这样；他们家里那件绣着十二条白梭子鱼的外套可以作为证明。

夏禄　那是一件古老的外套。

爱文斯　一件古老的外套配上十二条白虱子，那才真正是配得妙极了；白虱是人类的老朋友，也是爱的象征。

夏禄　白梭子鱼，不是白虱子，是一种淡水鱼，咸水鱼才是一种古老的纹章。

斯兰德　我可以把它们挪动到俺家的纹章中去，叔叔。

夏禄　那就得通婚了[①]。

爱文斯　没错儿，他一乱动起来，准把人捅昏。

夏禄　哪儿的话。

爱文斯　圣母娘娘在上，依不才之见，要是他挪走了你四分之一的外套，你就只剩下三条裙子了。可是闲话少说，要是福斯塔夫爵士有什么地方得罪了您，我是个出家人，以慈悲为怀，很愿意尽力替你们两位和解和解。

夏禄　我要把这事情向枢密院提出，这是暴乱。

爱文斯　不要把暴乱的事情告诉枢密院，暴乱是不敬上帝的行为。枢密院希望听见人民个个敬畏上帝，不欢喜听见有什么暴乱；您还是考虑考虑吧。

夏禄　嘿！他妈的！我要是再年轻点儿，早就一刀了结了。

爱文斯　冤家宜解不宜结嘛，还是大家和和气气的好。我脑壳里还有一个计划，要是能够成功，倒是一件美事儿。培琪老爷有一位女儿叫安，她是一个标致的姑娘。

斯兰德　安小姐吗？她有一头棕色的头发，说起话来细声细气像个娘儿似的。

爱文斯　正是这位小姐，全世界找不出第二个来了。她的爷爷在临死的时候——上帝接引他上天堂享福！——给她七百镑钱，还有金子银子，等她满了十七岁，这笔财产就可以到她手里。我们现在还是把那些吵吵闹闹的事情搁在一旁，想法子替斯兰德少爷和安·培琪小姐做个媒吧。

夏禄　她的爷爷传给她七百镑钱吗？

爱文斯　是的，还有她父亲给她的钱。

夏禄　这姑娘我也认识，她的人品倒不错。

爱文斯　七百镑钱还有其他的嫁妆，那还会错吗？

夏禄　好，让我们去瞧瞧培琪老爷吧。福斯塔夫也在里边吗？

爱文斯　我要对您说谎吗？我顶讨厌的就是说谎的人，正像我讨厌说假

---

① 欧洲封建贵族都有代表其家族的纹章，通婚的大家可以将妻家纹章图样移入自己家的纹章。

话的人，或是不老实的人一样。约翰爵士是在里边，请您看在大家朋友分上，耐心点儿吧。让我去打门。（敲门）喂！有人吗？上帝祝福你们这一家！

培琪　（在内）谁呀？

爱文斯　上帝祝福你们，是您的朋友，还有夏禄法官和斯兰德少爷，我们要跟您谈些事情，也许您听了会高兴的。

【培琪上。

培琪　我很高兴看见你们各位的气色都是这样好。夏禄老爷，我还要谢谢您的鹿肉呢！

夏禄　培琪老爷，我很高兴看见您，您心肠好，福气一定也好！鹿肉弄得实在不成样了，您别见笑。嫂夫人好吗？——我从心坎儿里谢谢您！

培琪　我才要谢谢您哪。

夏禄　我才要谢谢您。干脆一句话，我谢谢您。

培琪　斯兰德少爷，我很高兴看见您。

斯兰德　培琪大叔，您那头黄毛的猎狗怎么样啦？听说它在最近的赛狗会里跑不过人家，有这回事吗？

培琪　那可不能这么说。

斯兰德　您还不肯承认，您还不肯承认。

夏禄　他当然不肯承认的；这是你的不好，这是你的不好。那是一头好狗哩。

培琪　是头不中用的畜生。

夏禄　不，它是头好狗，很漂亮的狗。那还用说吗？它又好又漂亮。福斯塔夫爵士在里边吗？

培琪　他是在里边。我很愿意给你们两位彼此消消气。

爱文斯　真是一个好基督徒说的话。

夏禄　培琪老爷，他侮辱了我。

培琪　是的，他自己也有几分认错。

夏禄　认了错不能就算完了事呀，培老爷，您说是不是？他侮辱了我，真的，他侮辱了我。一句话，他侮辱了我。你们听着，夏禄老爷说，他给人家侮辱了。

培琪　约翰爵士来啦。

【福斯塔夫爵士、巴道夫、尼姆、毕斯托尔上。

福斯塔夫　喂，夏禄老爷，您要到王上面前去告我吗？

夏禄　爵士，你打了我的佣人，杀了我的鹿，闯进我的屋子里。

福斯塔夫　可是没有亲过你家看门人女儿的脸吧？

夏禄　他妈的，什么话！我一定要跟你算账。

福斯塔夫　打开天窗说亮话：这一切事都是我干的。现在咱们了账啦。

夏禄　我要告到枢密院里去。

福斯塔夫　我看你还是私了的好，你就不怕人家笑话你？

爱文斯　少说为佳。约翰爵士，好言好语吧。

福斯塔夫　好言好语？好个蠢货。斯兰德，我要砸碎你的头，你还能跟我算账吗？

斯兰德　呃，爵士，我也想跟您还有您那几位流氓跟班：巴道夫、尼姆和毕斯托尔算一算账呢。他们带我到酒店里去，把我灌了个醉，偷了我的钱袋去。

巴道夫　你这又酸又臭的干酪！

斯兰德　好，随你骂吧。

毕斯托尔　喂，骷髅精！

斯兰德　好，随你骂吧。

尼姆　喂，风干肉片！这别号我给你取得好不好？

斯兰德　我的跟班辛普儿呢？叔叔，您知道吗？

爱文斯　请你们大家别闹，让我们看：关于这一场争执，已经有了三位公证人，第一位是培琪老爷，第二位是我自己，第三位也就是最后一位，是嘉德饭店的老板。

培琪　咱们三个人要听一听两方面的曲直，替他们调停出一个结果来。

爱文斯　很好，让我先在笔记簿上把要点记录下来，然后我们可以仔细研究一个方案出来。

福斯塔夫　毕斯托尔！

毕斯托尔　他用耳朵听见了。

爱文斯　见他妈的鬼！这算什么话。“他用耳朵听见了。”嘿，这简直是矫揉造作。

福斯塔夫　毕斯托尔，你有没有偷过斯兰德少爷的钱袋？

斯兰德　凭着我这双手套起誓，他偷了我七个六便士的锯边银币，还有两个爱德华朝的银币，我用每个两先令两便士的价钱去换来的。假如我冤枉了他，我就不是斯兰德。

福斯塔夫　毕斯托尔，这是真实的吗？

爱文斯　不，扒钱袋这种事肯定是不老实的事。

毕斯托尔　嘿，你这个威尔士山野匹夫！约翰爵士，我的主人，我要和这把“软钢剑”决一死战。我要当面叫你说谎者！说谎者！你这废铜烂铁，你说谎！

斯兰德　那么我赌咒一定是他。

尼姆　说话留点儿神吧，朋友，大家客客气气。你要是想在太岁头上动土，咱老子可也不是好惹的——我正告你。

斯兰德　凭着这顶帽子起誓，那么一定是那个红脸的家伙偷的。我虽然不记得我给你们灌醉以后做了些什么事，可是我还不是头十足的驴子哩。

福斯塔夫　你怎么说，红脸？

巴道夫　我说，这位先生一定是喝酒喝得六精无主啦。

爱文斯　应该是六神无主。呸，真无知。

巴道夫　老爷，就像他们所说的，他喝得出了神，就信口胡说起来啦。

斯兰德　嗨，那时你还讲拉丁文来着。好，随你们怎么说吧，我以后再不喝醉了；我要是喝酒，一定跟规规矩矩敬重上帝的人在一起喝，决不再跟这种恶棍在一起喝了。

爱文斯　鄙意以为这是一句有志气的话！

福斯塔夫　各位先生，你们已经听见了，什么都否认了，你们都已经听见了。

【安・培琪持酒具与福德娘子、培琪娘子同上。

培琪　不，女儿，你把酒拿进去，我们就在里面喝酒。（安・培琪下）

斯兰德　天啊！这就是安小姐。

培琪　您好，嫂子！

福斯塔夫　福德太太，我今天能够碰见您，真是三生有幸。恕我冒昧，好嫂子。（吻福德太太）

培琪　娘子，请你招待招待各位客人。来，我们今天烧好一盘滚热的鹿肉馒头，要请诸位尝尝新。来，各位朋友，我希望大家一杯在手，旧怨全忘。（除斯兰德、夏禄、爱文斯外，皆下）

斯兰德　要是现在有人给我四十个先令，我宁愿有一本诗集在手里。

【辛普儿上。

斯兰德　啊，辛普儿，你到哪儿去了？难道我必须自己服侍自己吗？你有没有把那本猜谜的书带来？

辛普儿　猜谜的书！怎么，您不是在上一次万圣节，即米迦勒节的前两个星期，把它借给矮饽饽爱丽丝了吗？[①]

夏禄　来，侄儿。来，侄儿，咱们等着你哪。侄儿，我有句话要对你说，是这样的，侄儿，刚才休师父曾经提起过这么一个意思；你懂得我的意思吗？

斯兰德　嗯，叔叔，我是个好说话的人，只要是合理的事，我总是愿意的。

夏禄　不，你听我说。

斯兰德　我在听着您哪，叔叔。

爱文斯　斯少爷，听好他的意思；您要是愿意的话，我可以把这件事情向您解释。

斯兰德　不，我的夏禄叔叔叫我怎么做，我就怎么做。请您原谅，他是个治安法官，谁人不知，那个不晓？

爱文斯　不是这个意思，我们现在所要谈的，是关于您的婚姻问题。

夏禄　对了，就是这一回事。

爱文斯　就是这一回事，我们要给您跟培琪小姐做个媒。

斯兰德　噢，原来是这么一回事。只要条件合理，我是总可以答应娶她的。

---

① 米迦勒节是九月二十九日，而万圣节是十一月一日，此处是辛普儿说错。

爱文斯　可是您能不能喜欢这一位姑娘呢？我们必须从您自己嘴里——因为很多哲学家认为嘴唇乃嘴之一部分——知道您的意思，所以请您明明白白回答我们，您能不能对这位姑娘发生好感呢？

夏禄　斯兰德贤侄，你能够爱她吗？

斯兰德　叔叔，我希望我总是照着道理去做。

爱文斯　哎哟，天上的爷爷奶奶们！您一定要讲得明白点儿，您想不想要她？

夏禄　你一定要明明白白地讲。要是她有很丰盛的嫁妆，你愿意娶她吗？

斯兰德　叔叔，您叫我做的事，只要是合理的，比这更重大的事我也会答应下来。

夏禄　不，你得明白我的意思，好侄儿。我所做的事，完全是为了你的幸福。你能够爱这姑娘吗？

斯兰德　叔叔，您叫我娶她，我就娶她；也许在起头的时候彼此之间没有多大的爱情，可是结过了婚以后，大家有了进一步的了解，我希望我们会日久生厌地变得更满意，终于减少了天作之合的爱情。可是只要您说一声“跟她结婚”，我就跟她结婚，这是我的坚定的永远动摇的决心。

爱文斯　这是一个很明理的回答，虽然措辞有点不妥，应该说“永远不动摇的决心”。他的本意是很好的。

夏禄　嗯，我的侄儿的本意是很好的。

斯兰德　要不然的话，我就是个该死的畜生了！

夏禄　安小姐来了。

【安·培琪重上。

夏禄　安小姐，为了您的缘故，我但愿自己再年轻起来。

安·培琪　酒菜已经预备好了，家父叫我来请各位进去。

夏禄　我愿意奉陪，好安小姐。

爱文斯　哎哟！念起餐前祈祷来，我可不能缺席哩。（夏禄、爱文斯下）

安·培琪　斯兰德世兄，您也进去吧。

斯兰德　不，谢谢您，真的，托福托福。

安·培琪　大家都在等着您哪。

斯兰德　我不饿，我真的谢谢您。喂，你虽然是我的跟班，还是进去伺候我的夏禄叔叔吧。（辛普儿下）一个治安法官一定得有个跟班，才不失体面。现在家母还没有死，我随身只有三个跟班一个书童，可是这算得上什么呢？我的生活还是过得一点也不舒服。

安·培琪　您要是不进去，那么我也不能进去了；他们都要等您到了才坐下来呢。

斯兰德　真的，我不要吃什么东西；可是我多谢您的好意。

安·培琪　世兄，请您进去吧。

斯兰德　我还是在这儿走走的好，我谢谢您。我前天跟一个击剑教师比赛刀剑，三个回合赌一碟蒸熟的梅子，结果把我的胫骨也弄伤了。不瞒您说，从此以后，我闻到烧热的肉味道就受不了。你家的狗为什么叫得这样厉害？城里有熊吗？

安·培琪　我想是有的，我听见人家讲起过。

斯兰德　我喜欢这一行当，但我也像别的英格兰人一样会很快在这个问题上弄别扭的。您要是看见关在笼子里的熊逃了出来，您怕不怕？

安·培琪　我怕。

斯兰德　我现在可把它当作家常便饭一样没有什么稀罕了。我曾经看见巴黎花园里那头著名的撒克逊大熊逃出来二十次，我还亲手拉住它的链条。可是我告诉您吧，那些女人们一看见了，就哭呀叫呀地闹得天翻地覆；实在说起来，也无怪她们受不了，那些畜生都是又难看又粗暴的家伙。

【培琪重上。

培琪　来，斯兰德少爷，来吧，我们等着您哪。

斯兰德　我不要吃什么东西，我谢谢您。

培琪　这怎么可以呢？您不吃也得吃，来，来。

斯兰德　那么您先请吧。

培琪　您先请。

斯兰德　安小姐，还是您先请。

安·培琪　不，您别客气了。

斯兰德　真的，我不能走在你们前面，真的，那不是太无礼了吗？

安·培琪　您何必这样客气呢？

斯兰德　既然这样，与其让你们讨厌，还是失礼的好。你们可不能怪我放肆呀。（同下）

第二场　同前

【爱文斯及辛普儿上。

爱文斯　你去打听打听，有一个卡厄斯大夫住在哪儿。他的家里有一个叫作快嘴桂嫂的，是他的看护，或者是他的保姆，或者是他的厨娘，或者是帮他洗洗衣服的女人。

辛普儿　好的，师父。

爱文斯　慢着，还有更要紧的话哩。你把这封信交给她，因为她跟培琪家小姐是很熟悉的，这封信里的意思，就是要请她代你的主人向培琪家小姐传达他的爱慕之忱。请你快点儿去吧，我要先吃完饭，还有一道苹果跟干酪在后头呢。（各下）

第三场　嘉德饭店的一室

【福斯塔夫、店主、巴道夫、尼姆、毕斯托尔及罗宾上。

福斯塔夫　我的嘉德店老板！

店主　怎么说，我的大好佬？说得有学问、有智慧。

福斯塔夫　不瞒你说，我要辞掉一两个跟班啦。

店主　好，我的大力士，辞掉。叫他们滚蛋，滚！滚！滚！

福斯塔夫　我一个星期也要开销十镑钱。

店主　当然啰，你就像个皇帝，像个恺撒。我可以把巴道夫收留下来，让他做个酒保，你看好不好？我的大英雄。

福斯塔夫　老板，那好极啦。

店主　那么就这么办，叫他跟我来吧。（下）

福斯塔夫　巴道夫，跟他去。酒保也是一种很好的行业。旧外套可以改做新褂子；一个不中用的跟班，也可以变成一个出色的酒保。去吧，再见。

巴道夫　这种生活我正是求之不得，我一定会从此交运。

毕斯托尔　哼，没出息的东西！你要去开酒桶吗？（巴道夫下）

尼姆　他是酒桶里孕育出来的。我这话说得巧妙吧？

福斯塔夫　我很高兴把这火种[①]这样打发走了；他的偷窃太公开啦，他在偷偷摸摸的时候，就像一个不会唱歌的人一样，一点不懂得轻重缓急。

尼姆　偷盗的唯一妙诀，是看准下手的时刻。

毕斯托尔　聪明的人把它叫作“顺手牵羊”。“偷盗”！啐！好难听的话儿！

福斯塔夫　孩儿们，我快要穷得鞋子都没有后跟啦。

毕斯托尔　好，那么就让你的脚跟上长起老大的冻疮来吧。

福斯塔夫　没有法子，我必须想个办法，捞一些钱来。

---

① 暗指巴道夫的红脸孔。

毕斯托尔　小乌鸦们不吃东西也是不行的呀。

福斯塔夫　你们有谁知道本地有一个叫福德的家伙？

毕斯托尔　我知道那家伙，他很有几个钱。

福斯塔夫　我的好孩儿们，现在我要倾诉我这肚内衷肠。

毕斯托尔　总长度两码以上。

福斯塔夫　休得取笑，毕斯托尔！我的腰腹是有两码宽，但我现在要谈的不是妖妇，而是情妇。一句话——我想去吊福德老婆的膀子。我觉得她对我很有几分意思；她跟我讲话的那种口气，给我切肉的那种姿势，还有她那一瞟一瞟的脉脉含情的眼光，都好像在说："我的心是福斯塔夫爵士的。"

毕斯托尔　你果然把她的心理研究得非常透彻，居然把它一个字一个字翻译出来啦。

尼姆　这锚抛得够深的了。我这比喻不赖吧？

福斯塔夫　听说她丈夫的钱都是她一手经管的。他有数不清的钱藏在家里。

毕斯托尔　财多招鬼忌，咱们应该去给他消消灾。我说，向她进攻吧！

福斯塔夫　我已经写下一封信在这儿预备寄给她；这儿还有一封，是写给培琪老婆的，她刚才也向我眉目传情，她那双水汪汪的眼睛一眨不眨地望着我身上的各部分，一会儿瞧着我的脚，一会儿瞧着我的大肚子。

毕斯托尔　正好比太阳照在粪堆上。

尼姆　这个比喻好极了！

福斯塔夫　啊！她用贪婪的神气把我从上身望到下身，她的眼睛里简直要喷出火来炙我。这一封信是给她的。她也经管着钱财，她就像是一座取之不竭的金矿。我要去接管她们两人的全部富源，她们两人便是我的两个国库；她们一个是东印度，一个是西印度，我就在这两地之间开辟我的生财大道。你给我去把这信送给培琪太太；你给我去把这信送给福德太太。孩儿们，咱们从此可以有舒服日子过啦！

毕斯托尔　我是身佩钢刀的军人，你要我给你拉皮条吗？鬼才干这种事！

尼姆　这种龌龌龊龊的事情我也不干；把这封宝贝信儿拿回去吧。我的名誉要紧。

福斯塔夫　（向罗宾）来，小鬼，你给我把这两封信送去，小心别丢了。你就像我的一艘快船一样，赶快开到这两座金山的脚下去吧。（罗宾下）你们这两个浑蛋，一起给我滚吧！再不要让我看见你们的影子！像狗一样爬得远远的，我这里容不得你们。滚！这年头儿大家都要讲究个紧缩，福斯塔夫也要学学法国人的算计，留着一个随身的童儿，也就够了。（下）

毕斯托尔　让饿老鹰把你的心肝五脏一起抓了去！你用假骰子到处诈骗人家，看你作孽到几时！等你有一天穷得袋里一个子儿都没有的时候，再瞧瞧老子是不是一定要靠着你才得活命，这万恶不赦的老贼！

尼姆　我心里正在转着一个念头，我要复仇。

毕斯托尔　你要复仇吗？

尼姆　天日在上，此仇非报不可！

毕斯托尔　用计策还是用武力？

尼姆　两样都要用；我先去向培琪报告有人正在勾搭他的老婆。

毕斯托尔　　我就去叫福德加倍留神，
　　说福斯塔夫，那混账东西，
　想把他的财产一口侵吞，
　　还要占夺他的美貌娇妻。

尼姆　我的脾气想到就做。我要去煽动培琪，让他心里充满了醋意，叫他用毒药毒死这家伙。谁要是对我不起，让他知道咱老子也不是好惹的——我就是生性如此。

毕斯托尔　你就是个天煞星，我愿意跟你合作，走吧。（同下）

第四场　卡厄斯医生家中一室

【快嘴桂嫂及辛普儿上。

桂嫂　喂，鲁格比！

【鲁格比上。

桂嫂　请你到窗口去瞧瞧看，咱们这位东家有没有来；要是他来了，看见屋子里有人，一定又要给他昏天黑地一顿骂。

鲁格比　好，我去看看。

桂嫂　去吧，今天晚上等我们烘罢了火，我请你喝杯老酒。（鲁格比下）他是一个老实的听话的和善的家伙，你找不到第二个像他这样的仆人。他又不会说长道短，他的唯一的缺点，就是太喜欢祷告了，他祷告起来，简直像个呆子，可是谁都有几分错处，那也不用说它了。你说你的名字叫辛普儿吗？

辛普儿　是，人家就是这样叫我。

桂嫂　斯兰德少爷就是你的主人吗？

辛普儿　正是。

桂嫂　他不是留着一大把像手套商的削皮刀一样的胡须的吗？

辛普儿　不，他只有一张小小的白白的脸，略微有几根黄胡子。

桂嫂　他是一个很文弱的人，是不是？

辛普儿　是的，可是真要比起力气来，他也不怕人家；他曾经跟看守猎苑的人打过架呢。

桂嫂　你怎么说？啊，我记起来啦！他不是走起路来大摇大摆，把头抬得高高的吗？

辛普儿　对了，一点不错，他正是这样子。

桂嫂　好，天老爷保佑培琪小姐嫁到这样一位好郎君吧！你回去对休牧师先生说，我一定愿意尽力帮你家少爷的忙。安是个好孩子，我但愿——

【鲁格比重上。

鲁格比　不好了，快出去，我们老爷来啦！

桂嫂　咱们大家都要挨一顿臭骂了。这儿来，好兄弟，快快钻进这个壁橱里去。（将辛普儿关在壁橱内）他一会儿就要出去的。喂，鲁格比！喂，你在哪里？鲁格比，你去瞧瞧老爷去，他现在还不回来，不知道人好不好。（鲁格比下，桂嫂唱歌）得儿郎当，得儿郎当……

【卡厄斯上。

卡厄斯　你在唱些什么？我讨厌这种调调儿。请你快给我到壁橱里去，把一只匣子，一只绿的匣子，找来给我。听见我的话吗？一只绿的匣子。

桂嫂　好，好，我就去给您找来。（旁白）谢天谢地他没有自己去找，要是给他看见了壁橱里有一个小伙子，他一定要暴跳如雷了。

卡厄斯　快点，快点，热得很，我要上朝去，有大事哩。

桂嫂　是这一个吗，老爷？

卡厄斯　对了，给我放在口袋里，快点。鲁格比那个浑蛋呢？

桂嫂　喂，鲁格比！鲁格比！

【鲁格比重上。

鲁格比　有，老爷。

卡厄斯　鲁格比，把剑拿来，跟我到宫廷里去。

鲁格比　剑已经放在门口了，老爷。

卡厄斯　我已经耽搁得太久了。该死！我又忘了！壁橱里还有点儿药草，一定要带去。

桂嫂　（旁白）糟了！他看见了那个小子，一定要发疯啦。

卡厄斯　见鬼！见鬼！什么东西在我的壁橱里？浑蛋！狗贼！（将辛普儿拖出）鲁格比，把我的剑拿来！

桂嫂　好老爷，您息怒吧！

卡厄斯　我为什么要息怒？嘿！

桂嫂　这个年轻人是个好人。

卡厄斯　是好人躲在我的壁橱里干什么？躲在我的壁橱里，就不是好人。

桂嫂　请您别发这么大的脾气。老实告诉您吧，是休牧师叫他来的。

卡厄斯　好。

辛普儿　正是，休牧师叫我来请这位太太——

桂嫂　你不要说话。

卡厄斯　闭你自己的嘴！你说。

辛普儿　请这位太太替我家少爷去向培琪家小姐说亲。

桂嫂　真的，就只有这么一回事。可是我才不愿多管这种闲事，把手指头伸到火里去呢，又不是跟我有什么相干。

卡厄斯　是休牧师叫你来的吗？——鲁格比，拿张纸来。你再等一会儿。（写）

桂嫂　我很高兴他今天这么安静，要是他真的动起怒来，那才会吵得日月无光呢。可是别管他，我一定尽力帮你家少爷的忙；不瞒你说，这个法国医生，我的主人——我可以叫他做我的主人，因为你瞧，我替他管屋子，还给他洗衣服、酿酒、烘面包、扫地抹桌、烧肉烹茶、铺床叠被，什么都是我一个人做的——

辛普儿　一个人做这许多事，那真太辛苦啦。

桂嫂　可不是吗？真把人都累死了，天一亮就起身，老晚才睡觉；可是这些话也不用说了，让我悄悄儿告诉你，你可不许对人家说起，我那个东家他自己也爱着培琪家小姐。可是安小姐的心思我是知道的，她的心既不在这儿也不在那儿。

卡厄斯　猴儿崽子，你去把这封信交给休牧师，这是一封挑战书，我要割断他的喉咙；我要教训教训这个猴儿崽子的牧师，问他以后再多管不管闲事。你去吧，你留在这儿没有好处。哼，我要把他的两颗睾丸一起割下来，哼，他就连用来喂狗的睾丸也没有了。（辛普儿下）

桂嫂　唉！他也不过帮他朋友说句话儿罢了。

卡厄斯　我可不管。你不是对我说培琪一定会嫁给我的吗？哼，我要是不把那个狗牧师杀掉，我就不是个人。我要叫嘉德饭店的老板替我们做公证人。哼，我要是不娶培琪为妻，我就不是个人。

桂嫂　老爷，那姑娘喜欢您哩，包您万事如意。人家高兴嚼嘴嚼舌，就让他们去嚼吧。真是哩！

卡厄斯　鲁格比，跟我到宫廷里去。哼，要是我娶不到培琪为妻，我不

把你赶出门，我就不是个人。跟我来，鲁格比。（卡厄斯、鲁格比下）

桂嫂　呸！做你的梦！安小姐的心思我是知道的；在温莎地方，谁也没有像我一样明白安的心思了。谢天谢地，她也只肯听我的话。别人的话她才不理呢。

范顿　（在内）里面有人吗？喂！

桂嫂　谁呀？进来吧。

【范顿上。

范顿　啊，娘子，你好哇？

桂嫂　多承老爷问起，托福托福。

范顿　有什么消息？安小姐近来好吗？

桂嫂　凭良心说，老爷，她真是位又标致、又端庄、又温柔的好姑娘；范顿老爷，我告诉您吧，她很佩服您哩，谢天谢地。

范顿　你认为我有几分希望吗？我的求婚不会失败吗？

桂嫂　真的，老爷，什么事情都是天老爷注定了的。可是，范老爷，我可以发誓她是爱您的。您的眼皮上不是长着一颗小疙瘩吗？

范顿　是有颗疙瘩，那便怎样呢？

桂嫂　欧，这上面就有一段话儿呢。真的，我们这位小安就像换了个人似的，我们讲那颗疙瘩足足讲了一点钟。人家讲的笑话一点不好笑，那姑娘讲的笑话才叫人打心窝儿里笑出来。可是我可以跟无论什么人打赌，她是个顶规矩的姑娘。她近来也实在太喜欢一个人发呆了，老是像在想着什么心事似的。至于讲到您——那您尽管放心吧。

范顿　好，我今天要去看她。这几个钱请你收下，多多拜托你帮我说句好话。要是你比我先看见她，请你替我向她致意。

桂嫂　那还用说吗？下次要是有机会，我还要给您讲起那个疙瘩哩。我也可以告诉您还有些什么人在转她的念头。

范顿　好，回头见。我现在还有要事，不多谈了。

桂嫂　回头见，范老爷。（范顿下）这人是个规规矩矩的绅士，可是安并不爱她，谁也不及我更明白安的心思了。该死！我又忘了什么啦？（下）

第二幕

第一场　培琪家门前

【培琪太太持书信上。

培琪太太　什么！我在年轻貌美的时候，都不曾收到过什么情书，现在倒有人写起情书来给我了吗？我倒要看看："不要问我为什么我爱你；因为爱情虽然会用理智来作疗治相思的药饵，它却是从来不听理智的劝告的。你并不年轻，我也是一样；好吧，咱们同病相怜。你爱好风流，我也是一样；哈哈，那尤其是同病相怜。你欢喜喝酒，我也是一样；咱们俩岂不是天生的一对？要是一个军人的爱可以使你满足，那么培琪娘子，请你相信我是爱你的。我不愿意说，可怜我吧，因为那不是一个军人所应该说的话；可是我说，爱我吧。吾乃汝忠心武将，不分昼短夜长，不顾天光火光，披肝沥胆，蹈火赴汤。约翰·福斯塔夫上。"哎哟，万恶的万恶的世界！一个快要老死了的家伙，还要自命风流！真是见鬼！这个酒鬼究竟从我的谈话里抓到了什么出言不检的地方，才敢用这种话儿试探我？我还没有见过他三次面呢！我应该怎样对他说呢？那个时候，上帝饶恕我！我的确是说说笑笑得太高兴了点儿。哼，我要到议会里去上一个条陈，请他们把天下男人一概格杀不论。我应该怎样报复他呢？毫无疑问这一口气非出不可，就像他肚子里的玩意儿全是灌肠一样。

【福德太太上。

福德太太　培琪嫂子！我正要到您府上来呢。

培琪太太　我也正要到您家去呢。您脸色可不大好看呀。

福德太太　那我可不信，我应该满脸红光才是呢。啊，培琪嫂子！您给我出个主意吧。

培琪太太　什么事，大姐？

福德太太　啊，大姐，我如果不是因为觉得这种事情太不好意思，我就可以高贵起来啦！

培琪太太　大姐，管他什么好意思不好意思，高贵起来不好吗？是怎么一回事？是怎么一回事？

福德太太　我只要高兴下地狱走一趟，我就可以封爵啦。

培琪太太　什么？你在胡说。艾丽丝·福德爵士！现在这种爵士满街都是，你还是不用改变你的头衔吧。

福德太太　废话少说，你读一读这封信。你瞧了以后，就可以知道我怎么可以封起爵来。从此以后，只要我长着眼睛，我要永远瞧不起那些胖子。是哪一阵暴风把这条肚子里装满了许多吨油的鲸鱼吹到了温莎的海岸上来？我应该怎样报复他呢？我想最好的办法，是假意敷衍他，却永远不让他达到目的，直等罪恶的孽火把他熔化在他自己的脂油里。你有没有听见过这样的事情？

培琪太太　你有一封信，我也有一封信，就是换了个名字！你瞧吧，这是你那封信的孪生兄弟。我敢说他有一千封这样的信写好着，只要在空白的地方填下了姓名，就可以寄给人家；也许还不止一千封，咱们的已经是再版的了。他一定会把这种信刻成板子印起来的，因为他会把咱们两人的名字都放上去，可见他无论刻下了些什么乱七八糟的东西，都会一样不在乎。我要是跟他在一起睡觉，还是让一座山把我压死了吧。嘿，你可以找到二十头贪淫的乌龟，却不容易找到一个规规矩矩的男人。

福德太太　哎哟，这两封信简直是一个印版里印出来的，同样的笔迹，同样的字句。他到底把我们看作什么人啦？

培琪太太　那我可不知道。我看见了这样的信，真有点儿自己不相信自己了。以后我一定得留心察看自己的行动，因为他要是不在我身上看出了一点我自己也没有知道的不大规矩的地方，一定不会肆无忌惮到这个样子。

福德太太　哼，肆无忌惮么？我一定要叫他知道个厉害。

培琪太太　对。如果他居然使我受辱，我誓不为人。我们一定要向他报复。让我们约他一个日子相会，把他哄骗得心花怒放，然后我们采取长期诱敌的计策，只让他闻到鱼腥气，不让他尝到鱼儿的味道，逗得他馋涎欲滴，饿火雷鸣，吃尽当光，把他的马儿都变卖给嘉德饭店的老板为止。

福德太太　好，为了捉弄这个坏东西，我什么恶毒的事情都愿意干，只要对我自己的名誉没有损害。啊，要是我的男人见了这封信，那还了得！他那股醋劲儿才大呢。

培琪太太　哎哟，你瞧，他来啦，我的那个也来啦；我不给他吃醋的理由，他就绝不吃醋。但愿他永远不吃醋。

福德太太　那你的运气比我好得多啦。

培琪太太　我们再商量商量怎样对付这个好色的骑士吧。过来。（二人退后）

【福德、毕斯托尔、培琪、尼姆同上。

福德　我希望不会有这样的事。

毕斯托尔　希望，在有些事情上是靠不住的。福斯塔夫在转你老婆的念头哩。

福德　我的妻子年纪也不小了。

毕斯托尔　他玩起女人来，不论贵贱贫富老少，在他都是一样。福德，你可留点儿神吧。

福德　爱上我的妻子！

毕斯托尔　他心里火一样的热呢。你要是不赶快防备，只怕将来你头上长角——唉，头衔不雅哩。

福德　什么头衔？

毕斯托尔　王八哪。再见。偷儿总是趁着黑夜行事的，千万留心门户，否则夏天尚未到，杜鹃鸟儿就叫开了。走吧，尼姆伍长！培琪，他说的都是真话，你不可不信。（下）

福德　（旁白）我必须忍耐一下，把这事情调查明白。

尼姆　（向培琪）这是真的，我不喜欢撒谎。他在许多地方对不起我。他本来叫我把那鬼信送给她，可是我就是真没有饭吃，也可以靠着我的剑过日子。总而言之一句话，他爱你的老婆。我的名字叫尼姆伍长，我说的话全是真的；我的名字叫尼姆，福斯塔夫爱你的老婆。我可不喜欢老吃福斯塔夫那份面包干酪。再见。（下）

培琪　（旁白）“面包干酪”？这家伙缠七夹八的，不知在讲些什么！

福德　我要去找那福斯塔夫。

培琪　我从来没有听见过这样一个啰里啰唆莫名其妙的家伙。

福德　要是给我发觉了，哼！

培琪　尽管城里的牧师称赞他是真正的男子汉，我就不相信这种狗东西的话。

福德　他的话说得倒是很有理，好。

培琪　啊，娘子！

培琪太太　官人，你到哪儿去？——我对你说。

福德太太　哎哟，我的爷！你怎么忧心忡忡的？

福德　我怎么忧心忡忡的？我忧什么！你回家去吧，去吧。

福德太太　真的，你一定又在转着些什么古怪的念头。培琪嫂子，咱们去吧。

培琪太太　好，你先请。官人，你今天回来吃饭吗？（向福德太太旁白）瞧，那边来的是什么人？咱们可以叫她去带信给那个下流的骑士。

福德太太　我刚才还想起过她，叫她去是再好没有了。

【快嘴桂嫂上。

培琪太太　你是来瞧我的女儿安的吗？

桂嫂　正是呀，请问我们那位好安小姐好吗？

培琪太太　你跟我们一块儿进去瞧瞧她吧，我们还有很多话要跟你讲哩。（培琪太太、福德太太及桂嫂同下）

培琪　福德老爷，您怎么啦？

福德　你听见那家伙告诉我的话了吗？听见了吗？

培琪　我听见了。你听见了另一个家伙告诉我的话吗？

福德　你想他们说的话靠不靠得住？

培琪　理他呢，这些狗东西！那个骑士固然不是好人，可是这两个说他意图勾诱你我妻子的人，都是他的革退的跟班，现在没有事做了，什么坏话都会说得出来的。

福德　他们都是他的跟班吗？

培琪　是的。

福德　那倒很好。他是住在嘉德饭店里的吗？

培琪　正是。他要是真想勾搭我的妻子，我可以假作痴聋，给他一个下手的机会，看他除了一顿臭骂之外，还会从她身上得到什么好处。

福德　我并不疑心我的妻子，可是我也不放心让她跟别个男人在一起。一个男人太相信他的妻子，也是危险的。我不愿戴头巾，这事情倒不能就这样一笑置之。

【店主上。

培琪　瞧，咱们那位爱吵闹的嘉德饭店的老板来了。他瞧上去这样高兴，倘不是喝醉了酒，定是袋里有了几个钱。老板，您好？

店主　啊，老狐狸！你是个好人。喂，法官先生！

【夏禄上。

夏禄　我在这儿，老板，我在这儿。晚安，培琪先生！培琪先生，您跟我们一块儿去好吗？我们有新鲜的玩意儿看呢。

店主　告诉他，法官先生；告诉他，老狐狸。

夏禄　那个威尔士牧师休·爱文斯跟那个法国医生卡厄斯要有一场决斗。

福德　老板，我跟您讲句话儿。

店主　你怎么说，我的老狐狸？（二人退立一旁）

夏禄　（向培琪）您愿意跟我们一块儿瞧瞧去吗？我们这位淘气的店主已经替他们把剑量过了，而且我相信已经跟他们约好了两个不同的地方，因为我听人家说那个牧师是个挺认真的家伙。来，我告诉您，我们将要有怎样一场玩意儿。（二人退立一旁）

店主　客人先生，你不是跟我的骑士有点儿过不去吗？

福德　不，绝对没有。我愿意送给您一瓶烧酒，请您让我去见见他，对他说我的名字是白罗克，那不过是跟他开开玩笑而已。

店主　很好，我的好汉，你可以自由出入，你说好不好？你的名字就叫白罗克。他是个淘气的骑士哩。诸位，咱们走吧。

夏禄　好，老板，请你带路。

培琪　我听人家说，这个法国人的剑术很不错。

夏禄　这算得什么！我在年轻时候，也着实来得一手呢。那时候这种讲究剑法的，一个站在这边，一个站在那边，你这么一刺，我这么一挥，还有各式各样的名目，我记也记不清楚；可是培琪先生，顶要紧的毕竟还要看自己有没有勇气。不瞒您说，我从前凭着一支长剑，就可以叫四个高大的汉子抱头鼠窜哩。

店主　喂，孩儿们，来！咱们该走了！

培琪　好，你先请吧。我倒不喜欢看他们真的打起来，宁愿听他们吵一场嘴。（店主、夏禄、培琪同下）

福德　培琪是个胆大的傻瓜，他以为他的老婆一定不会背着他偷汉子，可是我却不能把事情看得这样大意。我的女人在培琪家的时候，他也在那儿，他们两人捣过些什么鬼我也不知道。好，我还要仔细调查一下。我要先假扮了去试探试探福斯塔夫。要是侦察的结果，她并没有做过不规矩的事情，那我也可以放下心来；如果不是那样，我也至少不会被他们蒙在鼓里。（下）

第二场　嘉德饭店中之一室

【福斯塔夫及毕斯托尔上。

福斯塔夫　我一个子儿也不借给你。

毕斯托尔　那么我要凭着我的宝剑，去打出一条生路来了。你要是答应借给我，我将来一定如数奉还，决不拖欠。

福斯塔夫　一个子儿也没有。我让你倚仗我的势力去欠债，从来不曾向你计较过；我曾经不顾人家的讨厌，给你和你那个同伙尼姆一次两次三次向人家求情说项，否则你们早已像一对大猩猩一样，给他们抓起来关在铁笼子里了。我不惜违背良心，向我的朋友们发誓说你们都是很好的军人，堂堂的男子；白律治太太丢了她的扇柄，我还用我的名誉替你辩护，说你没有把它偷走。

毕斯托尔　你不是也分到好处的吗？我不是给你十五便士吗？

福斯塔夫　浑蛋，一个人总要讲理呀，我难道白白出卖良心吗？一句话，别尽缠着我了，我又不是你的绞刑架。去——操一把划钱袋的小刀钻人堆去吧——快给我滚回你的贼窝里去！你不肯替我送信，你这浑蛋！你的名誉要紧？哼，你这不要脸的东西！就说我，我，我自己吧，有时为了没有办法，也只好横一横良心，把我的名誉置之不顾，去干一些偷偷摸摸的勾当；可是像你这样一个衣衫褴褛、野猫样的脸孔、满嘴醉话、动不动赌咒骂人的家伙，却也要讲起什么名誉来了！你不肯替我送信，好，你这浑蛋！

毕斯托尔　我现在认错了，难道还不够吗？

【罗宾上。

罗宾　爵爷，外面有一个妇人要和您说话。

福斯塔夫　叫她进来。

【快嘴桂嫂上。

桂嫂　爵爷，您好？

福斯塔夫　你好，好媳妇儿。

桂嫂　请爵爷别这么称呼我。

福斯塔夫　那么称呼你好小妞儿。

桂嫂　我可以发誓，当我刚出娘胎倒真是个和我妈一样的好小妞儿。

福斯塔夫　我坚信你的誓言。你有什么事见我？

桂嫂　我可以跟爵爷讲一两句话吗？

福斯塔夫　好美人儿，你就是跟我讲两千句话，我也愿意洗耳恭听呢。

桂嫂　爵爷，有一位福德家娘子——请您再过来点儿，我自己是住在卡厄斯大夫家里的。

福斯塔夫　好，你说下去吧，你说那位福德家娘子——

桂嫂　爵爷说得一点不错——请您再过来点儿。

福斯塔夫　你放心吧。这儿没有外人，都是自家人，自家人。

桂嫂　真的吗？上帝保佑他们，收留他们做他的仆人！

福斯塔夫　好，你说吧，那位福德家娘子——

桂嫂　哎哟，爵爷，她真是个好人儿。天哪，天哪！您爵爷可真是个风流郎！但愿天老爷饶恕您，也饶恕我们众人吧！

福斯塔夫　福德家娘子，说呀，福德家娘子——

桂嫂　好，干脆一句话，她一见了您，说来也叫人不相信，简直的就给您迷住啦；就是王上驾幸温莎的时候，那些头儿脑儿顶儿尖儿的官儿们，也没有您这样中她的意。不瞒您说，那些骑士们、老爷子们、数一数二的绅士们，去了一辆马车来了一辆马车，一封接一封的信，一件接一件的礼物，他们的身上都用麝香熏得香喷喷的，穿着用金线绣花的绸缎衣服，满口都是文绉绉的话儿，还有顶好的酒、顶好的糖，无论哪个女人都会给他们迷醉的，可是天地良心，她向他们眼睛也不曾眨过一眨。不瞒您说，今天早上人家还想塞给我二十块钱哩，可是我不要这种人家说的不明不白的钱。说句老实话，就是叫他们中间坐第一把交椅的人来，也休想叫她陪他喝一口酒。可是尽有那些伯爵们呀、王上身边的官员们呀，一个一个在转她的念头；可是天地良心，她一点不把他们放在眼里。

福斯塔夫　可是她对我说些什么话？说简单一点，我的好牵线人。

桂嫂　她要我对您说，您的信她接到啦，她对您的好意千恩万谢；她叫我通知您，她的丈夫在十点到十一点钟之间不在家。

福斯塔夫　十点到十一点钟之间？

桂嫂　对啦，一点不错。她说，您可以在那个时候来瞧瞧您所知道的那幅画像，她的男人不会在家里的。唉！那位好好的娘子，跟着福德老爷才真是倒霉；他是个妒心很重的男人，老是无缘无故跟她闹别扭。

福斯塔夫　十点到十一点钟之间。娘子，请你替我向她致意，我一定不失约。

桂嫂　哎哟，您说得真好。可是我还有一个信要带给您，培琪家娘子也叫我望望您。让我悄悄儿的告诉您吧，她是位贤惠端庄的好娘子，清早晚上从来不忘记祈祷。她要我对您说，她的丈夫在家的日子多，不在家的日子少，可是她希望总会找到一个机会。我从来不曾看见过一个女人会这么喜欢一个男人；我想您一定有些迷魂法，哎，这是一定的。

福斯塔夫　实不相瞒，我并无所谓迷魂法，只不过有些出色的资质而已。

桂嫂　您真是太客气啦。

福斯塔夫　可是我还要问你一句话，福德家的和培琪家的两位娘子有没有让对方知道她们两个人都爱着我一个人？

桂嫂　那真是笑话了！她们怎么会这样不害羞把这种事情告诉人呢？要是真有那样的事，才笑死人哩！可是培琪家娘子要请您把您那个小童儿送给她，因为她的丈夫很欢喜那个小厮；天地良心，培琪老爷是个好人。在温莎地方，谁也不及培琪娘子那样享福啦。她爱做什么，就做什么，爱说什么，就说什么，要什么有什么，不愁吃，不愁穿，高兴睡就睡，高兴起来就起来，什么都称她的心；可是天地良心，也是她自己做人好，才会享到这样的好福气，在温莎地方，她是位心肠再善不过的娘子了。您千万要把您那童儿送给她，可别忘了啊。

福斯塔夫　好，那一定可以。

桂嫂　一定这样办吧，您看，他可以在你们两人之间来来去去传递消息；要是有不便明言的事情，你们可以自己商量好一个暗号，只有你们两人自己心里明白，不必让那孩子懂得，因为小孩子们是不应该知道这些坏事情的，不比上了年纪的人，懂得世事，识得是非，那就不要紧了。

福斯塔夫　再见，请你替我向她们两位多多致意。这几个钱你先拿去，我以后还要重谢你哩。孩子，跟这位娘子去吧。（桂嫂、罗宾同下）这消息倒害得我意乱如麻。

毕斯托尔　这雌儿是爱神手下的传书鸽，待我追上前去，拉满弓弦，把她一箭射下，岂不有趣！（下）

福斯塔夫　老家伙，你说竟会有这等事吗？真有你的！从此以后，我要格外喜欢你这副老皮囊了。人家真的还会看中你吗？你在花费了这许多本钱以后，现在才发起利市来了吗？好皮囊，谢谢你。人家嫌你长得太胖，只要胖得有样子，再胖些又有什么关系！

【巴道夫持酒杯上。

巴道夫　爵爷，下面有一位白罗克大爷想跟您说话，他说很想跟您交个朋友，特意送了一瓶白葡萄酒来给您解解渴。

福斯塔夫　他的名字是叫白罗克吗？

巴道夫　是，爵爷。

福斯塔夫　叫他进来。（巴道夫下）只要有得酒喝，管他什么白罗克黑罗克，我都是一样欢迎。哈哈！福德太太，培琪太太，你们果然给我钓上了吗？哈，上钩吧，接着上！

【巴道夫偕福德化装成的白罗克重上。

福德　您好，爵爷！

福斯塔夫　您好，先生！您有什么话要对我说吗？

福德　素昧平生，就这样前来打搅您，实在是冒昧得很。

福斯塔夫　不必客气。请问有何见教？酒保，你去吧。（巴道夫下）

福德　爵爷，贱名是白罗克，我是一个素来喜欢随便花钱的绅士。

福斯塔夫　久仰久仰！白罗克先生，我很希望咱们以后常常来往来往。

福德　倘蒙爵爷不弃下交，真是三生有幸。不瞒爵爷说，我现在总算身边还有几个钱，您要是需要的话，随时问我拿好了。人家说的，有钱路路通，否则我也不敢惊动大驾啦。

福斯塔夫　不错，金钱是个好兵士，有了它就可以使人勇气百倍。

福德　不瞒您说，我现在带着一袋钱在这儿，因为嫌它拿着太累赘了，想请您帮帮忙，不论是分一半去也好，完全拿去也好，好让我走步路也轻松一点。

福斯塔夫　白罗克先生，我怎么可以无功受禄呢？

福德　您要是不嫌烦琐，请您耐心听我说下去，就可以知道我还要多多仰仗大力哩。

福斯塔夫　说吧，白罗克先生，凡有可以效劳之处，我一定愿意为您出力。

福德　爵爷，我一向听说您是一位博学明理的人，今天一见之下，果然名不虚传，我也不必向您多说废话了。我现在所要对您说的事，提起来很是惭愧，因为那等于宣布了我自己的弱点；可是爵爷，当您一面听着我供认我的愚蠢的时候，一面也要请您反躬自省一下，那时您就可以知道一个人是怎么容易犯这种过失，也就不会过分责备我了。

福斯塔夫　很好，请您说下去吧。

福德　本地有一个良家妇女，她的丈夫名叫福德。

福斯塔夫　嗯。

福德　我已经爱得她长久了，不瞒您说，在她身上我也花过了不少钱；我用一片痴心追求着她，千方百计找机会看见她一面；不但买了许多礼物送给她，并且到处花钱打听她喜欢人家送给她什么东西。总而言之，我追逐她就像爱情追逐我一样，一刻都不肯放松。可是费了这许多心思气力的结果，一点不曾得到什么报酬，偌大的代价，只换到了一段痛苦的经验，正所谓“痴人求爱，如形捕影，瞻之在前，即之已冥”。

福斯塔夫　她从来不曾有过什么答应您的表示吗？

福德　从来没有。

福斯塔夫　那么您的爱究竟是怎么一种爱呢？

福德　就像是建筑在别人地面上的一座华厦，因为看错了地位方向，使我的一场辛苦完全白费。

福斯塔夫　您把这些话告诉我，是什么用意呢?

福德　请您再听我说下去，您就可以完全明白我今天的来意了。有人说，她虽然在我面前装模作样，好像是十分规矩，可是在别的地方，她却是非常放荡，已经引起不少人的闲话了。爵爷，我的用意是这样的：我知道您是一位教养优美、谈吐风雅、交游广阔的绅士，无论在地位上人品上都是超人一等，您的武艺、您的礼貌、您的学问，是谁都佩服的。

福斯塔夫　您太过奖啦!

福德　我说的是真话。我这儿有的是钱，您尽管用吧，把我的钱全都用完了都可以，只要请您分出一部分时间来，去把这个福德家的女人弄上手，尽量发挥您的风流解数，把她征服下来。这件事情请您去办，一定比谁都要便当得多。

福斯塔夫　您把您心爱的人让给我去享用，那不会使您心里难过吗?我觉得老兄这样的主意，未免太不近情理啦。

福德　啊，请您明白我的意思。她靠着她的冰清玉洁的名誉做掩护，我虽有一片痴心，却不敢妄行非礼；她的光彩过于耀目了，使我不敢向她抬头仰望。可是假如我能够抓住她的一个把柄，知道她并不是神圣不可侵犯的，我就可以放大胆子，去实现我的愿望了。什么贞操，什么名誉，什么有夫之妇以及诸如此类的她的一千种振振有词的借口，到了那个时候便可以完全推翻了。爵爷，您看怎么样?

福斯塔夫　白罗克先生，第一，我要老实不客气收下您的钱；第二，让我握您的手；第三，我要用我自己的身份向您担保，您一定会把福德老婆搞到手里的。

福德　哎哟，您真是太好了!

福斯塔夫　我说您一定会把她搞到您手里的。

福德　不要担心没有钱用，爵爷，一切都在我身上。

福斯塔夫　不要担心福德太太会拒绝您，白罗克先生，一切都在我身上。不瞒您说，刚才她还差了个人来约我跟她相会呢；就在您进来的时候，替她送信的人刚刚出去。十点到十一点钟之间，我就要看她去，因为在那个时候，她那吃醋的浑蛋男人不在家里。您今晚再来看我吧，我可以让您知道我进行得顺利不顺利。

福德　能够跟您结识，真是幸运万分。您认不认识福德？

福斯塔夫　哼，这个死乌龟！谁跟这种东西认识？人家说这个爱吃醋的王八倒很有钱，所以我才高兴去勾搭他的老婆。我可以用她做钥匙，去打开这个王八的钱箱，这才是我的真正的目的。

福德　我很希望您认识那个福德，因为您要是认识他，看见他的时候也可以躲避躲避。

福斯塔夫　哼，去他的！这种下贱的咸黄油浑蛋！我只要向他瞪一瞪眼，就会把他吓坏了。我要用棒子收拾他，并把我的棒子挂在这王八的头上。白罗克先生，您放心吧，这种家伙不在我的眼里，您一定可以跟他的老婆睡觉。天一晚您就来。福德是个浑蛋，可是白罗克先生，您瞧着我吧，我会给他加上一重头衔，浑蛋兼王八，他就是个混账王八蛋了。今夜您早点来吧。（下）

福德　好一个万恶不赦的淫贼！我的肚子都几乎给他气破了。谁说这是我的瞎疑心？我的老婆已经寄信给他，约好钟点和他相会了。谁想得到会有这种事情？娶了一个不贞的妻子，真是倒霉！我的床要给他们弄龌龊了，我的钱要给他们偷了，还要让别人在背后讥笑我；这样害苦我不算，还要听那奸夫当着我的面辱骂我！骂我别的名字倒也罢了，魔鬼夜叉，都没有什么关系，偏偏口口声声的乌龟王八！乌龟！王八！这种名字就是魔鬼听了也要摇头的。培琪是个呆子；是个粗心的呆子，他居然会相信他的妻子，他不吃醋！哼，我可以相信猫儿不会偷荤，我可以相信我们那位威尔士牧师休师父不爱吃干酪，我可以把我的烧酒瓶交给一个爱尔兰人，我可以让一个小偷把我的马儿拖走，可是我不能放心让我的妻子一个人住在家里。让她一个人在家里，她就会千方百计地出起花样来，她们一想到要做什么事，简直可以什么都不顾，非把它做到了决不罢休。感谢上帝赐给我这一副爱吃醋的脾气！他们约定在十一点钟会面，我要去打破他们的好事，侦察我的妻子的行动，向福斯塔夫出出我胸头这一口冤气，还要把培琪取笑一番。我马上就去，宁可早三点钟，不可迟一分钟。哼！哼！乌龟！王八！（下）

第三场　温莎附近的野地

【卡厄斯及鲁格比上。

卡厄斯　鲁格比！

鲁格比　有，老爷？

卡厄斯　鲁格比，现在几点钟了？

鲁格比　老爷，休师父约好的时间已经过去了。

卡厄斯　哼，他不来，便宜了他的狗命；他在念圣经做祷告，所以他不来。哼，鲁格比，他要是来了，早已一命呜呼了。

鲁格比　老爷，这是他的聪明，他知道他要是来了，一定会给您杀死的。

卡厄斯　哼，我要是不把他杀死，我就不是个人。鲁格比，拔出你的剑来，我要告诉你我怎样杀死他。

鲁格比　哎哟，老爷！我可抵挡不住呀。

卡厄斯　狗才，拔出你的剑来。

鲁格比　且慢，有人来啦。

【店主、夏禄、斯兰德及培琪上。

店主　你好，老头儿！

夏禄　卡厄斯大夫，您好！

培琪　您好，大夫！

斯兰德　早安，大夫！

卡厄斯　你们一个，两个，三个，四个，来干什么？

店主　瞧你斗剑，瞧你招架，瞧你回手；瞧你这边一跳，瞧你那边一闪；瞧你仰冲俯刺，旁敲侧击，进攻退守。他死了吗，我的黑金刚？他死了吗？我的法国佬？哈，我的医神怎么说？我的希腊大医生怎么说？我的胆小鬼怎么说？好家伙！你怎么说，我的好医生？他死了吗？

卡厄斯　哼，他是个没有种的狗牧师，他不敢到这儿来露脸。

店主　你是尿缸里的元帅，希腊英雄赫克托，好家伙[①]！

卡厄斯　你们大家给我证明，我已经等了他六七个钟头，两个钟头，三个钟头，他还是没有来。

夏禄　大夫，这是他的有见识之处；他给人家医治灵魂，您给人家医治肉体，要是你们打起架来，那不是违反了你们平日的宗旨了吗？培琪老爷，您说我这句话对不对？

培琪　夏老爷，您现在喜欢替人家排难解纷，从前却也是一名打架的好手哩。

夏禄　可不是吗？培琪老爷，我现在虽然老了，人也变得好说话了，可是看见人家拔出刀剑来，我的手指还是觉得痒痒的。培琪老爷，我们虽然做了法官，做了医生，做了教士，总还有几分年轻人的血气；我们都是女人生下来的呢，培琪老爷。

培琪　正是正是，夏禄老爷。

夏禄　培琪老爷，您看吧，我的话是不会错的。卡厄斯大夫，我想来送您回家去。我是一向主张什么事情都可以和平解决的。您是一个明白道理的好医生，休师父是一个明白道理、很有涵养的好教士，大家何必伤了和气。卡厄斯大夫，您还是跟我一起回去吧。

店主　对不起，法官先生，有一句话要跟您说，臭水先生[②]。

卡厄斯　臭水？什么意思？

店主　“臭水”，在我们英国话中，就是“特棒”的意思。好人。

卡厄斯　老天爷，那我的臭水和英国人一样地多啦。这狗杂种牧师！老天在上，我要割掉他的耳朵。

店主　那他可要把你揍扁了，好人。

卡厄斯　揍扁？什么意思？

店主　就是说他要向你道歉。

卡厄斯　老天在上，我看他就是该把我“揍扁”；老天在上，他不把我“揍扁”我也不答应。

---

① 当时治病须查尿，故此处用尿缸影射医生。

② 与前面的尿缸相照应，同时此处暗示胆小。

店主　那我非得煽动他“揍扁”你不可，否则还不如让他滚蛋的好。

卡厄斯　谢谢，劳你大驾了。

店主　还有，好人——不过，客官！（向夏禄等旁白）你跟培琪老爷和斯兰德少爷从大路走，先到弗劳莫去。

培琪　休师父就在那边吗？

店主　是的，你们去看看他在那里发些什么牢骚，我再领着这个医生从小路也到那里。你们看这样好不好？

夏禄　很好。

培琪、夏禄、斯兰德、卡厄斯大夫，我们先走一步，回头见。（下）

卡厄斯　哼，我要是不杀死这个牧师，我就不是个人；谁叫他多事，替一个猴儿崽子向安・培琪说亲。

店主　这种人让他死了也好。来，把你的怒气平一平，跟我在田野里走走，我带你到弗劳莫去，安・培琪小姐正在那边一家乡下人家吃酒，你可以当面向她求婚。你说我这主意好不好？

卡厄斯　谢谢你，谢谢你，你是我的好朋友。我一定要介绍许多主顾给你，那些阔佬大官，我都看过他们的病。

店主　你这样帮我忙，我一定帮助你娶到安・培琪。我说得好不好？

卡厄斯　很好很好，好得很。

店主　那么咱们走吧。

卡厄斯　跟我来，鲁格比。（同下）

第三幕

第一场　弗劳莫附近的野地

【爱文斯及辛普儿上。

爱文斯　斯兰德少爷的尊价，辛普儿我的朋友，我叫你去大路上瞭望一下，那个自称为医生的卡厄斯大夫究竟来不来，请问你是在那一条路上瞭望他的？

辛普儿　师父，我每一条路都去瞭望过了，就是那条通到城里去的路没有瞭望。

爱文斯　千万请你再到那一条路上去望一望。

辛普儿　好的，师父。（下）

爱文斯　祝福我的灵魂！我气得心里在发抖。我倒希望他欺骗我。真的气死我也！我恨不得把他的便壶摔在他那狗头上。祝福我的灵魂！（唱）

众鸟嘤鸣其相和兮，
　临清流之潺湲，
展蔷薇之芳茵兮，
　缀百花以为环。

上帝可怜我！我真的要哭出来啦。（唱）

众鸟嘤鸣其相和兮，
　余独处乎巴比伦，

缀百花以为环兮，
临清流——

【辛普儿重上。

辛普儿　他就要来了，在这一边，休师父。

爱文斯　他来得正好。（唱）

临清流之潺湲——

上帝保佑好人！——他拿着什么家伙？

辛普儿　他没有带什么家伙，师父。我家少爷，还有夏禄老爷和另外一位老爷，也跨过阶梯从那边一条路上来了。

爱文斯　请你把我的道袍给我。不，还是你拿在手里吧。（读书）

【培琪、夏禄及斯兰德上。

夏禄　啊，牧师先生，您好？又在用功了吗？真的是赌鬼手里的骰子，学士手里的书本，夺也夺不下来的。

斯兰德　（旁白）啊，可爱的安·培琪！

培琪　您好，休师父？

爱文斯　上帝祝福你们！

夏禄　啊，怎么，一手宝剑，一手经典！牧师先生，难道您竟然要文武全才吗？

培琪　在这样阴寒的天气，您这样短衣长袜，外套也不穿一件，精神倒着实不比年轻人坏哩！

爱文斯　这都是有缘故的。

培琪　牧师先生，我们是来给您做一件好事的。

爱文斯　很好，是什么事？

培琪　我们刚才碰见一位很有名望的绅士，好像是受了什么人的委屈，在那儿大发脾气。

夏禄　我活了八十多岁了，从来不曾听见过一个像他这样有地位有学问的人，会这样有失身份。

爱文斯　他是谁？

培琪　我想您也一定认识他的，就是那位著名的法国医生卡厄斯大夫。

爱文斯　哎哟，气死我也！你们向我提起他的名字，还不如向我提起一块烂糨糊。

培琪　为什么？

爱文斯　他懂得什么医经药典！他是个坏蛋，一个十足没有种的坏蛋！

培琪　您跟他打起架来，才知道他厉害呢。

斯兰德　（旁白）啊，可爱的安·培琪！

夏禄　看样子他们真的要打起来呢。卡厄斯大夫来了，别让他们碰在一起。

【店主、卡厄斯及鲁格比上。

培琪　不，好牧师先生，把您的剑收起来吧。

夏禄　卡厄斯大夫，您也收起来吧。

店主　把他们的剑夺下来，君子动口不动手，让他们尽管糟蹋我们的英语，但保全四肢吧。

卡厄斯　请你让我在你的耳边问你一句话，你为什么失约不来？

爱文斯　（向卡厄斯旁白）不要生气，有话慢慢儿讲。

卡厄斯　哼，你是个懦夫，你是个狗东西猴儿崽子！

爱文斯　（向卡厄斯旁白）别人在寻我们的开心，我们不要上他们的当，伤了各人的和气。咱们交个朋友，来日当回报。（高声）我要把你的便壶摔在你的狗头上，谁叫你约了人家自己不来！

卡厄斯　他妈的！鲁格比——老板，我没有等他来送命吗？我不是在约定的地方等了他好久吗？

爱文斯　我是个相信耶稣基督的人，我不会说假话，这儿才是你约定的地方，我们这位老板可以替我证明。

店主　我说，你这位法国大夫，你这位威尔士牧师，一个替人医治身体，一个替人医治灵魂，你也不要吵，我也不要闹，大家算了吧！

卡厄斯　嗯，那倒是很好，好极了！

店主　我说，大家静下来，听本店主说话。你们看我的手段巧不巧？主意高不高？计策妙不妙？咱们少得了这位医生吗？少不了，他要给我开方服药。咱们少得了这位牧师，这位休师父吗？少不了，他要给我念经讲道。来，一位在家人，一位出家人，大家跟我握握手儿。好，老实告诉你们吧，你们两个人都给我骗啦，我叫你们一个人到这儿，一个人到那儿，大家扑了个空。现在我们已经知道你们两位都是好汉子，谁的身上也不曾伤了一根毛，落得喝杯酒儿，大家讲和了吧。来，把他们的剑拿去当了。来，孩儿们，大家跟我来。

夏禄　真是一个疯老板！——各位，大家跟着他去吧。

斯兰德　（旁白）啊，可爱的安·培琪！（夏禄、斯兰德、培琪及店主同下）

卡厄斯　嘿！有这等事！你把我们当作傻瓜了吗？嘿！嘿！

爱文斯　好得很，他简直在拿我们开玩笑。我说，咱们还是言归于好，大家商量出个办法，来向这个欺人的坏家伙、这个嘉德饭店的老板，报复一下吧。

卡厄斯　很好，我完全赞成。他答应带我来看安·培琪，原来也是句骗人的话，他妈的！

爱文斯　好，我要打破他的头。咱们走吧。（同下）

第二场　温莎街道

【培琪太太及罗宾上。

培琪太太　走慢点儿，小滑头，你一向都是跟在人家屁股后面跑的，现在倒要抢上人家前头啦。我问你，你愿意我跟着你走呢，还是愿意你跟着主人走？

罗宾　我愿意像一个男子汉那样的在您前头走，不愿意像一个矮子那样的跟着他走。

培琪太太　唷！你倒真是个小甜嘴，我看你将来很可以到宫廷里去呢。

【福德上。

福德　培琪娘子，咱们碰见得巧极啦。您是往哪儿去的？

培琪太太　福德老爷，我正要去瞧您家娘子去哩。她在家吗？

福德　在家，她因为没有伴，正在闷得发慌。照我看起来，要是你们两人的男人都死掉啦，你们两人倒不妨结为夫妻。

培琪太太　您不用担心，我们会各人再去嫁一个男人的。

福德　您这可爱的小鬼头是哪儿来的？

培琪太太　我总是记不起来把他送给我丈夫的那个人叫什么名字。喂，你说你那个骑士姓甚名谁？

罗宾　约翰·福斯塔夫爵士。

福德　约翰·福斯塔夫爵士！

培琪太太　对了，对了，正是他。我顶不会记人家的名字。他跟我的丈夫非常要好。您家娘子真的在家吗？

福德　真的在家。

培琪太太　那么，少陪了，福德老爷，我巴不得立刻就看见她呢。（培琪太太及罗宾下）

福德　培琪难道没有脑子吗？他难道一点都看不出，一点不会思想吗？哼，他的眼睛跟脑子一定都是睡着了，因为他就是生了它们也不会去用的。嘿，这孩子可以送一封信到二十里外的地方去，就像炮弹从炮口射出二百四十码一样容易。他放纵他的妻子，让她想入非非，为所欲为；现在她要去瞧我的妻子，还带着福斯塔夫的小厮！谁都看得出这里有点鬼名堂。好计策！他们已经完全布置好了；我们两家不贞的妻子，已经串通一气，一块儿去干这种不要脸的事啦。好，让我先去捉住那家伙，再去教训教训我的妻子，把这位假正经的培琪太太的假面具揭了下来，让大家知道培琪是个冥顽不灵的王八。我干了这一番轰轰烈烈的事情，人家一定会称赞我。（钟鸣）时间已经到了，事不宜迟，我必须马上就去；我相信一定可以把福斯塔夫找到。人家都会称赞我，不会讥笑我，因为福斯塔夫一定跟我妻子在一起，就像地球是结实的一样毫无疑问。我就去。

【培琪、夏禄、斯兰德、店主、爱文斯、卡厄斯及鲁格比上。

培琪、夏禄等　福德老爷，咱们遇见得巧极啦。

福德　真是巧极啦。我正要请各位到舍间去喝杯酒呢。

夏禄　福德老爷，我有事不能奉陪，请您原谅。

斯兰德　福德大叔，我也要请您原谅，我们已经约好到安小姐家里吃饭，人家无论给我多少钱，也不能使我失了她的约。

夏禄　我们打算替培琪家小姐跟我这位斯兰德贤侄攀一头亲事，今天就可以得到回音。

斯兰德　培琪大叔，我希望您不会拒绝我。

培琪　我是一定答应的，斯兰德少爷；可是卡厄斯大夫，我的内人却中意您哩。

卡厄斯　嗯，是的，而且那姑娘也爱着我，我家那个快嘴桂嫂已经这样告诉我了。

店主　您觉得那位年轻的范顿怎样？他会跳舞，他的眼睛里闪耀着青春，他会写诗，他会说漂亮话，他的身上有春天的香味。他一定会成功的，他一定会成功的。

培琪　可是他要是不能得到我的允许，就不会成功。这位绅士没有家产，他常常跟那位胡闹的王子[①]混在一起，他的地位太高，他所

① “胡闹的王子”指亨利四世的太子，后为亨利五世，为王储时不修微行。

知道的事情也太多啦。不，我的财产是不能让他染指的。要是他跟她结婚，就让他把她空身体娶了过去；我这份家私要归我自己做主，我可不答应给他分了去。

福德　请你们中间无论哪几位赏我一个脸子，到舍间便饭去；除了酒菜之外，还有新鲜的玩意儿，我有一头怪物要拿出来给你们欣赏欣赏。卡厄斯大夫，您一定要去；培琪老爷，您也去；还有休师父，您也去。

夏禄　好，那么再见吧。你们去了，我们到培琪老爷家里求起婚来，说话也可以方便一些。（夏禄、斯兰德下）

卡厄斯　鲁格比，你先回家去，我就来。（鲁格比下）

店主　回头见，我的好朋友们，我要回去陪我的好骑士福斯塔夫喝酒去。（下）

福德　（旁白）对不起，我要先让他出一场丑哩。列位，请了。

众　请了，我们倒要瞧瞧那个怪物去。（同下）

第三场　福德家中一室

【福德太太及培琪太太上。

福德太太　喂，约翰！喂，罗伯特！

培琪太太　赶快，赶快！——那个盛脏衣服的篓子呢？

福德太太　已经预备好了。喂，罗宾！

【二仆携篓上。

培琪太太　来，来，来。

福德太太　这儿，放下来。

培琪太太　你吩咐他们怎样做，说简单点。

福德太太　好，约翰和罗伯特，我早就对你们说过了，叫你们在酿酒房的近旁等着不要走开，我一叫你们，你们就跑来，不许中途犹豫不定或脚步踉跄，马上把这篓子扛了出去，跟着那些洗衣服的人一起到野地里，跑得越快越好，一到那边，就把它扔在泰晤士河旁边的烂泥沟里。

培琪太太　听好了没有？

福德太太　我已经告诉过他们好几次了，他们不会弄错的。快去，我叫你们，你们就来。（二仆下）

培琪太太　小罗宾来了。

【罗宾上。

福德太太　啊，我的小鹰儿！你带了什么信息来了？

罗宾　福德奶奶，我家主人约翰爵士已经从您的后门进来了，他要跟您见见面。

培琪太太　你这巴儿狗，你有没有在你主人面前走漏了我们的风声？

罗宾　我可以发誓，我的主人不知道您也在这儿；他还向我说，要是我把他到这儿来的事情告诉了您，他一定要把我撵走。

培琪太太　这才是个好孩子，只要你守口如瓶，我一定替你做一身新衣服穿。现在我先去躲起来。

福德太太　好的。你去告诉你的主人，说屋子里只有我一个人。（罗宾下）培琪娘子，记住你该扮演的角色。

培琪太太　你放心吧，我要是这场戏演不好，你尽管喝倒彩好了。（下）

福德太太　好，让我们教训教训这个肮脏的脓包，这个满肚子臭水的胖冬瓜，叫他知道鸽子和老鸦的分别。

【福斯塔夫上。

福斯塔夫　我的天上的明珠，你果然给我捉到了吗？我已经活得很长久了，现在让我死去吧，啊，天遂人愿！啊，这幸福的时辰！

福德太太　哎哟，好爵爷！

福斯塔夫　好娘子，我不会说话，那些口是心非的好听话，我一句也不会。我现在心里正在起着一个罪恶的念头，但愿你的丈夫早早死了，我一定要娶你回去，做我的夫人。

福德太太　我做您的夫人！唉，爵爷！那我怎么做得像呢？

福斯塔夫　在整个法兰西宫廷里也找不出像你这样一位漂亮的夫人。瞧你的眼睛比金刚钻还亮；你的秀美的额角，戴上无论哪一种威尼斯流行的新式帽子，都是一样合适的。

福德太太　爵爷，像我这样的村婆娘，只好用青布包包头，能够不给人家笑话，也就算了，哪里配得上讲什么打扮。

福斯塔夫　哎哟，你这样说话，未免太侮辱了你自己啦。你要是到宫廷里去，一定可以大出风头。你那端庄的步伐，穿起了圆圆的长裙来，一定走一步路都是仪态万方。命运虽然不曾照顾你，造物却给了你绝世的姿容，你就是有意把它遮掩，也是遮掩不了的。

福德太太　您太过奖啦，我怎么有这样的好处呢？

福斯塔夫　那么我为什么爱你呢？这就可以表明在你的身上，的确有一点与众不同的地方。我不会像那些油头粉面的轻薄少年一样，说你是这样是那样，把你捧上天去；可是我爱你，我爱的只是你，你是值得我爱的。

福德太太　别骗我啦，爵爷，我怕您爱着培琪家娘子哩。

福斯塔夫　难道我放着大门不走，偏偏要去走那黑黢黢的边门吗？

福德太太　好，天知道我是怎样爱着您，您总有一天会明白我的心的。

福斯塔夫　希望你永远不要变心，我总不会有负于你。

福德太太　我必须向您吐露真情，您也须以真情相报，否则我就无法永远忠心。

罗宾　（在内）福德家奶奶！福德家奶奶！培琪家奶奶在门口，她满头都是汗，气都喘不过来，慌慌张张的，一定要立刻跟您说话。

福斯塔夫　别让她看见我，我就躲在帐幕后面吧。

福德太太　好，您快躲起来吧，她是个多嘴多舌的女人。（福斯塔夫匿幕后）

【培琪太太及罗宾重上。

福德太太　什么事？怎么啦？

培琪太太　哎哟，福德嫂子！你干了什么事啦？你的脸从此丢尽，你再也不能做人啦！

福德太太　什么事呀，好嫂子？

培琪太太　哎哟，福德嫂子！你嫁了这么一位好丈夫，为什么要让他对你起疑心？

福德太太　对我起什么疑心？

培琪太太　起什么疑心！算了，别装傻啦！总算我看错了人。

福德太太　唉，到底是怎么一回事呀？

培琪太太　我的好奶奶，你那汉子带了温莎城里所有的捕役，就要到这儿来啦；他说有一个男人在这屋子里，是你趁着他不在家的时候约来的，他们要来捉这奸夫哩。这回你可完啦！

福德太太　（旁白）说响一点。——哎哟，不会有这种事吧？

培琪太太　谢天谢地，但愿你这屋子里没有男人！可是半个温莎城里的人都跟在你丈夫背后，要到这儿来搜寻这么一个人，这件事情却是千真万确的。我抢前一步来通知你，要是你没有做过亏心事，那自然最好；倘然你真的有一个朋友在这儿，那么赶快带他出去吧。别怕，镇静一点。你必须保全你的名誉，否则你的一生从此完啦。

福德太太　我怎么办呢？果然有一位绅士在这儿，他是我的好朋友；我自己丢脸倒还不要紧，只怕连累了他，要是能够把他弄出这间屋子，叫我损失一千镑钱我都愿意。

培琪太太　要命！你的汉子就要来啦，你还尽说些废话！想想办法吧，这屋子里是藏不了他的。唉，我还当你是个好人！瞧，这儿有一个篓子，他要是不太高大，倒可以钻进去躲一下，再用些脏衣服堆在上面，让人家看见了，当作是一篓预备送出去漂洗的衣服——啊，对了，就叫你家的两个仆人把他连篓一起扛了出去，岂不一干二净？

福德太太　他太胖了，恐怕钻不进去，怎么好呢？

福斯塔夫　（自幕后出）让我看，让我看，啊，让我看！我进去，我进去。就照你朋友的话办吧。我进去。

培琪太太　啊，福斯塔夫爵士！原来是你吗？你给我的信上怎么说的？

福斯塔夫　我爱你，我只爱你一个人。帮我离开这屋子，让我钻进去。我再也不——（钻入篓内，二妇以污衣覆其上）

培琪太太　孩子，你也来帮着把你的主人遮盖遮盖。福德嫂子，叫你的仆人进来吧。好一个欺人的骑士！

福德太太　喂，约翰！罗伯特！约翰！（罗宾下）

【二仆人重上。

福德太太　赶快把这一篓衣服抬起来。杠子在什么地方？哎哟，瞧你们这样慢手慢脚的！把这些衣服送到洗衣服的那里去；快点！快点！

【福德、培琪、卡厄斯及爱文斯同上。

福德　各位请过来；要是我的疑心全无根据，你们尽管把我取笑好了。啊！这是什么？你们把这篓子抬到哪儿去？

仆人　抬到洗衣服的那里去。

福德太太　咦，他们把它抬到什么地方，跟你有什么相干？你就是爱多管闲事，人家洗衣服，也要你问长问短的。

福德　哼，洗衣服！我倒希望把这屋子也洗一洗干净呢，什么野畜生都可以跑进跑出的！（二仆人抬篓下）各位朋友，昨天晚上我做了一个梦，让我把这个梦告诉你们听。这儿是我的钥匙，请你们跟我到房间里来搜一下，我相信我们一定会捉到那头狐狸的。让我先把这门锁上了。好，咱们捉狐狸去。

培琪　福德老爷，有话好讲，何必急成这个样子，让人家瞧着笑话。

福德　对啦，培琪老爷。各位上去吧，你们马上就有新鲜的把戏看了。大家跟我来。（下）

爱文斯　这种吃醋简直是无理取闹。

卡厄斯　我们法国就没有这种事，法国人是不作兴吃醋的。

培琪　咱们还是跟他上去吧，瞧他搜出些什么来。（培琪、卡厄斯、爱文斯同下）

培琪太太　咱们这计策岂不是一举两得？

福德太太　我不知道愚弄我的丈夫跟愚弄福斯塔夫，比较起来那一件事更使我高兴。

培琪太太　你的丈夫问那篓子里有什么东西的时候，他一定吓得要命。

福德太太　我想他是应该洗个澡了，把他扔在水里，对于他也是有好处的。

培琪太太　该死的骗人的坏蛋！我希望像他那一类的人一起受到这种报应。

福德太太　我觉得我的丈夫有点知道福斯塔夫在这儿；我从来没有见过他像今天这样的一股醋劲。

培琪太太　让我想个计策把他试探试探。福斯塔夫那家伙虽然已经受到了一次教训，可是像他那样荒唐惯了的人，一服药吃下去未必见效，我们应当让他多知道些厉害才是。

福德太太　我们要不要再叫快嘴桂嫂那个傻女人到他那儿去，对他说这次把他扔在水里，实在是一时疏忽，并非故意，请他原谅，再约他一个日期，好让我们再把他捉弄一次？

培琪太太　一定那么办！我们叫他明天八点钟来，替他压惊。

【福德、培琪、卡厄斯及爱文斯重上。

福德　我找不到他。这浑蛋也许只会吹牛，他自己知道这种事情是办不到的。

培琪太太　（向福德太太旁白）你听见吗？

福德太太　（向培琪太太旁白）嗯，别说话。——福德夫君，您待我真是太好了，是不是？

福德　是，是，是。

福德太太　上帝保佑您以后再不要用这种龌龊心思猜疑人家了！

福德　阿门！

培琪太太　福德老爷，您真太对不起您自己啦。

福德　是，是，是我不好。

爱文斯　这屋子里、房间里、箱子里、壁橱里，要是找得出一个人来，那么上帝在最后审判的日子饶恕我的罪恶吧！

卡厄斯　我也找不出来，一个人也没有。

培琪　啧！啧！福德老爷！您不害羞吗？什么鬼附在您身上，叫您想起这种事情来呢？我希望您以后再不要发这种神经病了。

福德　培琪老爷，这是我的不好，自取其辱。

爱文斯　这都是您良心不好的缘故，尊夫人是一位大贤大德的娘子，五千个女人里头也找不到像她这样的一个；不，就是五百个里也找不到呢。

卡厄斯　她真的是一个规矩的女人。

福德　好，我说过我请你们来吃饭。来，来，咱们先到公园里走走吧。请诸位多多原谅，我以后会告诉你们今天我有这一番举动的缘故。来，娘子。来，培琪家嫂子。请你们原谅我，今天实在吵得太不像话了，请不要见怪！

培琪　列位，咱们进去吧，可是今天一定要把他大大地取笑一番。明天早晨我请你们到舍间吃一顿早点心，吃过点心，就去打鸟去；我有一头很好的猎鹰，要请你们赏识赏识它的本领。诸位以为怎样？

福德　一定奉陪。

爱文斯　要是只有一个人去，我就是第二个。

卡厄斯　要是只有一个两个人去，我就是第三个。

福德　培琪老爷，请了。

爱文斯　请你明天不要忘记嘉德饭店老板那个坏家伙。

卡厄斯　很好，我一定不忘记。

爱文斯　这坏家伙，专爱寻人家的开心！（同下）

第四场　培琪家中一室

【范顿、安·培琪及快嘴桂嫂上；桂嫂立一旁。

范顿　我知道我得不到你父亲的欢心，所以你别再叫我去跟他说话了，亲爱的小安。

安·培琪　唉！那么怎么办呢？

范顿　你应当自己做主才是。他反对我的理由，是说我的门第太高，又说我因为家产不够挥霍，想靠他的钱来弥补弥补；此外他又举出种种的理由，说我过去的行为太放荡，说我结交的都是一班狐朋狗友；他老实不客气地对我说，我之所以爱你，不过是把你看作一注财产而已。

安·培琪　他说的话也许是对的。

范顿　不，我永远不会有这样的存心！安，我可以向你招认，我最初来向你求婚的目的，的确是你父亲的财产；可是自从我认识了你以后，我就觉得你的价值远超过一切的金银财富；我现在除了你美好的本身以外，再没有别的希求。

安·培琪　好范顿老爷，您还是去向我父亲说说吧。要是机会和最谦卑的恳求都不能使您达到目的，那么——您过来，我对您说。（二人在一旁谈话）

【夏禄及斯兰德上。

夏禄　桂嫂，打断他们的谈话，让我的侄子自己去向她求婚。

斯兰德　成功失败，在此一试。

夏禄　不要慌。

斯兰德　不，她不会使我发慌，可是我有点胆怯。

桂嫂　安，斯兰德少爷要跟你讲句话哩。

安·培琪　我就来。（旁白）这是我父亲中意的人。唉！有了一年三百镑的收入，顶不上眼的伧夫也就变成俊汉了。

桂嫂　范顿老爷，您好？请您过来说句话儿。

夏禄　她来了。侄儿，你上去吧。对她说，你父亲生前是个什么人。

斯兰德　安小姐，我有一个父亲，我的叔父可以告诉您许多关于他的很有趣的笑话。叔父，请您把我的父亲怎样从人家篱笆里偷了两头鹅的那个笑话讲给安小姐听吧，好叔父。

夏禄　安小姐，我的侄儿很是爱您。

斯兰德　对了，正像我爱葛罗斯特州的无论哪一个女人一样。

夏禄　他愿意按照一份乡绅人家的体面供养您。

斯兰德　那是当然的。不管发生什么情况，乡绅人家总是乡绅人家呀。

夏禄　他愿意在他的财产里划出一百五十镑钱来归在您的名下。

安·培琪　夏禄老爷，还是让他自己说吧。

夏禄　啊，谢谢您，我真感谢您的好意。侄儿，她叫你哩，我让你们两个人谈谈吧。

安·培琪　斯兰德世兄。

斯兰德　是的，好安小姐？

安·培琪　你意属如何？

斯兰德　我的遗嘱？啊上帝，真是会开玩笑呀！谢谢上天，我还从未立下过什么遗嘱哩！老天万岁，我并非什么病魔缠身的人。

安·培琪　斯兰德世兄，我是说，你对我是什么意思？

斯兰德　实实在在说，我自己本来一点没有这个意思，都是令尊跟家叔两个人的主张。要是我有这运气，那固然很好，不然的话，就让别人来享受这个福分吧！他们可以告诉您许多我自己不会说的话，您还是去问您的父亲吧；他来了。

【培琪及培琪太太上。

培琪　啊，斯兰德少爷！安，你爱他吧。咦，怎么！范顿老爷，您到这儿来有什么事？我早就对您说过了，我的女儿已经有了人家，您还是一趟一趟到我家里来，这不是太不成话了吗？

范顿　啊，培琪老爷，您别生气。

培琪太太　范顿老爷，您以后别再来看我的女儿了。

培琪　她是不会嫁给您的。

范顿　培琪老爷，请您听我说。

培琪　不，范顿老爷，我不要听您说话。来，夏禄老爷；来，斯兰德贤

婿，咱们进去吧。范顿老爷，您实在太不讲理啦。（培琪、夏禄、斯兰德同下）

桂嫂　向培琪太太说去。

范顿　培琪太太，我对于令爱的一片至诚，天日可表，一切的阻碍、谴责和世俗的礼法，都不能使我灰心后退；我希望能够得到您的同意。

安·培琪　好妈妈，别让我跟那个傻瓜结婚。

培琪太太　我是不愿让你嫁给他；我会替你找一个好一点的丈夫。

桂嫂　那就是我的主人卡厄斯大夫。

安·培琪　唉！要是叫我嫁给那个医生，我宁愿让你们把我活活埋了！

培琪太太　算了，别自寻烦恼啦，范顿老爷，我不愿偏着您，也不愿跟您作梗，让我先去问问我的女儿，看她究竟对您有几分意思，慢慢儿的再说吧。现在我们失陪了，范顿老爷，她要是再不进去，她的父亲一定又要发脾气的。

范顿　再见，培琪太太。再见，小安。（培琪太太及安·培琪下）

桂嫂　瞧，这都是我帮您的忙。我说："您愿意把您的孩子随随便便嫁给一个傻瓜，一个医生吗？瞧范顿老爷多好！"这都是我帮您的忙。

范顿　谢谢你。这一个戒指，请你今天晚上送给我的亲爱的小安。这几个钱是赏给你的。

桂嫂　天老爷赐给您好福气！（范顿下）他的心肠真好，一个女人碰见这样好心肠的人，就是为他到火里去水里去也甘心。可是我倒希望我的主人娶到了安小姐；我也希望斯兰德少爷能够娶到她；天地良心，我也希望范顿老爷娶到她。我要替他们三个人同样出力，因为我已经答应过他们，说过的话总是要作数的；可是我要替范顿老爷特别出力。啊，两位奶奶还要叫我到福斯塔夫那儿去一趟呢，该死，我怎么还在这儿拉拉扯扯的！（下）

第五场　嘉德饭店中的一室

【福斯塔夫及巴道夫上。

福斯塔夫　喂，巴道夫！

巴道夫　有，爵爷。

福斯塔夫　给我倒一碗酒来，放一块面包在里面。（巴道夫下）想不到我活到今天，却给人装在篓子里抬出去，像一车屠夫切下来的肉骨肉屑一样倒在泰晤士河里！好，要是我再上人家这样一次当，我一定把我的脑髓敲出来，涂上黄油丢给狗吃。这两个混账东西把我扔在河里，简直就像淹死一只瞎眼老母狗的一窝小狗一样，不当作一回事情。你们瞧我这样胖大的身体，就可以知道我沉下水里去，是比别人格外快的，即使河底深得像地狱一样，我也会一下子就沉下去，要不是水浅多沙，我早就淹死啦。我最怕的就是淹死，因为一个人淹死了尸体会发胀，像我这样的人要是发起胀来，那还成什么样子！不是要变成一大堆死肉了吗？

【巴道夫携酒重上。

巴道夫　爵爷，桂嫂要跟您说话。

福斯塔夫　来，我一肚子都是泰晤士河里的水，冷得好像腰气痛的时候吞下了雪块一样，让我倒些酒下去把它温一温吧。叫她进来。

巴道夫　进来，妇人。

【快嘴桂嫂上。

桂嫂　爵爷，您好？早安，爵爷！

福斯塔夫　把这些酒杯拿去了，再给我好好儿温一壶酒来。

巴道夫　要不要放鸡蛋？

福斯塔夫　什么也别放。（巴道夫下）怎么？

桂嫂　呃，爵爷，福德家娘子叫我来望望您。

福斯塔夫　别向我提起什么汪汪啦！我受够了汪汪，我给人丢在汪汪大河里，肚子里装得水汪汪。

桂嫂　哎哟！那怎么怪得她？她把那两个仆人训了一通。谁想得到他们竟会误会了她的意思。

福斯塔夫　我也是太轻信啦，会去应一个傻女人的约。

桂嫂　爵爷，她为了这件事，心里头才说不出的难过呢；看见她那种伤心的样子，谁都会心软的。她的丈夫今天一早就打鸟去了，她请您在八点到九点之间，再到她家里去一次。我必须赶快把她的话向您交代清楚。您放心好了，这一回她一定会好好儿补报您的。

福斯塔夫　好，你回去对她说，我一定来。叫她想一想哪一个男人不是朝三暮四，像我这样的男人，可是容易找到的？

桂嫂　我一定这样对她说。

福斯塔夫　你说是在九点到十点之间吗？

桂嫂　八点到九点之间，爵爷。

福斯塔夫　好，你去吧，我一定来就是了。

桂嫂　再会了，爵爷。（下）

福斯塔夫　白罗克到这时候还不来，倒有些奇怪；他寄信来叫我等在这儿不要出去的。我很欢喜他的钱。啊！他来啦。

【福德上。

福德　您好，爵爷！

福斯塔夫　啊，白罗克先生，您是要来探问我到福德老婆那儿去的经过情形吗？

福德　我正是要来问您这件事。

福斯塔夫　白罗克先生，我不愿对您说谎，昨天我是按照她约定的时间到她家里去的。

福德　那么您进行得顺利不顺利呢？

福斯塔夫　别提啦，白罗克先生。

福德　怎么？难道她又变卦了吗？

福斯塔夫　那倒不是，白罗克先生，都是她的丈夫，那只贼头贼脑的死乌龟，一天到晚见神见鬼地疑心他的妻子；我跟她抱也抱过了，吻也吻过了，发誓也发誓过了，一本喜剧刚刚念好引子，他就疯疯癫癫地带了一大批狐群狗党，声势汹汹地说是要到家里来捉奸。

福德　啊！那时候您正在屋子里吗？

福斯塔夫　那时候我正在屋子里。

福德　他没有把您搜到吗？

福斯塔夫　您听我说下去。总算我命中有救，来了一位培琪太太，报告我们福德就要来了的消息；福德家的女人吓得毫无主意，只好听了她的计策，把我装进一只洗衣服的篓子里去。

福德　洗衣服的篓子！

福斯塔夫　正是一只洗衣服的篓子！把我跟那些脏衬衫、臭袜子、油腻的手巾，一股脑儿塞在一起。白罗克先生，您想想这股气味可是叫人受得了的？

福德　您在那篓子里住了多久呢？

福斯塔夫　别急，白罗克先生，你听我说下去，就可以知道我为了您的缘故去勾引这个妇人，吃过了多少的苦。她们把我这样装进了篓子以后，就叫两个浑蛋仆人把我当作一篓脏衣服，抬到洗衣服的那里去。他们刚把我抬上肩走到门口，就碰见他们的主人，那个醋天醋地的家伙，问他们这里面装的是什么东西；我怕这个疯子真的要搜起篓子来，吓得浑身乱抖，可是命运注定他要做一个王八，居然他没有搜。好，于是他就到屋子里去搜查，我也就冒充着脏衣服出去啦。可是白罗克先生，您听着，还有下文哪。我一共差不多死了三次：第一次，因为碰在这个吃醋的王八羔子手里，把我吓得死去活来；第二次，我让他们把我塞在篓里，像一柄插在鞘子里的宝剑一样，头朝地，脚朝天，再用那些油腻得恶心的衣服把我闷起来，您想，像我这样胃口的人，本来就是像牛油一样遇到了热气会融化的，不闷死已算是天下奇闻；到末了，脂油跟汗水把我煎得半熟以后，这两个浑蛋仆人就把我像一个滚热的出笼包子似的，向泰晤士河里丢了下去。白罗克先生，您想，我简直像一块给铁匠打得通红的马蹄铁，放到水里，连河水都叫起来了呢！

福德　爵爷，您为我受了这许多苦，我真是抱歉万分。这样看来，我的希望是永远达不到的了，您未必会再去一试吧？

福斯塔夫　白罗克先生，别说他们把我扔在泰晤士河里，就是把我扔在火山洞里，我也不会就此把她放手的。她的男人今天早上打鸟去了，我已经又得到了她的信，约我八点到九点之间再去。

福德　现在八点钟已经过了，爵爷。

福斯塔夫　真的吗？那么我要去赴约了。您有空的时候再来吧，我一定会让您知道我进行得怎样；总而言之，她一定会到您手里的。再见，白罗克先生，您一定可以得到她；白罗克先生，您一定可以叫福德做一个大王八。（下）

福德　哼！嘿！这是一场梦境吗？我在做梦吗？我在睡觉吗？福德，醒来！醒来！你的最好的外衣上有了一个窟窿了，福德老爷！这就是娶了妻子的好处！这就是洗衣服篓子的用处！好，我要让他知道我究竟是什么人；我要现在就去把这奸夫捉住，他在我的家里，这回一定不让他逃走，他一定逃不了。也许魔鬼会帮助他躲起来，这回我一定要把无论什么稀奇古怪的地方都一起搜到，连胡椒瓶子都要倒出来看看，看他躲得到哪里去。王八虽然已经做定了，可是我不能就此甘心呀；我要叫他们看看，王八也不是好欺侮的。（下）

第四幕

第一场　街道

【培琪太太、快嘴桂嫂及威廉上。

培琪太太　你想他现在是不是已经在福德家了？

桂嫂　这时候他一定已经去了，或者就要去了。可是他因为给人扔在河里，很生气哩。福德太太请您快点儿过去。

培琪太太　等我把这孩子送上学，我就去。瞧，他的先生来了，今天大概又是放假。

【爱文斯上。

培琪太太　啊，休师父！今天不上课吗？

爱文斯　不上课，斯兰德少爷放孩子们一天假。

桂嫂　真是个好人！

培琪太太　休师父，我丈夫说我儿子读书毫无长进。求你考他几道拉丁语语法问题吧。

爱文斯　来吧，威廉。抬起头，来。

培琪太太　来，孩子，抬起头，回老师话，别怕。

爱文斯　威廉，名词的数有几个？

威廉　两个。

桂嫂　说实话，我认为本来还要加一个数，因为他们常说“单数”。

爱文斯　你闭嘴！威廉，“漂亮”该怎么说？

威廉　基律。

桂嫂　妓女？比妓女更漂亮的东西有的是。

爱文斯　蠢女人，你闭嘴吧。威廉，“拉皮士”是什么？

威廉　石头。

爱文斯　“石头”是什么，威廉？

威廉　石块。

爱文斯　不，应该是“拉皮士”。你要把这个拉丁字记住。

威廉　拉皮士。

爱文斯　好，威廉真不赖。那么，作冠词用的词是些什么词？

威廉　冠词来源于代词，因此有变格，单数主格：西克、海克、霍克。

爱文斯　主格是：西格、哈格、火格；注意，所属格是“互汝斯”。好啦，你说什么是对格？

威廉　对格是：新克。

爱文斯　请你记住，孩子。对格是：浑格、汉格、火格。

桂嫂　没错儿。“火狗”就是拉丁语的“火腿”。

爱文斯　别插嘴，你这女人。呼格是什么，威廉？

威廉　呃——呼格，呃——

爱文斯　记住，威廉，呼格是卡罗勃。

桂嫂　萝卜只是一种根，挺好的。

爱文斯　你这女人，闭口！

培琪太太　安静！

爱文斯　威廉，复数属格是什么？

威廉　属格吗？

爱文斯　对呀。

威廉　属格是：霍鲁姆、哈鲁姆、霍鲁姆。

桂嫂　珍妮的人格？去她的珍妮！别提她的名字，孩子，她是一个妓女。

爱文斯　你这女人，不要脸。

桂嫂　你教给孩子这些字眼儿才是不要脸。瞧他教他去当“嫖客”、“喝客”，其实，你不教，他们自个儿也会很快学会，还教他“哄绿妹子”——呸！

爱文斯　你这女人疯了吗？你连你自己的“性”“数”“格”都弄不懂吗？你这基督徒，要多蠢，有多蠢。

培琪太太　请你安静些。

爱文斯　威廉，告诉我，代词的变格是哪几种？

威廉　哎呀，我已经忘了。

爱文斯　那是 qui，quae，quod，如果你忘了 qui's，quae's 和 quod's，我就打你的屁股。你现在玩去吧，去吧。

培琪太太　他比我原来想象的要用功一点。

爱文斯　他记性好，机灵。再见，培琪太太。

培琪太太　再见，休师父。（爱文斯下）孩子，你先回家去。来，我们已经耽搁得太久了。（同下）

第二场　福德家中一室

【福斯塔夫及福德太太上。

福斯塔夫　娘子，你的懊恼已经使我忘记了我身受的种种痛苦。你既然这样一片真心对待我，我也决不会有丝毫亏负你；我一定会加意奉承，格外讨好，管教你心满意足就是了。可是你相信你的丈夫这回一定不会再来了吗？

福德太太　好爵爷，他打鸟去了，一定不会早回来的。

培琪太太　（在内）喂！福德嫂子！喂！

福德太太　爵爷，您进去一下。（福斯塔夫下）

【培琪太太上。

培琪太太　啊，心肝！你屋子里还有什么人吗？

福德太太　没有，就是自己家里几个人。

培琪太太　真的吗？

福德太太　真的。（向培琪太太旁白）说响一点。

培琪太太　真的没有什么人，那我就放心啦。

福德太太　为什么？

培琪太太　为什么，我的奶奶，你那汉子的老毛病又发作啦。他正在那儿拉着我的丈夫，痛骂那些有妻子的男人，皂白不分地咒骂着天下所有的女人，还把拳头捏紧了敲着自己的额角。无论什么疯子狂人，比起他这种疯狂的样子来，都会变成顶文雅顶安静的人。那个胖骑士不在这儿，真是运气！

福德太太　怎么，他又说起他吗？

培琪太太　不说起他还说起谁？他发誓说上次他来搜他的时候，他是给装在篓子里扛出去的；他一口咬定说他现在就在这儿，一定要叫我的丈夫和同去的那班人停止了打鸟，陪着他再来试验一次他疑心得对不对。我真高兴那骑士不在这儿，这回他该明白他自己的傻气了。

福德太太　培琪嫂子，他离开这儿有多少远？

培琪太太　只有一点点路，就在街的底头，一会儿就来了。

福德太太　完了！那骑士正在这儿呢。

培琪太太　那么你的脸要丢尽，他的命也保不住啦。你真是个宝货！快打发他走吧！快打发他走吧！丢脸还是小事，弄出人命案子来可不是耍。

福德太太　叫他到哪儿去呢？我怎样把他送出去呢？还是把他装在篓子里吗？

【福斯塔夫重上。

福斯塔夫　不，我再也不躲在篓子里了。还是让我趁他没有来，赶快出去吧。

培琪太太　唉！福德的三个弟兄手里拿着枪，把守着门口，什么人都不让出去；否则你倒可以溜了出去的。可是你干什么又要到这儿来呢？

福斯塔夫　那么我怎么办呢？还是让我钻到烟囱里去吧。

福德太太　他们平常打鸟回来，鸟枪里剩下的子弹都是往烟囱里放的。

培琪太太　还是灶洞里倒可以躲一躲。

福斯塔夫　在什么地方？

福德太太　他一定会找到那个地方的。他已经把所有的柜啦、橱啦、板箱啦、皮箱啦、铁箱啦、井啦、地窖啦，以及诸如此类的地方，一起记在笔记簿上，只要照着目录一处处搜寻起来，总会把您搜到的。

福斯塔夫　那么我还是出去。

培琪太太　爵爷，您要是就这么一副尊容跑出去，那您休想活命。除非化装一下——

福德太太　我们把他怎样化装起来呢？

培琪太太　唉！我不知道。哪里找得到一身像他那样身材的女人衣服？否则叫他戴上一个帽子，披上一条围巾，头上罩一块布，也可以混了出去。

福斯塔夫　好心肝乖心肝，替我想想法子。只要安全无事，什么丢脸的事我都愿意干。

福德太太　我家女佣人的姑母，就是那个住在勃伦府的胖婆子，倒有一件罩衫在这儿楼上。

培琪太太　对了，那正好给他穿，她的身材是跟他一样大的；而且她的那顶粗呢帽和围巾也在这儿。爵爷，您快奔上去吧。

福德太太　去，去，好爵爷；让我跟培琪嫂子再给您找一方包头的布儿。

培琪太太　快点，快点！我们马上就来给您打扮，您先把那罩衫穿上再说。（福斯塔夫下）

福德太太　我希望我那汉子能够瞧见他扮成这个样子；他一见这个勃伦府的老婆子就眼中出火，他说她是个妖妇，不许她走进我们家里，说是一看见她就要打她。

培琪太太　但愿上天有眼，让他尝一尝你丈夫的棍棒的滋味！但愿那棍棒落在他身上的时候，有魔鬼附在你丈夫的手里！

福德太太　可是我那汉子真的就要来了吗？

培琪太太　真的，他还在说起那篓子呢，也不知道他哪里得来的消息。

福德太太　让我们再试他一下。我仍旧去叫我的仆人把那篓子抬到门口，让他看见，就像上一次一样。

培琪太太　可是他立刻就要来啦，还是先去把他装扮作那个勃伦府的巫婆吧。

福德太太　我先去吩咐我的仆人，叫他们把篓子预备好了。你先上去，我马上就把他的包头布带上来。（下）

培琪太太　该死的狗东西！这种人就是捉弄他一千次也不算罪过。

不要看我们一味胡闹，
这蠢猪是他自取其殃；
我们要告诉世人知道，
风流的娘儿们不一定轻狂。（下）

【福德太太率二仆人重上。

福德太太　你们再把那篓子抬出去；老爷快要到门口了，他要是叫你们放下来，你们就听他的话放下来。快点，马上就去。（下）

甲仆　来，来，把它抬起来。

乙仆　但愿这篓子里不要再装满了骑士才好。

甲仆　我也希望不再像前次一样；抬一篓铅都没有那么重哩。

【福德、培琪、夏禄、卡厄斯及爱文斯同上。

福德　不错，培琪老爷，可是要是真有这回事，您还有法子替我洗去污名吗？狗才，把这篓子放下；又有人来私会我的妻子了。哼，把年轻男人装在篓子里！你们这两个拉皮条的浑蛋！你们都是串通一气，狼狈为奸，合伙算计我。现在这一切阴谋诡计都要暴露无遗了。喂，我的太太，你出来！瞧瞧你给他们洗些什么好衣服！

培琪　这真太过分了！福德老爷，您要是再这样疯下去，我们真要把您铐起来了，免得闹出什么乱子来。

爱文斯　哎哟，这简直是发疯！像疯狗一样的发疯！

夏禄　真的，福德老爷，这真的有点儿不大好。

福德　我也是这样说哩——

【福德太太重上。

福德　过来，福德娘子，咱们这位贞洁的妇人，端庄的妻子，贤德的人儿，可惜嫁给了一个爱吃醋的傻瓜！娘子，是我无缘无故瞎起疑心吗？

福德太太　老天为证，你要是疑心我有什么不规矩的行为，那你的确太会多心了。

福德　说得好，不要脸的东西！你尽管嘴硬吧。过来，狗才！（翻出篓中衣服）

培琪　这真太过分了！

福德太太　你好意思吗？别去翻那衣服了。

福德　我就会把你的秘密揭破的。

爱文斯　这简直是岂有此理。还不把你妻子的衣服拿起来吗？去吧，去吧。

福德　把这篓子倒空了！

福德太太　为什么呀，傻子，为什么呀？

福德　培琪老爷，不瞒您说，昨天就有一个人装在这篓子里从我的家里抬出去，谁知道今天他不会仍旧在这里面？我相信他一定在我家里，我的消息是绝对可靠的，我的疑心是完全有根据的。给我把这些衣服一起拿出来。

福德太太　要是你在这里面找得出一个男人来，那就把他当虱子掐死好了。

培琪　里边没人。

夏禄　福德老爷，这真的太不成话了，真的太不成话了。

爱文斯　福德老爷，您应该常常祷告，不要随着自己的心一味胡思乱想；吃醋也没有这样吃法的。

福德　好，他没有躲在这里面。

培琪　除了在您自己脑子里以外，您根本就找不到这样一个人。（二仆人将篓抬下）

福德　帮我再把我的屋子搜一次，要是再找不到我所要找的人，你们尽管把我嘲笑得体无完肤好了；让我永远做你们餐席上谈笑的资料，要是人家提起吃醋的男人来，就把我当作一个现成的例子，因为我会在一枚空的核桃壳里找寻妻子的情人。请你们再帮我这一次忙，跟我搜一下，好让我死了心。

福德太太　喂，培琪娘子！您陪着那位老太太下来吧，我的丈夫要上楼来了。

福德　老太太！哪里来的老太太？

福德太太　就是我家女仆的姑妈，住在勃伦府的那个老婆子。

福德　哼，这妖妇，这贼老婆子！我不是不许她走进我的屋子里吗？她又是给什么人带信来的，是不是？我们都是头脑简单的人，不懂得求神问卜这些玩意儿，什么画符、念咒、起课这一类鬼把戏，我们全不懂得。快给我滚下来，你这妖妇，鬼老太婆！滚下来！

福德太太　不，我的好老爷！列位老爷，别让他打这可怜的老婆子。

【培琪太太偕福斯塔夫女装重上。

培琪太太　来，老婆婆，来，搀着我的手。

福德　（打福斯塔夫）滚出去，你这妖妇，你这贱货，你这臭猫，你这鬼老太婆！滚出去！滚出去！（福斯塔夫下）

培琪太太　你羞不羞？这可怜的妇人差不多给你打死了。

福德太太　欺负一个苦老太婆，真有你的！

福德　该死的妖妇！

爱文斯　我想这妇人的确是一个妖妇；我不喜欢有胡须的女人，我看见她的围巾下面露出几根胡须呢。

福德　列位，请你们跟我来好不好？看看我究竟是不是瞎起疑心。要是我完全无理取闹，请你们以后再不要相信我的话。

培琪　咱们就再顺顺他的意思吧。各位，大家来。（福德、培琪、夏禄、卡厄斯、爱文斯同下）

培琪太太　他把他打得真可怜。

福德太太　这一顿打才打得痛快呢。

培琪太太　我想把那棒儿放在祭坛上供奉起来，它今天立下了很大的功劳。

福德太太　我倒有一个意思，不知道你以为怎样，我们横竖名节无亏，问心无愧，索性一不做，二不休，再把他捉弄一番好不好？

培琪太太　他吃过了这两次苦头，一定把他的色胆都吓破了；除非魔鬼盘踞在他心里，大概他不会再来冒犯我们了。

福德太太　我们要不要把我们怎样捉弄他的情形告诉我们的丈夫知道？

培琪太太　很好，这样也可以点破你那汉子的疑心。要是他们认为这个荒唐的胖骑士还有应加惩处的必要，那么仍旧可以委托我们全权办理的。

福德太太　我想他们一定要让他当着众人出一次丑；我们这一个笑话也一定要这样才可以告一段落。

培琪太太　好，那么我们就去商量办法吧；我的脾气是想到就做，不让事情搁冷下去。（同下）

第三场　嘉德饭店中的一室

【店主及巴道夫上。

巴道夫　老板，那几个德国人要问您借三匹马；公爵明天要上朝来了，他们要去迎接他。

店主　什么公爵来得这样秘密？我不曾在宫廷里听见人家说起。让我去跟那几个客人谈谈。他们说英语吗？

巴道夫　好，我去叫他们来。

店主　马是可以借给他们，可是我不能让他们白骑，世上没有这样便宜的事情。他们已经住了我的屋子一个星期了，我已经为了他们回绝了多少别的客人。我可不能跟他们客气，这笔损失是一定要叫他们赔偿的。来。（同下）

第四场　福德家中一室

【培琪、福德、培琪太太、福德太太及爱文斯同上。

爱文斯　女人家有这样的心思，难得难得！

培琪　他是同时寄信给你们两个人的吗？

培琪太太　我们在一刻钟内同时接到。

福德　娘子，请你原谅我。从此以后，你爱做什么就做什么，我宁愿疑心太阳失去了热力，也不愿疑心你有不贞的行为。你已经使一个对于你的贤德缺少信心的人，变成你的一个忠实的信徒了。

培琪　好了，好了，别说下去了。太冒冒失失固然不好，低三下四也是不对的。我们还是来商量计策吧。为了开开心，让我们的妻子再跟这个胖老头子约好一个时间，到了那时候，我们就去捉住他，把他羞辱一顿。

福德　她们刚才说起的那个办法，再好没有了。

培琪　怎么？约他在半夜里到公园里去相会吗？嘿！他再也不会来的。

爱文斯　你们说他已经给丢在河里，还给人当作一个老婆子痛打了一顿，我想他一定吓怕了不会再来了。他的肉体已经受到责罚，他一定不敢再起欲念了。

培琪　我也是这样想。

福德太太　你们只要商量商量等他来了怎样对付他，我们两人自会想法子叫他来的。

培琪太太　有一个古老的传说，说是曾经在这儿温莎地方做过管林人的猎夫赫恩，常常在冬天的深夜里鬼魂出现，绕着一株橡树兜圈子，头上还长着又粗又大的角，手里摇着一串链条，发出怕人的声响；他一出来，树木就要枯黄，牲畜就要害病，乳牛的乳汁会变成血液。这一个传说从前代那些迷信的人们嘴里传下来，就好像真有这回事的一样，我想你们各位也都听见过的。

培琪　是呀，有许多人不敢在深夜里经过这株赫恩的橡树呢。可是你为什么要提起它呢？

福德太太　这就是我们的计策：我们要叫福斯塔夫头上装了两只大角，扮作赫恩的样子，在那橡树的旁边等着我们。

培琪　好，就算他听你们的，这样打扮着来了，你们预备把他怎么办呢？

培琪太太　那我们也已经想好了：我们先叫我的女儿安和我的小儿子，还有三四个跟他们差不多大小的孩子，大家打扮作一队精灵的样子，穿着绿色的和白色的衣服，各人头上戴着一圈蜡烛，手里拿着响铃，埋伏在树旁的土坑里，等福斯塔夫跟我们相会的时候，他们就一拥而出，嘴里唱着各色各种的歌儿；我们一看见他们出来，就假装吃惊逃走了，然后让他们把他团团围住，把这龌龊的骑士你拧一把，我刺一下，还要质问他为什么在这仙人们游戏的时候，胆敢装扮作那种秽恶的形状，闯进神圣的地方来。

福德太太　这些假扮的精灵们要把他拧得遍体鳞伤，还用蜡烛烫他的皮肤，直等他招认一切为止。

培琪太太　等他招认以后，我们大家就一起出来，拔下他的角，把他一路取笑着回到温莎。

福德　孩子们倒要叫他们练习得熟一点，否则会露出破绽来的。

爱文斯　我可以教这些孩儿们怎样做；我自己也要扮作一个猴儿崽子，用蜡烛去烫这骑士哩。

福德　那好极啦。我去替他们买些面具来。

培琪太太　我的小安要扮作一个仙后，穿着很漂亮的白袍子。

培琪　我去买缎子来给她做衣服。（*旁白*）到了那个时候，我可以叫斯兰德把安偷走，到伊登去跟她结婚。——你们马上就派人到福斯塔夫那里去吧。

福德　不，我还要用白罗克的名字去见他一次，他会把什么话都告诉我。他一定会来的。

培琪太太　不怕他不来。我们这些精灵们的一切应用的东西和饰物，也该赶快预备起来了。

爱文斯　我们赶紧办吧。这真是好玩极了，而且也是光明正大的恶作剧。（培琪、福德、爱文斯同下）

培琪太太　福德嫂子，你就去找桂嫂，叫他到福斯塔夫那里去，探探他的意思。（福德太太下）我现在要到卡厄斯大夫那边去，他是我中意的人，除了他谁也不能娶我的小安。那个斯兰德虽然有家私，却是一个呆子，我的丈夫偏偏喜欢他。这医生又有钱，他的朋友在宫廷里又有势力，只有他才配做她的丈夫，即使有两万个更了不得的人来向她求婚，我也不给他们。（下）

第五场　嘉德饭店中的一室

【店主及辛普儿上。

店主　你要干什么，乡下佬，蠢东西？说吧，讲吧，简、短、快、猛。

辛普儿　呃，老板，我是斯兰德少爷叫我来跟约翰·福斯塔夫爵士说话的。

店主　那边就是他的房间，他的公馆，他的床铺，你瞧门上新画着浪子回家故事的就是。你去敲敲门，喊他一声，他就会跟你胡说八道。

辛普儿　刚才有一个胖大的老妇人跑进他的房间里去，请您让我在这儿等她下来吧；我本来是要跟她说话的。

店主　哈！一个胖女人！福斯塔夫八成儿挨偷了。让我叫他一声。喂，骑士！好爵爷！你在房间里吗？使劲儿回答我，你的店主东——你的老伙计在叫你哪。

福斯塔夫　（在上）什么事，老板？

店主　这儿有一个蛮子等着你的胖婆娘下来。叫她下来，好家伙，叫她下来；我的屋子是干干净净的，不能让你们干那种背地里干的勾当。哼，不要脸！

【福斯塔夫上。

福斯塔夫　老板，刚才是有一个胖老婆子在我这儿，可是现在她已经走了。

辛普儿　请问一声，爵爷，她就是勃伦府那个算命的女人吗？

福斯塔夫　对啦，螺蛳精；你问她干什么？

辛普儿　爵爷，我家主人斯兰德少爷因为瞧见她在街上走过，所以叫我来问问她，他有一串链条给一个叫作尼姆的骗去了，不知道那链条还在不在那尼姆的手里。

福斯塔夫　我已经跟那老婆子讲起过这件事了。

辛普儿　请问爵爷，她怎么说呢？

福斯塔夫　呃，她说，那个从斯兰德手里把那链条骗去的人，就是偷他链条的人。

辛普儿　我希望我能够当面跟她谈谈；我家少爷还叫我问她其他事情哩。

福斯塔夫　什么事情？说出来听听看。

店主　对了，快说。

辛普儿　爵爷，我家少爷吩咐我要保守秘密呢。

店主　你要是不说出来，就叫你死。

辛普儿　啊，实在没有什么事情，不过是关于培琪家小姐的事情，我家少爷叫我来问问看他命里能不能娶她做妻子。

福斯塔夫　那可要看他的命运怎样了。

辛普儿　您怎么说？

福斯塔夫　娶得到也是他的命，娶不到也是他的命。你回去告诉主人，就说那老妇人这样对我说的。

辛普儿　我可以这样告诉他吗？

福斯塔夫　是的，阁下，你尽管这样说好了。

辛普儿　多谢爵爷；我家少爷听见了这样的消息，一定会十分高兴的。（下）

店主　你真聪明，爵爷，你真聪明。真的有一个算命的婆子在你房间里吗？

福斯塔夫　是的，老板，她刚才还在我这儿。她教给我许多我一生从来没有学过的智慧，我不但没有花半个钱学费，而且反而她要给我酬劳呢。

【巴道夫上。

巴道夫　哎哟，老板，不好了！又是骗子，净是些骗子！

店主　我的马儿呢？蠢奴才，好好儿对我说。

巴道夫　都跟着那些骗子们跑掉啦。一过了伊登，他们就把我从马上推下来，把我掼在一个烂泥潭里，他们就像三个德国鬼子似的，策马加鞭，飞也似的去了。

店主　狗才，他们是去迎接公爵的。别说他们逃走，德国人都是规规矩矩的。

【爱文斯上。

爱文斯　老板在哪儿？

店主　师父，什么事？

爱文斯　留心你的客人。我有一个朋友到城里来，他告诉我有三个德国骗子，一路上骗人家的马匹金钱；里亭、梅登海、科白路，各家旅店，都上了他们的当。我是一片好心来通知你，因为你是个很乖巧的人，专爱寻人家的开心，要是你居然也被人家骗了，那就实在有点不对劲儿了。再见。（下）

【卡厄斯上。

卡厄斯　店主东呢？

店主　卡厄斯大夫，我正在这儿心乱如麻呢。

卡厄斯　我不懂你的意思，可是人家告诉我，你正在准备着隆重招待一个德国的公爵，可是我不骗你，我在宫廷里就不知道有什么公爵要来。我是一片好心来通知你。再见。（下）

店主　狗才，快去喊人来捉贼去！骑士，帮帮我，我这回可完了！快跑，捉贼！完了！完了！（店主及巴道夫下）

福斯塔夫　我但愿全世界的人都受骗，因为我自己也受了骗，而且还挨了打。要是宫廷里的人听见了我怎样一次次地化身，给人当衣服洗，用棍子打，他们一定会把我身上的油一滴一滴挤下来，去擦渔夫的靴子；他们一定会用俏皮话儿把我挖苦得像一个干瘪的梨儿一样丧气。自从那一次赖了赌债以后，我一直交着坏运。好，要是我在临终以前还来得及念祷告，我一定要忏悔。

【快嘴桂嫂上。

福斯塔夫　啊，又是谁叫你来的？

桂嫂　除了那两个人还有谁！

福斯塔夫　让魔鬼跟他的老娘把那两个人抓了去吧！我已经为了她们的缘故吃过多少苦！男人本来是容易变心的，谁受得了这样的欺负？

桂嫂　您以为她们没有吃苦吗？说来才叫人伤心哪，尤其是那位福德家娘子，天可怜见，给她的汉子打得身上青一块紫一块的，简直找不出一处白净的地方。

福斯塔夫　什么青一块紫一块的，我自己还浑身挂彩呢。我还险险乎给他们当作勃伦府的妖妇抓了去。要不是我急中生智，把一个老太婆的行动装扮得活灵活现，我早已给浑蛋官差们锁上脚铐，办我一个妖言惑众的罪名了。

桂嫂　爵爷，让我到您房间里去跟您说话，您就会明白一切，而且包在我身上，一定会叫您满意的。这儿有一封信，您看了就知道了。天哪！把你们拉拢在一起，真麻烦死人！你们中间一定有谁得罪了上天，所以才这样好事多磨的。

福斯塔夫　那么你跟我上楼，到我房间里来吧。（同下）

第六场　嘉德饭店中的另一室

【范顿及店主上。

店主　范顿老爷，别跟我说话，我心里憋气，想索性这门生意也不要做了。

范顿　可是你听我说。我要你帮我做一件事，事成之后，我不但赔偿你的全部损失，而且还愿意送给你黄金百镑，作为酬谢。

店主　好，范顿老爷，您说吧。我不知道我能不能帮您的忙，可是至少我不会泄露秘密。

范顿　我曾经屡次告诉你我对于培琪家安小姐的深切的爱情；她对我也已经表示默许了，要是她自己做得了主，我一定可以如愿以偿的。刚才我收到了她一封信，信里所说起的趣事儿，你要是知道了，一定会拍手称奇。而且这桩趣事跟本人的事大有干系，要弄清原委，就得两件事都说一说。那个胖子福斯塔夫这回有好看的了。关于这大玩笑的头头尾尾，且听我一一道来。（指信）听着，我的好老板，今夜十二点钟到一点钟之间，在赫恩橡树的近旁，我的亲爱的小安要扮成仙后的样子，为什么要这样打扮，这儿写得很明白。她父亲叫她趁着大家开玩笑开得乱哄哄的时候，跟斯兰德悄悄儿溜到伊登去结婚，她已经答应他了。可是她母亲是竭力反对她嫁给斯兰德，而决意把她嫁给卡厄斯的，她也已经约好那个医生，叫他也趁着人家忙得不留心的时候，用同样的方式把她带到教长家里去，请一个牧师替他们立刻成婚；她对于她母亲的这个计策，也已经假装服从的样子，答应了那医生了。他们的计划是这样的：她的父亲要她全身穿着白的衣服，以便识认，斯兰德看准了时机，就搀着她的手，叫她跟着走，她就跟着他走；她的母亲为了让那医生容易辨认起见——因为大家都是戴着面具的——却叫她穿着宽大的浅绿色的袍子，头上系着飘扬的丝带，那医生一看有了下手的机会，便上去把她的手捏一把，这一个暗号便是叫她跟着他走的。

店主　她预备欺骗她的父亲呢，还是欺骗她的母亲？

范顿　我的好老板，她要把他们两人一起骗了，跟我一块儿溜走。所以我要请你费心去替我找一个牧师，十二点钟到一点钟之间在教堂里等着我，为我们举行正式的婚礼。

店主　好，您去实行您的计划吧，我一定给您找牧师去。只要把那位姑娘带来，牧师是不成问题的。

范顿　多谢多谢，我一定永远记住你的恩德，而且我马上就会报答你的。（同下）

第五幕

第一场　嘉德饭店中的一室

【福斯塔夫及快嘴桂嫂上。

福斯塔夫　请你别再啰里啰唆了，去吧，我一定不失约就是了。这已经是第三次啦，我希望单数是吉利的。去吧，人家说单数具有影响生死机缘的魔力呢！去吧！

桂嫂　我去给您弄一根链条来，再去设法找一对角来。

福斯塔夫　好，去吧，别耽搁时间了。抬起你的头来，扭扭屁股走吧。（桂嫂下）

【福德化装上。

福斯塔夫　啊，白罗克老爷！白罗克老爷，事情成功不成功，今天晚上就可以知道。请您在半夜时候，到赫恩橡树那儿去，就可以看见新鲜的事儿。

福德　您昨天不是对我说过，要到她那儿去赴约吗？

福斯塔夫　白罗克老爷，我昨天到她家里去的时候，正像您现在看见我一样，是个可怜的老头儿；可是白罗克老爷，我从她家里出来的时候，却变成一个苦命的老婆子了。白罗克老爷，她的丈夫，福德那个浑蛋，简直是个吃醋鬼投胎。他欺我是个女人，把我没头没脑一顿打；可是，白罗克老爷，要是我穿着男人的衣服，别说他是个福德，就算他是个身长丈二的天神，拿着一根千斤重的梁柱向我打来，我也不怕他。我现在还有要事，请您跟我一路走吧，白罗克老爷，我可以把一切的事情完全告诉您。自从我小时候偷鹅、赖学、抽陀螺挨打以后，直到现在才重新尝到挨打的滋味。跟我来，我要告诉您关于福德这个浑蛋的古怪事儿；今天晚上我就可以向他报复，我一定会把他的妻子送到您的手里。跟我来，白罗克老爷，您就有好戏看了！跟我来。（同下）

第二场　温莎公园

【培琪、夏禄、斯兰德同上。

培琪　来，来，咱们就躲在这座古堡的壕沟里，等精灵们的火光出现以后再出来。斯兰德贤婿，记着我的女儿。

斯兰德　好，一定记着；我已经跟她当面谈过，约好了用什么口号互相通知。我看见她穿着白衣服，就上去对她说“呣”，她就回答我“嘘”，这样我们就不会认错啦。

夏禄　那也好，可是何必嚷什么“呣”哩，什么“嘘”哩，你只要看定了穿白衣服的人就行啦。钟已经敲十点了。

培琪　天黑沉沉的，精灵和火光在这时候出现，再好没有了。愿上天保佑我们的游戏成功！除了魔鬼以外，谁都没有恶意；我们只要看谁的头上有角，就知道他是魔鬼。去吧，大家跟我来。（同下）

第三场　温莎街道

【培琪太太、福德太太、卡厄斯同上。

培琪太太　大夫，我的女儿穿绿衣服；您看见时机到了，便过去搀着她的手，带她到教长家里去，赶快把事情办了。现在您一个人先到公园里去，我们两个人是要一块儿去的。

卡厄斯　我知道我应当怎么办。再见。

培琪太太　再见，大夫。（卡厄斯下）我的丈夫把福斯塔夫羞辱过了以后，知道这医生已经跟我的女儿结婚，一定会把一场高兴化作满腔怒火的；可是管他呢，与其将来使我心碎，宁可眼前受他一顿骂。

福德太太　小安和她的一队精灵现在在什么地方？还有那个威尔士鬼子休牧师呢？

培琪太太　他们都把灯遮得暗暗的，躲在赫恩橡树近旁的一个土坑里，一等到福斯塔夫跟我们会见的时候，他们就立刻在黑夜里出现。

福德太太　那一定会叫他大吃一惊的。

培琪太太　要是吓不倒他，我们也要把他讥笑一番；要是他果然吓倒了，我们还是要讥笑他的。

福德太太　咱们这回不怕他不上圈套。

培琪太太　像他这种淫棍，教训教训他也是好事。

福德太太　时间快到啦，到橡树底下去，到橡树底下去！（同下）

第四场　温莎公园

【*爱文斯化装率扮演精灵的一群人上。*

爱文斯　跑，跑，精灵们，来，别忘了你们各人该扮什么角色。大家放大胆子，跟着我进这土坑，等我一发号令，就照我的吩咐做。来，来，跑，跑。（同下）

第五场　公园中的另一部分

【福斯塔夫顶牡鹿头扮赫恩上。

福斯塔夫　温莎的钟已经敲了十二点，时间快要到了。好色的天神们，照顾照顾我吧！记着，乔武大神[①]，你曾经为了你的爱人欧罗巴的缘故，化身为一头公牛，爱情使你头上生角。强力的爱啊！它会使畜生变成人类，也会使人类变成畜生。而且，乔武大神，你为了你心爱的勒达，还化身为天鹅呢。万能的爱啊！你差一点把天神的尊容变得像一只蠢鹅！既然天神们也都是这样贪淫，我们可怜的凡人又有什么办法呢？至于讲到我，那么我是这温莎地方的一匹雄鹿；在这树林子里，也可以算得上顶胖的了。乔武大神呵，让我凉凉快快地过一个性骚动期吧，我不过是排泄些多余油脂罢了，这有什么过错呢？谁来啦？我的母鹿吗？

【福德太太及培琪太太上。

福德太太　爵爷，你在这儿吗？我的鹿，我的公鹿？

福斯塔夫　我的黑尾巴的母鹿！让天上落下煽起情欲的马铃薯般大的雨点来吧，让它大锣大鼓地响起雷鸣般的情歌吧，让糖梅子、壮阳草冰雹般掉下来吧。让我的情欲如山洪暴发，而你的酥胸就是我避难之所。（拥抱福德太太）

福德太太　培琪太太也跟我一起来呢，好人儿。

福斯塔夫　那么你们把我切开来，各人分一条大腿去，留下两块肋条肉给我自己，肩膀肉赏给那看园子的，还有这两只角，送给你们的丈夫做个纪念品吧。哈哈！你们瞧我像不像猎人赫恩？丘比特是个有良心的孩子，现在他让我尝到甜头了。我用鬼魂的名义欢迎你们！（内喧声）

培琪太太　哎哟！什么声音？

---

① 乔武大神，古希腊罗马神话中的主神，又名朱庇特。他曾化为白色公牛掳走美女欧罗巴，又曾化为天鹅掳走美女勒达。

福德太太　天老爷饶恕我们的罪过吧！

福斯塔夫　又是什么事情？

福德太太、培琪太太　快逃！快逃！（二人奔下）

福斯塔夫　我想多半是魔鬼不愿意让我下地狱，因为我身上的油太多啦，恐怕在地狱里惹起一场大火来，否则他不会这样一次一次地跟我捣蛋。

【爱文斯乔装林神萨特，毕斯托尔扮小妖，安·培琪扮仙后，培琪、威廉及若干儿童各扮精灵侍从，头插小蜡烛同上。

安·培琪　黑的、灰的、绿的、白的精灵们，
月光下的狂欢者，黑夜里的幽魂，
你们是没有父母的造化的儿女，
不要忘记了你们各人的职务。
传令的小妖，替我向众精灵宣告。

毕斯托尔　众精灵，静听召唤，不许喧吵！
蟋蟀儿，你去跳进人家的烟囱，
看他们炉里的灰屑有没有扫空；
我们的仙后最恨贪懒的婢子，
看见了就把她拧得浑身青紫。

福斯塔夫　他们都是些精灵，谁要是跟他们说话，就不得活命；让我闭上眼睛躲起来吧，神仙们的事情是不许凡人窥看的。（俯伏地上）

爱文斯　比德在哪里？你去看有谁家的姑娘，
念了三遍祈祷方才睡上眠床，
你就悄悄儿替她把妄想收束，
让她睡得像婴儿一样甜熟；
谁要是临睡前不思量自己的过处，
你要叫他们腰麻背疼，手脚酸楚。

安·培琪　去，去，小精灵！把温莎古堡内外搜寻：
每一间神圣的华堂散播着幸运，
让它巍然卓立，永无毁损，
祝福它宅基巩固，门户长新，

辉煌的大厦恰称着贤德的主人！
每一张尊严的宝座用心扫洗，
洒满了祓邪除垢的鲜花香水，
祝福那纹椽绣瓦，画栋雕梁，
千秋万岁永远照耀着荣光！
每夜每夜你们手挽手在草地上，
拉成一个圆圈儿跳舞歌唱，
清晨的草上留下你们的足迹，
一团团葱翠新绿的颜色；
再用青紫粉白的各色鲜花，
写下了天书仙语，“清心去邪”，
像一簇簇五彩缤纷的珠玉，
草地是神仙的纸，花是神仙的符箓。
去，去，往东的向东，往西的向西！
等到钟鸣一下，可不要忘了，
我们还要绕着赫恩橡树舞蹈。

爱文斯　大家排着队，大家手牵手，
二十个萤火虫给我们点亮灯笼，
照着我们树荫下舞影憧憧。
且慢！哪里来的生人气？

福斯塔夫　天老爷保佑我不要给那个威尔士老怪瞧见，他会叫我变成一块干酪哩！

毕斯托尔　坏东西！你是个天生的孽种。

安·培琪　让我用炼狱火把他指尖灼烫，看他的心地是纯洁还是肮脏：
他要是心无污秽火不能伤，哀号呼痛的一定居心不良。

毕斯托尔　来，试一试！

爱文斯　来，看这木头怕不怕火熏。（众以烛烫福斯塔夫）

福斯塔夫　啊！啊！啊！

安·培琪　坏透，坏透，这家伙淫毒攻心！

精灵们，唱个歌儿取笑他；

围着他窜窜跳跳，拧得他遍体酸麻。

（歌）

哼，罪恶的妄想！

哼，淫欲的孽障！

淫欲是一把血火，

不洁的邪念把它点亮，

痴心扇着它的火焰，

妄想把它愈吹愈旺。

精灵们拧着他，

不要把恶人宽赦；

拧他，烧他，拖着他团团转，

直等星月烛光一齐黑暗。

【精灵等一面唱歌，一面拧福斯塔夫。卡厄斯自一旁上，将一穿绿衣之精灵偷走；斯兰德自另一旁上，将一穿白衣之精灵偷走；范顿上，将安·培琪偷走。内猎人号角、犬吠声，众精灵纷纷散去。福斯塔夫扯下鹿头起立。培琪、福德、培琪太太、福德太太同上，将福斯塔夫捉住。

培琪　哎，别逃呀，现在您可给我们瞧见啦！难道您只好扮扮猎人赫恩吗？

培琪太太　好了好了，咱们不用尽向他开玩笑啦。好爵爷，您现在喜不喜欢温莎的娘儿们？

福德　爵爷，现在究竟谁是个大王八？白罗克老爷，福斯塔夫是个浑蛋，是个混账王八蛋；瞧他的头上还出着角哩，白罗克老爷！白罗克老爷，他从姓福德的那里什么好处也没有到手，只得到一只洗衣服的篓子、一顿棒儿，还有二十镑钱，那笔钱是要向他追还的，白罗克老爷，我已经把他的马扣留起来做抵押了，白罗克老爷。

福德太太　爵爷，只怪我们运气不好，没有缘分，总是好事多磨。以后我再不把您当作我的情人了，可是我会永远记着您是我的公鹿。

福斯塔夫　我现在才明白我给你们愚弄啦。

福德　岂止蠢驴，还是笨牛呢，这都是一目了然的事。

福斯塔夫　原来这些都不是精灵吗？我曾经三四次疑心他们不是什么精灵，可是一则因为我自己做贼心虚，二则因为突如其来的怪事，把我吓昏了头，所以会把这种破绽百出的骗局当作真实，虽然荒谬得不近情理，也会使我深信不疑。可见一个人如果居心不良，虽有天大的聪明，也会受人愚弄的。

爱文斯　福斯塔夫爵士，您只要敬奉上帝，去除欲念，精灵们就不会来拧您的。

福德　说得有理，休大仙。

爱文斯　还有您的嫉妒心也要除掉了才好。

福德　我以后再不疑心我的妻子了，除非你有本事说地道的英语来勾引她。

福斯塔夫　难道我已经把我的脑子剜出来放在太阳里晒干了，所以连这样明显的骗局也看不出来吗？难道一只威尔士的老山羊都会捉弄我？难道我真要戴威尔士布做的傻瓜帽子不成？这一回我差点给一块烤干酪噎死了。

爱文斯　考考酪是不会流溜油的，你肚子里可全是溜油呵。

福斯塔夫　考考酪！溜油！我这把年纪了，难道还要受这个只能说半吊子英语的家伙嘲笑么？罢了！罢了！这也算是我贪欢好色的下场！

培琪太太　爵爷，我们虽然愿意把那些三从四德的道理一脚踢得远远的，为了寻欢作乐，甘心死后落地狱，可是什么鬼附在您身上，叫您相信我们会喜欢您呢？

福德　像你这样的一只杂碎香肠？一只破口袋？

培琪太太　一具水泡胀了的浮尸？

培琪　又老，又冷，又干枯，再加上一肚子的烂肚肠？

福德　像魔鬼一样到处造谣生事？

培琪　一个穷光蛋的孤老头子？

福德　像个泼老太婆一样千刁万恶？

爱文斯　一味花天酒地，玩玩女人，喝喝老酒，喝醉了酒白瞪着眼睛骂人吵架？

福斯塔夫　好，你们由着性儿骂吧。算我晦气落在你们手里，我也懒得跟这头威尔士山羊斗嘴了。无论哪个无知无识的傻瓜都可以欺负我，悉听你们把我怎样处置吧。

福德　好，爵爷，我们要带您去看一位白罗克老爷，您骗了他的钱，却没有替他把事情办好；您现在已经吃过不少苦了，要是再叫您把那笔钱还出来，我想您一定会万分心痛的吧？

培琪　骑士，不要懊恼，今天晚上请你到我家里来喝杯酒儿，我的妻子刚才把你取笑，等会儿我也要请你陪我把她取笑取笑，告诉她，斯兰德已经跟她的女儿结了婚啦。

培琪太太　（旁白）医生们，不要信他胡说。要是安·培琪是我的女儿，那么这个时候他已经做了卡厄斯大夫的太太啦。

【斯兰德上。

斯兰德　哎哟！哎哟！岳父大人，不好了！

培琪　怎么，怎么，贤婿，你已经把事情办好了吗？

斯兰德　办好了！哼，我要让葛罗斯特州人知道这件事；否则还是让你们把我吊死了吧！

培琪　什么事呀，贤婿？

斯兰德　我到了伊登那边去本来是要跟安·培琪小姐结婚，谁知道她是一个又长又大笨头笨脑的男孩子。倘不是在教堂里，我一定要把他揍一顿，说不定他也要把我揍一顿。我还以为他真的就是安·培琪哩——真是瞎折腾了一场，原来他是驿站长的儿子。

培琪　那么一定是你看错了人啦。

斯兰德　那还用说吗？我把一个男孩子当作女孩子，当然是看错了人啦。要是我真的跟他结了婚，虽然他穿着女人的衣服，我是不要他的。

培琪　这是你自己太笨的缘故。我不是告诉你怎样从衣服上认出我的女儿来吗？

斯兰德　我看见她穿着白衣服，便上去喊一声“呣”，她答应我一声“嘘”，正像安跟我预先约好的一样；谁知道他不是安·培琪，却是驿站长的儿子。

爱文斯　耶稣基督！斯兰德少爷，难道您生着眼睛不会看，竟会去跟一个男孩子结婚吗？

培琪　我心里乱得很，怎么办呢？

培琪太太　好官人，别生气，我因为知道了你的计划，所以叫女儿改穿绿衣服；不瞒你说，她现在已经跟卡厄斯医生一同到了教长家里，在那儿举行婚礼啦。

【卡厄斯上。

卡厄斯　培琪太太呢？哼，我上了人家的当啦！我跟一个男孩子结了婚，一个农夫，一个男孩，不是安·培琪。我上了当啦！

培琪太太　怎么，你不是看见她穿着绿的衣服吗？

卡厄斯　是的，可是那是个男孩子。我一定要叫全温莎的人评个理去。（下）

福德　这可奇了。谁把真的安·培琪带了去呢？

培琪太太　我心里怪不安的。范顿老爷来了。

【范顿及安·培琪上。

培琪太太　啊，范顿老爷！

安·培琪　好爸爸，原谅我！好妈妈，原谅我！

培琪　小姐，你怎么不跟斯兰德少爷一块儿去。

培琪太太　姑娘，你怎么不跟卡厄斯大夫一块儿去？

范顿　你们不要吓坏了她，让我把实在的情形告诉你们吧。你们用可耻的手段，想叫她嫁给她所不爱的人；可是她跟我两个人久已心心相许，到了现在，更觉得什么都不能把我们两人拆开。她所犯的过失是神圣的，我们虽然欺骗了你们，却不能说是不正当的诡计，更不是忤逆不孝，因为她要避免强迫婚姻下的无数不幸的日子，这是唯一的办法。

福德　木已成舟，培琪老爷您也不必发呆啦。在恋爱的事情上，都是上天亲自安排好的。金钱可以买田地，娶妻只能靠运气。

福斯塔夫　我很高兴，我给你们算计了去，你们的箭却也会发而不中。

培琪　算了，有什么办法呢？——范顿，愿上天给你快乐！拗不过来的事情，也只好将就着过去。

福斯塔夫　晚上出来的狗，什么鹿子都追。

培琪太太　好，我也不再想这样想那样了。范顿老爷，愿上天给您许多许多快乐的日子！官人，我们大家回家去，在火炉旁边把今天的趣事儿笑谈一番吧。约翰爵士和诸位，都请吧。

福德　很好。爵爷，您对白罗克并没有失信，因为他今天晚上真的要去陪福德太太一起睡觉啦。（同下）

第十二夜

Twelfth Night

剧中人物

奥西诺　伊利里业公爵

西巴斯辛　薇奥拉之兄

安东尼奥　船长，西巴斯辛之友

另一船长　薇奥拉之友

凡伦丁
丘里奥　}公爵侍臣

托比·培尔契爵士　奥丽维娅的叔父

安德鲁·艾古契克爵士

马伏里奥　奥丽维娅的管家

费　边

费斯特　小丑 奥丽维娅之仆

奥丽维娅　富有的伯爵小姐

薇奥拉　热恋公爵者

玛利娅　奥丽维娅的侍女

群臣、牧师、水手、警吏、乐工及其他侍从等

地点

伊利里亚某城及其附近海滨

第一幕

第一场　公爵府中一室

【公爵、丘里奥、众臣同上；乐工随侍。

公爵　假如音乐是爱情的食粮，那么奏下去吧；尽量地奏下去，好让爱情因过饱噎塞而死。又奏起这个调子来了！它有一种渐渐消沉下去的节奏。啊！它经过我的耳畔，就像微风吹拂一丛紫罗兰，发出轻柔的声音，一面把花香偷走，一面又把花香分送。够了！别再奏下去了！它现在已经不像原来那样甜蜜了。爱情的精灵呀！你是多么敏感而活泼；虽然你有海一样的容量，可是无论怎样高贵超越的事物，一进了你的范围，便会在顷刻间失去了它的价值。爱情是这样充满了意象，在一切事物中是最富于幻想的。

丘里奥　殿下，您要不要去打猎？

公爵　什么，丘里奥？

丘里奥　去打鹿。

公爵　啊，一点不错，我的心就像是一头鹿。唉！当我第一眼瞧见奥丽维娅的时候，我觉得好像空气给她澄清了。那时我就变成了一头鹿；从此我的情欲像凶暴残酷的猎犬一样，永远追逐着我。

凡伦丁上。

公爵　怎样！她那边有什么消息？

凡伦丁　启禀殿下，他们不让我进去，只从她的侍女嘴里传来了这一个答复：除非再过七个寒暑，就是青天也不能窥见她的全貌；她要像一个尼姑一样，蒙着面幕而行，每天用辛酸的眼泪浇洒她的卧室：这一切都是为着纪念对于一个死去的哥哥的爱，她要把对哥哥的爱永远活生生地保留在她悲伤的记忆里。

公爵　唉！她有这么一颗优美的心，对于她的哥哥也会挚爱到这等地步。假如爱神那枝有力的金箭把她心里一切其他的感情一齐射死；假如只有一个唯一的君王占据着她的心肝头脑——这些尊严的御座，这些珍美的财宝——那时她将要怎样恋爱着啊！

给我引道到芬芳的花丛；

相思在花荫下格外情浓。（同下）

第二场　海　滨

【薇奥拉、船长及水手等上。

薇奥拉　朋友们，这儿是什么国土？

船长　这儿是伊利里亚，姑娘。

薇奥拉　我在伊利里亚干什么呢？我的哥哥已经到极乐世界里去了。也许他侥幸没有淹死。水手们，你们以为怎样？

船长　您也是侥幸才保全了性命的。

薇奥拉　唉，我的可怜的哥哥！但愿他也侥幸无恙！

船长　不错，姑娘，您可以用侥幸的希望来宽慰您自己。我告诉您，我们的船撞破了之后，您和那几个跟您一同脱险的人紧攀着我们那只给风涛所颠摇的小船，那时我瞧见您的哥哥很有急智地把他自己捆在一根浮在海面的桅樯上，勇敢和希望教给了他这个计策；我见他像阿里翁[①]骑在海豚背上似的浮沉在波浪之间，直到我的眼睛望不见他。

薇奥拉　你的话使我很高兴，请收下这点钱，聊表谢意。由于我自己脱险，使我抱着他也能够同样脱险的希望；你的话更把我的希望证实了几分。你知道这国土吗？

船长　是的，姑娘，很熟悉；因为我就是在离这儿不到三小时旅程的地方生长的。

薇奥拉　谁统治着这地方？

船长　一位名实相符的高贵的公爵。

薇奥拉　他叫什么名字？

船长　奥西诺。

薇奥拉　奥西诺！我曾经听见我父亲说起过他；那时他还没有娶亲。

船长　现在他还是这样，至少在最近我还不曾听见他娶亲的消息；因为

---

① 阿里翁（Arion），希腊诗人和音乐家，传说他在某次乘船自西西里至科林多，途中为水手所迫害，因跃入海中，为海豚负至岸上，盖深感其音乐之力云。

只一个月之前我从这儿出发，那时刚刚有一种新鲜的风传——您知道大人物的一举一动，都会被一般人纷纷议论着的——说他在向美貌的奥丽维娅求爱。

薇奥拉　她是谁呀？

船长　她是一位品德高尚的姑娘；她的父亲是位伯爵，约莫在一年前死去，把她交给他的儿子，她的哥哥照顾，可是他不久又死了。他们说为了对于她哥哥的深切的友爱，她已经发誓不再跟男人们在一起或是见他们的面。

薇奥拉　唉！要是我能够侍候这位小姐，就可以不用在时机没有成熟之前泄露我的身份了。

船长　那很难办到，因为她不肯接纳无论哪一种请求，就是公爵的请求她也是拒绝的。

薇奥拉　船长，你瞧上去是个好人；虽然造物常常用一层美丽的墙来围蔽住内中的污秽，但是我可以相信你的心地跟你的外表一样好。请你替我保守秘密，不要把我的真相泄露出去，我以后会重谢你的；你得帮助我假扮起来，好让我达到我的目的。我要去侍候这位公爵，你可以把我送给他做传童；也许你会得到些好处的，因为我会唱歌，用各种的音乐向他说话，使他重用我。

以后有什么事以后再说；
我会使计谋，你只须静默。

船长　我便当哑巴，你去做近侍；
倘多话挖去我的眼珠子。

薇奥拉　谢谢你；领着我去吧。（同下）

第三场　奥丽维娅宅中一室

【托比·培尔契爵士及玛利娅上。

托比　我的侄女见什么鬼把她哥哥的死看得那么重？悲哀是要损寿的呢。

玛利娅　真的，托比老爷，您晚上得早点儿回来；您那侄小姐很反对您深夜不归呢。

托比　哼，让她去今天反对、明天反对，尽管反对下去吧。

玛利娅　哦，但是您总得有个分寸，不要太失身份才是。

托比　身份！我这身衣服难道不合身份吗？穿了这种衣服去喝酒，也很有身份的了；还有这双靴子，要是它们不合身份，就叫它们在靴带上吊死了吧。

玛利娅　您这样酗酒会作践了您自己的，我昨天听见小姐说起过；她还说起您有一晚带到这儿来向她求婚的那个傻骑士。

托比　谁？安德鲁·艾古契克爵士吗？

玛利娅　哦，就是他。

托比　他在伊利里亚也算是一表人才了。

玛利娅　那又有什么相干？

托比　哼，他一年有三千块钱收入呢。

玛利娅　哦，可是一年之内就把这些钱全花光了。他是个大傻瓜，而且是个浪子。

托比　呸！你说出这种话来！他会拉低音提琴；他会不看书本讲三四国文字，一个字都不模糊；他有很好的天分。

玛利娅　是的，傻子都是得天独厚的；因为他除了是个傻瓜之外，又是一个惯会惹是招非的家伙；要是他没有懦夫的天分来缓和一下他那喜欢吵架的脾气，有见识的人都以为他就会有棺材睡的。

托比　我举手发誓，这样说他的人，都是一批坏蛋，信口雌黄的东西。他们是谁啊？

玛利娅　他们又说您每夜跟他在一块儿喝酒。

托比　我们都喝酒祝我的侄女健康呢。只要我的喉咙里有食道，伊利里亚有酒，我便要为她举杯祝饮。谁要是不愿为我的侄女举杯祝饮，喝到像拙陀螺似的天旋地转，他就是个不中用的汉子，是个卑鄙小人。嘿，丫头！放正经些！安德鲁·艾古契克爵士来啦。

【安德鲁·艾古契克爵士上。

安德鲁　托比·培尔契爵士！您好，托比·培尔契爵士！

托比　亲爱的安德鲁爵士！

安德鲁　您好，美貌的小泼妇！

玛利娅　您好，大人。

托比　寒暄几句，安德鲁爵士，寒暄几句。

安德鲁　您说什么？

托比　这是舍侄女的丫鬟。

安德鲁　好寒萱姊姊，我希望咱们多多结识。

玛利娅　我的名字是玛丽，大人。

安德鲁　好玛丽·寒萱姊姊，——

托比　你弄错了，骑士；“寒暄几句”就是跑上去向她应酬一下，招呼一下，客套一下的意思。

安德鲁　哎哟，当着这些人我可不能跟她打交道。“寒暄”就是这个意思吗？

玛利娅　再见，先生们。

托比　要是你让她这样走了，安德鲁爵士，你以后再不用充汉子了。

安德鲁　要是你这样走了，姑娘，我以后再不用充汉子了。好小姐，你以为你交手的都是些傻瓜吗？

玛利娅　大人，可是我还不曾跟您握手呢。

安德鲁　那很好办，让我们握手。

玛利娅　好了，大人，思想是无拘无束的。请您把这只手带到卖酒的柜台那里去，让它喝两盅吧。

安德鲁　这怎么讲，好人儿？你在打什么比方？

玛利娅　我是说它怪没劲的。

安德鲁　是啊，我也这样想。不管人家怎么说我蠢，应该好好保养两手的道理我还懂得。可是你说的是什么笑话？

玛利娅　没劲的笑话。

安德鲁　你一肚子都是这种笑话吗？

玛利娅　不错，大人，满手里抓的也都是。得，现在我放开您的手了，我的笑料也都没了。（下）

托比　骑士啊！你应该喝杯酒儿。几时我见你这样给人愚弄过？

安德鲁　我想你从来没有见过；除非你见我给酒弄昏了头。有时我觉得我跟平常人一样笨；可是我是个吃牛肉的老饕，我相信那对于我的聪明很有妨害。

托比　一定一定。

安德鲁　要是我真那样想的话，以后我得戒了。托比爵士，明天我要骑马回家去了。

托比　Pourquoi[①]，我的亲爱的骑士？

安德鲁　什么叫 Pourquoi？好还是不好？我理该把我花在击剑、跳舞和要熊上面的工夫学几种外国话的。唉！要是我读了文学多么好！

托比　要是你花些工夫在你的鬈发钳[②]上头，你就可以有一头很好的头发了。

安德鲁　怎么，那跟我的头发有什么关系？

托比　很明白，因为你瞧你的头发不用些工夫上去是不会鬈曲起来的。

安德鲁　可是我的头发不也已经够好看了吗？

托比　好得很，它披下来的样子就像纺杆上的麻线一样，我希望有哪位奶奶把你夹在大腿里纺它一纺。

安德鲁　真的，我明天要回家去了，托比爵士。你侄女不肯接见我；即使接见我，多半她也不会要我。这儿的公爵也向她求婚呢。

托比　她不要什么公爵不公爵；她不愿嫁给比她身份高、地位高、年龄高、智慧高的人，我听见她这样发过誓。嘿，老兄，还有希望呢。

---

① 法文，"为什么"之意。

② 原文鬈发钳（tongs）与外国话（tongues）音相近。

安德鲁　我再耽搁一个月。我是世上心思最古怪的人；我有时老是喜欢喝酒跳舞。

托比　这种玩意儿你很擅胜场的吗，骑士？

安德鲁　可以比得过伊利里亚无论哪个不比我高明的人；可是我不愿跟老手比。

托比　你跳舞的本领怎样？

安德鲁　不骗你，我会旱地拔葱。

托比　我会葱炒羊肉。

安德鲁　讲到我的倒跳的本事，简直可以比得上伊利里亚的无论什么人。

托比　为什么你要把这种本领藏匿起来呢？为什么这种天才要覆上一块幕布？难道它们也会沾上灰尘，像大姑娘的画像一样吗？为什么不跳着“加里阿”到教堂里去，跳着“科兰多”一路回家？假如是我的话，我要走步路也是“捷格”舞，撒泡尿也是五步舞呢。你是什么意思？这世界上是应该把才能隐藏起来的吗？照你那双出色的好腿看来，我想它们是在一个跳舞的星光底下生下来的。

安德鲁　哦，我这双腿很有气力，穿了火黄色的袜子倒也十分漂亮。我们喝酒去吧？

托比　除了喝酒，咱们还有什么事好做？咱们的命宫不是金牛星吗？

安德鲁　金牛星！金牛星管的是腰和心。

托比　不，老兄，是腿和股。跳个舞给我看。哈哈！跳得高些！哈哈！好极了！（同下）

第四场　公爵府中一室

【凡伦丁及薇奥拉男装上。

凡伦丁　要是公爵继续这样宠幸你，西萨里奥，你多半就要高升起来了；他认识你还只有三天，你就跟他这样熟了。

薇奥拉　看来你不是怕他的心性捉摸不定，就是怕我会玩忽职守，所以你才怀疑他会不会继续这样宠幸我。先生，他待人是不是有始无终的？

凡伦丁　不，相信我。

薇奥拉　谢谢你。公爵来了。

【公爵，丘里奥及侍从等上。

公爵　喂！有谁看见西萨里奥吗？

薇奥拉　在这儿，殿下，听候您的吩咐。

公爵　你们暂时走开些。西萨里奥，你已经知道了一切，我已经把我秘密的内心中的书册向你展示过了；因此，好孩子，到她那边去，别让他们把你摈之门外，站在她的门口，对他们说，你要站到脚底下生了根，直等她把你延见为止。

薇奥拉　殿下，要是她真像人家所说的那样沉浸在悲哀里，她一定不会允许我进去的。

公爵　你可以跟他们吵闹，不用顾虑一切礼貌的界限，但一定不要毫无结果而归。

薇奥拉　假定我能够和她见面谈话了，殿下，那么又怎样呢？

公爵　噢！那么就向她宣布我的恋爱的热情，把我的一片挚诚说给她听，让她吃惊。你表演起我的伤心来一定很出色，你这样的青年一定比那些面孔板板的使者们更能引起她的注意。

薇奥拉　我想不见得吧，殿下。

公爵　好孩子，相信我的话；因为像你这样的妙龄，还不能算是个成人：狄安娜的嘴唇也不比你的更柔滑而红润；你的娇细的喉咙像处女一样尖锐而清朗；在各方面你都像个女人。我知道你的性格很容易对付这件事情。四五个人陪着他去；要是你们愿意，就全去也好；因为我喜欢孤寂。你倘能成功，那么你主人的财产你也可以有份。

薇奥拉　我愿意尽力去向您的爱人求婚。（旁白）

唉，怨只怨多阻碍的前程！

但我一定要做他的夫人。（各下）

第五场　奥丽维娅宅中一室

【玛利娅及小丑上。

玛利娅　不，你要是不告诉我你到哪里去了，我便把我的嘴唇抿得紧紧的，连一根毛发也钻不进去，不替你说句好话。小姐因为你不在，要吊死你呢。

小丑　让她吊死我吧；好好地吊死的人，在这世上可以不怕敌人。

玛利娅　把你的话解释解释。

小丑　因为他看不见敌人了。

玛利娅　好一句无聊的回答。让我告诉你"不怕敌人"这句话是怎么来的吧。

小丑　怎么来的，玛利娅姑娘？

玛利娅　是从打仗里来的；下回你再要赖的时候，就可以放开胆子这样说。

小丑　好吧，上帝给聪明与聪明人；至于傻子们呢，那只好靠他们的本事了。

玛利娅　可是你这么久在外边鬼混，小姐一定要把你吊死的，否则把你赶出去，那不是跟把你吊死一样好吗？

小丑　好好地吊死常常可以防止坏的婚姻；至于赶出去，那在夏天倒还没甚要紧。

玛利娅　那么你已经下了决心了吗？

小丑　不，没有；可是我决定了两端。

玛利娅　假如一端断了，一端还连着；假如两端都断了，你的裤子也落下来了。

小丑　妙，真的很妙。好，去你的吧；要是托比老爷戒了酒，你在伊利里亚的雌儿中间也好算是个门当户对的调皮角色了。

玛利娅　闭嘴，你这坏蛋，别胡说了。小姐来啦，你还是好好地想出个推托来。（下）

小丑　才情呀，请你帮我好好地装一下傻瓜！那些自负才情的人，实际上往往是些傻瓜；我知道我自己没有才情，因此也许可以算作聪明人。昆那拍勒斯[①]怎么说的？“与其做愚蠢的智人，不如做聪明的愚人。”

【奥丽维娅偕马伏里奥上。

小丑 上帝祝福你，小姐！

奥丽维娅 把这傻子撵出去！

小丑 喂，你们不听见吗？把这位小姐撵出去。

奥丽维娅 算了吧！你是个干燥无味的傻子，我不要再看见你了；而且你已经变得不老实起来了。

小丑 我的小姐，这两个毛病用酒和忠告都可以治好。只要给干燥无味的傻子一点酒喝，他就不干燥了。只要劝不老实的人洗心革面，弥补他从前的过失：假如他能够弥补的话，他就不再不老实了；假如他不能弥补，那么叫裁缝把他补一补也就得了。弥补者，弥而补之也：道德的失足无非补上了一块罪恶；罪恶悔改之后，也无非补上了一块道德。假如这种简单的理论可以通得过去，很好；假如通不过去，还有什么办法？当王八是一件倒霉的事，美人好比鲜花，这都是无可怀疑的。小姐吩咐把傻子撵出去；因此我再说一句，把她撵出去吧。

奥丽维娅 尊驾，我吩咐他们把你撵出去呢。

小丑 这就是大错而特错了！小姐，“戴了和尚帽，不一定是和尚”；那就好比是说，我身上虽然穿着愚人的彩衣，可是我并不一定连头脑里也穿着它呀。我的好小姐，准许我证明您是个傻子。

奥丽维娅 你能吗？

小丑 再便当也没有了，我的好小姐。

奥丽维娅 那么证明一下看。

小丑 小姐，我必须把您盘问；我的贤淑的小乖乖，回答我。

奥丽维娅 好吧，先生，为了没有别的消遣，我就等候着你的证明吧。

小丑 我的好小姐，你为什么悲伤？

---

① 似为杜撰的人名。

奥丽维娅　好傻子，为了我哥哥的死。

小丑　小姐，我想他的灵魂是在地狱里。

奥丽维娅　傻子，我知道他的灵魂是在天上。

小丑　这就越显得你的傻了，我的小姐；你哥哥的灵魂既然在天上，为什么要悲伤呢？列位，把这傻子撵出去。

奥丽维娅　马伏里奥，你以为这傻子怎样？是不是更有趣了？

马伏里奥　是的，而且会变得越来越有趣，一直到死。老弱会使聪明减退，可是对于傻子却能使他变得格外傻起来。

小丑　大爷，上帝保佑您快快老弱起来，好让您格外傻得厉害！托比老爷可以发誓说我不是狐狸，可是他不愿跟人家打赌两便士说您不是个傻子。

奥丽维娅　你怎么说，马伏里奥？

马伏里奥　我不懂您小姐怎么会喜欢这种没有头脑的混账东西。前天我看见他给一个像石头一样冥顽不灵的下等的傻子算计了去。您瞧，他已经毫无招架之功了；要是您不笑笑给他一点题目，他便要无话可说。我说，听见这种傻子的话也会那么高兴的聪明人们，都不过是些傻子们的应声虫罢了。

奥丽维娅　啊！你是太自命不凡了，马伏里奥；你缺少一副健全的胃口。你认为是炮弹的，在宽容慷慨、气度汪洋的人看来，不过是鸟箭。傻子有特许放肆的权利，虽然他满口骂人，人家不会见怪于他；君子出言必有分量，虽然他老是指摘人家的错处，也不能算为谩骂。

小丑　麦鸠利赏给你说谎的本领吧，因为你给傻子说了好话！

【玛利娅重上。

玛利娅　小姐，门口有一位年轻的先生很想见您说话。

奥丽维娅　从奥西诺公爵那儿来的吧？

玛利娅　我不知道，小姐；他是一位漂亮的青年，随从很盛。

奥丽维娅　我家里有谁在跟他周旋呢？

玛利娅　是令亲托比老爷，小姐。

奥丽维娅　你去叫他走开；他满口都是些疯话。不害羞的！（玛利娅下）

马伏里奥，你给我去；假若是公爵差来的，说我病了，或是不在家，随你怎样说，把他打发走。（马伏里奥下）你瞧，先生，你的打诨已经陈腐起来，人家不喜欢了。

小丑　我的小姐，你帮我说话就像你的大儿子也会是个傻子一般；愿上帝在他的头颅里塞满脑子吧！瞧你的那位有一副最不中用的头脑的令亲来了。

【托比·培尔契爵士上。

奥丽维娅　哎哟，又已经半醉了。叔叔，门口是谁？

托比　一个绅士。

奥丽维娅　一个绅士！什么绅士？

托比　有一个绅士在这儿——这种该死的咸鱼！怎样，蠢货！

小丑　好托比爷爷！

奥丽维娅　叔叔，叔叔，你怎么这么早就昏天黑地了？

托比　声天色地！我打倒声天色地！有一个人在门口。

小丑　是呀，他是谁呢？

托比　让他是魔鬼也好，我不管；我说，我心里耿耿三尺有神明。好，都是一样。（下）

奥丽维娅　傻子，醉汉像个什么东西？

小丑　像个溺死鬼，像个傻瓜，又像个疯子。多喝了一口就会把他变成个傻瓜；再喝一口就发了疯；喝了第三口就把他溺死了。

奥丽维娅　你去找个验尸的来吧，让他来验验我的叔叔；因为他已经喝酒喝到了第三个阶段，他已经溺死了。瞧瞧他去。

小丑　他还不过是发疯呢，我的小姐；傻子该去照顾疯子。（下）

【马伏里奥重上。

马伏里奥　小姐，那个少年发誓说要见您说话。我对他说您有病；他说他知道，因此要来见您说话。我对他说您睡了；他似乎也早已知道了，因此要来见您说话。还有什么话好对他说呢，小姐？什么拒绝都挡他不了。

奥丽维娅　对他说我不要见他说话。

马伏里奥　这也已经对他说过了；他说，他要像州官衙门前竖着的旗杆那样立在您的门前不去，像凳子脚一样直挺挺地站着，非得见您说话不可。

奥丽维娅　他是怎样一个人？

马伏里奥　呃，就像一个人那么的。

奥丽维娅　可是是什么样子的呢？

马伏里奥　很无礼的样子；不管您愿不愿意，他一定要见您说话。

奥丽维娅　他的相貌怎样？多大年纪？

马伏里奥　说是个大人吧，年纪还太轻；说是个孩子吧，又嫌大些：就像是一颗没有成熟的豆荚，或是一只半生的苹果，又像大人又像小孩，所谓介乎两可之间。他长得很漂亮，说话也很刁钻；看他的样子，似乎有些未脱乳臭。

奥丽维娅　叫他进来。把我的侍女唤来。

马伏里奥　姑娘，小姐叫着你呢。（下）

【玛利娅重上。

奥丽维娅　把我的面纱拿来；来，罩住我的脸。我们要再听一次奥西诺来使的说话。

【薇奥拉及侍从等上。

薇奥拉　哪一位是这里府中的贵小姐？

奥丽维娅　有什么话对我说吧；我可以代她答话。你来有什么见教？

薇奥拉　最辉煌的、卓越的、无双的美人！请您指示我这位是不是就是这里府中的小姐，因为我没有见过她。我不大甘心浪掷我的言辞；因为它不但写得非常出色，而且我费了好大的辛苦才把它背熟。两位美人，不要把我取笑；我是个非常敏感的人，一点点轻侮都受不了的。

奥丽维娅　你是从什么地方来的，先生？

薇奥拉　除了我背熟了的以外，我不能说别的话；您那问题是我所不曾预备作答的。温柔的好人儿，好好儿地告诉我您是不是府里的小姐，好让我陈说我的来意。

奥丽维娅　你是个唱戏的吗？

薇奥拉　不，我的深心的人儿；可是我敢当着最有恶意的敌人发誓，我并不是我所扮演的角色。您是这府中的小姐吗?

奥丽维娅　是的,要是我没有篡夺了我自己。

薇奥拉　假如您就是她,那么您的确是篡夺了您自己了;因为您有权力给予别人的,您却没有权力把它藏匿起来。但是这种话跟我来此的使命无关;就要继续着恭维您的言辞,然后告知您我的来意。

奥丽维娅　把重要的话说出来;恭维免了吧。

薇奥拉　唉!我好容易才把它背熟,而且它又是很有诗意的。

奥丽维娅　那么多半是些鬼话,请你留着不用说了吧。我听说你在我门口一味顶撞;让你进来只是为要看看你究竟是个什么人,并不是要听你说话。要是你没有发疯,那么去吧;要是你明白事理,那么说得简单一些:我现在没有那样心思去理会一段没有意思的谈话。

玛利娅　请你动身吧,先生;这儿便是你的路。

薇奥拉　不,好清道夫,我还要在这儿闲荡一会儿呢。亲爱的小姐,请您劝劝您这位"彪形大汉"别那么神气活现。

奥丽维娅　把你的尊意告诉我。

薇奥拉　我是一个使者。

奥丽维娅　你那种礼貌那么可怕,你带来的信息一定是些坏事情。有什么话说出来。

薇奥拉　除了您之外不能让别人听见。我不是来向您宣战,也不是来要求您臣服;我手里握着橄榄枝,我的话里充满了和平,也充满了意义。

奥丽维娅　可是你一开始就不讲礼。你是谁?你要的是什么?

薇奥拉　我的不讲礼是我从你们对我的接待上学来的。我是谁,我要些什么,是个秘密;在您的耳中是神圣,别人听起来就是亵渎。

奥丽维娅　你们都走开吧;我们要听一听这段神圣的话。(玛利娅及侍从等下)现在,先生,请教你的经文?

薇奥拉　最可爱的小姐——

奥丽维娅　倒是一种叫人听了怪舒服的教理,可以大发议论呢。你的经文呢?

薇奥拉　在奥西诺的心头。

奥丽维娅　在他的心头！在他的心头的哪一章？

薇奥拉　照目录上排起来，是他心头的第一章。

奥丽维娅　噢！那我已经读过了，无非是些旁门左道。你没有别的话要说了吗？

薇奥拉　好小姐，让我瞧瞧您的脸。

奥丽维娅　贵主人有什么事要差你来跟我的脸接洽的吗？你现在岔开你的正文了；可是我们不妨拉开幕儿，让你看看这幅图画。（揭除面幕）你瞧，先生，我就是这个样子；它不是画得很好吗？

薇奥拉　要是一切都出于上帝的手，那真是绝妙之笔。

奥丽维娅　它的色彩很耐久，先生，受得起风霜的侵蚀。

薇奥拉　那真是各种色彩精妙地调和而成的美貌；那红红的白白的都是造化亲自用他的可爱的巧手敷上去的。小姐，您是世上最忍心的女人，要是您甘心让这种美埋没在坟墓里，不给世间留下一份副本。

奥丽维娅　啊！先生，我不会那样狠心；我可以列下一张我的美貌的清单，一一开陈清楚，把每一件细目都载在我的遗嘱上，例如：一款，浓淡适中的朱唇两片；一款，灰色的倩眼一双，附眼睑；一款，玉颈一围，柔颐一个，等等。你是奉命到这儿来恭维我的吗？

薇奥拉　我明白您是个什么样的人了。您太骄傲了；可是即使您是个魔鬼，您是美貌的。我的主人爱着您；啊！这么一种爱情，即使您是人间的绝色，也应该酬答他的。

奥丽维娅　他怎样爱着我呢？

薇奥拉　用崇拜，大量的眼泪，震响着爱情的呻吟，吞吐着烈火的叹息。

奥丽维娅　你的主人知道我的意思，我不能爱他；虽然我想他品格很高，知道他很尊贵，很有身份，年轻而纯洁，有很好的名声，慷慨，博学，勇敢，长得又体面；可是我总不能爱他，他老早就已经得到我的回音了。

薇奥拉　要是我也像我主人一样热情地爱着您，也是这样的受苦，这样了无生趣地把生命拖延，我不会懂得您的拒绝是什么意思。

奥丽维娅　啊，你预备怎样呢？

薇奥拉　我要在您的门前用柳枝筑成一所小屋，不时到府中访谒我的灵魂；我要吟咏着被冷淡的忠诚的爱情的篇什，不顾夜多么深我要把它们高声歌唱，我要向着回声的山崖呼喊您的名字，使饶舌的风都叫着“奥丽维娅”。啊！您在天地之间将要得不到安静，除非您怜悯了我！

奥丽维娅　你的口才倒是颇堪造就的。你的家世怎样？

薇奥拉　超过于我目前的境遇，但我是个有身份的士人。

奥丽维娅　回到你主人那里去；我不能爱他，叫他不要再差人来了；除非或者你再来见我，告诉我他对于我的答复觉得怎样。再会！多谢你的辛苦；这几个钱赏给你。

薇奥拉　我不是个要钱的信差，小姐，留着您的钱吧；不曾得到报酬的，是我的主人，不是我。但愿爱神使您所爱的人也是心如铁石，好让您的热情也跟我主人的一样遭到轻蔑！再会，忍心的美人！（下）

奥丽维娅　“你的家世怎样？“超过于我目前的境遇，但我是个有身份的士人。”我可以发誓你一定是的；你的语调，你的脸，你的肢体、动作、精神，各方面都可以证明你的高贵。——别这么性急。且慢！且慢！除非颠倒了主仆的名分。——什么！这么快便染上那种病了？我觉得好像这个少年的美处在悄悄地蹑步进入我的眼中。好，让它去吧。喂！马伏里奥！

【马伏里奥重上。

马伏里奥　有，小姐，听候您的吩咐。

奥丽维娅　去追上那个无礼的使者，公爵差来的人，他不管我要不要，硬把这戒指留下；对他说我不要，请他不要向他的主人献功，让他死不了心，我跟他没有缘分。要是那少年明天还打这儿走过，我可以告诉他为什么。去吧，马伏里奥。

马伏里奥　是，小姐。（下）

奥丽维娅　我的行事我自己全不懂，
怎一下子便会把人看中？
一切但凭着命运的吩咐，
谁能够做得了自己的主！（下）

第二幕

第一场　海　滨

【安东尼奥及西巴斯辛上。

安东尼奥　您不愿住下去了吗？您也不愿让我陪着您去吗？

西巴斯辛　请您原谅，我不愿。我是个倒霉的人，我的晦气也许要连累了您，所以我要请您离开我，好让我独自承担我的厄运；假如连累到您身上，那是太辜负了您的好意了。

安东尼奥　可是让我知道您的去向吧。

西巴斯辛　不瞒您说，先生，我不能告诉您；因为我所决定的航行不过是无目的的漫游。可是我看您这样有礼，您一定不会强迫我说出我所保守的秘密来；因此按礼该我来向您表白我自己。安东尼奥，您要知道我的名字是西巴斯辛，罗德利哥是我的化名。我的父亲便是梅萨林的西巴斯辛，我知道您一定听见过他的名字。他死后丢下我和一个妹妹，我们两人是在同一个时辰出世的；我多么希望上天也让我们两人在同一个时辰死去！可是您，先生，却来改变我的命运，因为就在您把我从海浪里打救起来之前不久，我的妹妹已经淹死了。

安东尼奥　唉，可惜！

西巴斯辛　先生，虽然人家说她非常像我，许多人都说她是个美貌的姑娘；我虽然不好意思相信这句话，但是至少可以大胆说一句，即使嫉妒她的人也不能不承认她有一颗美好的心。她是已经给海水淹死的了，先生，虽然似乎我要用更多的泪水来淹没对她的记忆。

安东尼奥　先生，请您恕我招待不周。

西巴斯辛　啊，好安东尼奥！我才是多多打扰了您哪！

安东尼奥　要是您看在我的交情分上，不愿叫我痛不欲生的话，请您允许我做您的仆人吧。

西巴斯辛　您已经打救了我的生命，要是您不愿让我抱愧而死，那么请不要提出那样的请求，免得您白白救了我一场。我立刻告辞了！我的心是怪软的，还不曾脱去我母亲的性质，为了一点点理由，我的眼睛里就会露出我的弱点来。就要到奥西诺公爵的宫廷里去；再会了。（下）

安东尼奥　一切神明护佑着你！我在奥西诺的宫廷里有许多敌人，否则我就会马上到那边去会你——

但无论如何我爱你太深，
履险如夷我定要把你寻。（下）

第二场 街 道

【薇奥拉上，马伏里奥随上。

马伏里奥 您不是刚从奥丽维娅伯爵小姐那儿来的吗？

薇奥拉 是的，先生；因为我走得慢，所以现在还不过在这儿。

马伏里奥 先生，这戒指她还给您；您当初还不如自己拿走呢，免得我麻烦。她又说您必须叫您家主人死了心，明白她不要跟他来往。还有，您不用再那么莽撞地到这里来替他说话了，除非来回报一声您家主人已经对她的拒绝表示认可。好，拿去吧。

薇奥拉 她自己拿了我这戒指去的；我不要。

马伏里奥 算了吧，先生，您使性子把它丢给她；她的意思也要我把它照样丢还给您。假如它是值得弯下身子拾起来的话，它就在您的眼前；不然的话，让什么人看见就给什么人拿去吧。（下）

薇奥拉 我没有留下戒指呀；这位小姐是什么意思？但愿她不要迷恋了我的外貌才好！她把我打量得那么仔细；真的，我觉得她看得我那么出神，连自己讲的什么话儿也顾不到了，那么没头没脑，颠颠倒倒的。一定的，她爱上我啦；情急智生，才差这个无礼的使者来邀请我。不要我主人的戒指！嘿，他并没有把什么戒指送给她呀！我才是她意中的人；真是这样的话——事实上确是这样——那么，可怜的小姐，她真是做梦了！我现在才明白假扮的确不是一桩好事情，魔鬼会乘机大显他的身手。一个又漂亮又靠不住的男人，多么容易占据了女人家柔弱的心！唉！这都是我们生性脆弱的缘故，不是我们自身的错处；因为上天造下我们是哪样的人，我们就是哪样的人。这种事情怎么了结呢？我的主人深深地爱着她；我呢，可怜的小鬼，也是那样恋着他；她呢，认错了人，似乎在思念我。这怎么了呢？因为我是个男人，我没有希望叫我的主人爱上我；因为我是个女人，唉！可怜的奥丽维娅也要白费无数的叹息了！

这纠纷要让时间来理清；

叫我打开这结儿怎么成！（下）

第三场 奥丽维娅宅中一室

【托比·培尔契爵士及安德鲁·艾古契克爵士上。

托比 过来，安德鲁爵士。深夜不睡即是起身得早；“起身早，身体好”，你知道的——

安德鲁 不，老实说，我不知道；我知道的是深夜不睡便是深夜不睡。

托比 一个错误的结论；我听见这种话就像看见一个空酒瓶那么头痛。深夜不睡，过了半夜才睡，那就是到大清早才睡，岂不是睡得很早？我们的生命不是由四大元素组成的吗？

安德鲁 不错，他们是这样说；可是我以为我们的生命不过是吃吃喝喝而已。

托比 你真有学问；那么让我们吃吃喝喝吧。玛利娅，喂！开一瓶酒来！

【小丑上。

安德鲁 那个傻子来啦。

小丑 啊，我的心肝们！咱们刚好凑成一幅《三个臭皮匠》。

托比 欢迎，驴子！现在我们来一个轮唱歌吧。

安德鲁 说老实话，这傻子有一副很好的喉咙。我宁愿拿四十个先令去换他这么一条腿和这么一副可爱的声音。真的，你昨夜打诨打得很好，说什么匹格罗格罗密忒斯哪维比亚人越过了丘勃斯的赤道线哪，真是好得很。我送六便士给你的姘头，收到了没有？

小丑 你的恩典我已经放进了我的口袋；因为马伏里奥的鼻子不是鞭柄，我的小姐有一双玉手，她的跟班们不是开酒馆的。

安德鲁 好极了！嗯，无论如何这要算是最好的打诨了。现在唱个歌吧。

托比 来，给你六便士，唱个歌吧。

安德鲁 我也有六便士给你呢；要是一个骑士大方起来——

小丑 你们要我唱支爱情的歌呢，还是唱支劝人为善的歌？

托比 唱个情歌，唱个情歌。

安德鲁　是的，是的，劝人为善有什么意思。

小丑　（唱）

你到哪儿去，啊我的姑娘？
听呀，那边来了你的情郎，
嘴里吟着抑扬的曲调。
不要再走了，美貌的亲亲；
恋人的相遇终结了行程，
每个聪明人全都知晓。

安德鲁　真好极了！

托比　好，好！

小丑　（唱）

什么是爱情？它不在明天；
欢笑嬉游莫放过了眼前，
将来的事有谁能猜料？
不要蹉跎了大好的年华；
来吻着我吧，你双十娇娃，
转眼青春早化成衰老。

安德鲁　凭良心说话，好一副流利的歌喉！

托比　好一股恶臭的气息！

安德鲁　真的，很甜蜜又很恶臭。

托比　用鼻子听起来，那么恶臭也很动听。可是我们要不要让天空跳起舞来呢？我们要不要唱一支轮唱歌，把夜枭吵醒；那曲调会叫一个织工听了三魂出窍？

安德鲁　要是你爱我，让我们来一下吧；唱轮唱歌我挺拿手啦。

小丑　对啦，大人，有许多狗也会唱得很好。

安德鲁　不错不错。让我们唱《你这坏蛋》吧。

小丑《闭住你的嘴，你这坏蛋》，是不是这一首，骑士？那么我可不得不叫你坏蛋啦，骑士。

安德鲁　人家不得不叫我做坏蛋，这也不是第一次。你开头，傻子；第一句是：“闭住你的嘴。”

小丑　要是我闭住我的嘴，我就再也开不了头啦。

安德鲁　说得好，真的。来，唱起来吧。（三人轮流唱歌）

【玛利娅上。

玛利娅　你们在这里猫儿叫春似的闹些什么呀！要是小姐没有叫起她的管家马伏里奥来把你们赶出门外去，再不用相信我的话好了。

托比　小姐是个骗子；我们都是大人物；马伏里奥是拉姆西的佩格姑娘；“我们是三个快活的人”。我不是同宗吗？我不是她的一家人吗？胡说八道，姑娘！“巴比伦有一个人，姑娘，姑娘！”

小丑　要命，这位老爷真会开玩笑。

安德鲁　哦，他高兴开起玩笑来，开得可是真好，我也一样；不过他的玩笑开得富于风趣，而我的玩笑开得更为自然。

托比　啊！十二月十二——

玛利娅　看在上帝的面上，别闹了吧！

【马伏里奥上。

马伏里奥　我的爷爷们，你们疯了吗，还是怎么啦？难道你们没有脑子，不懂规矩，全无礼貌，在这种夜深时候还要像一群发酒疯的补锅匠似的乱吵？你们把小姐的屋子当作一间酒馆，好让你们直着喉咙，唱那种鞋匠的歌儿吗？难道你们全不想想这是什么地方，这儿住的是什么人，或者现在是什么时刻了吗？

托比　老兄，我们的轮唱是严守时刻的。你去上吊吧！

马伏里奥　托比老爷，莫怪我说句不怕忌讳的话。小姐吩咐我告诉您说，她虽然把您当个亲戚留住在这儿，可是她不能容忍您那种胡闹。要是您能够循规蹈矩，我们这儿是十分欢迎您的；否则的话，要是您愿意向她告别，她一定会让您走。

托比　既然我非去不可，那么再会吧，亲亲！

玛利娅　别这样，好托比老爷。

小丑　他的眼睛显示出他末日将要来临。

马伏里奥　岂有此理！

托比　可是我决不会死亡。

小丑　托比老爷，您在说谎。

马伏里奥　真有体统！

托比　我要不要叫他滚蛋？

小丑　叫他滚蛋又怎样？

托比　要不要叫他滚蛋，毫无留贷？

小丑　啊！不，不，不，你没有这种胆量。

托比　唱的不入调吗？先生，你说谎！你不过是一个管家，有什么可以神气的？你以为你自己道德高尚，人家便不能喝酒取乐了吗？

小丑　是啊，凭圣安起誓，生姜吃下嘴去也总是辣的。

托比　你说得一点也不错。去，朋友，用面包屑去擦你的项链吧。开一瓶酒来，玛利娅！

马伏里奥　玛利娅姑娘，要是你没有把小姐的恩典看作一钱不值，你可不要帮助他们作这种胡闹；我一定会去告诉她的。（下）

玛利娅　滚你的吧！

安德鲁　向他挑战，然后失约，愚弄他一下子，倒是个很好的办法，就像人肚子饿了喝酒一样。

托比　好，骑士，我给你写挑战书，或者代你去口头通知他你的愤怒。

玛利娅　亲爱的托比老爷，今夜请忍耐一下子吧；今天公爵那边来的少年会见了小姐之后，她心里很烦。至于马伏里奥先生，我去对付他好了；要是我不把他愚弄得给人当作笑柄，让大家取乐儿，我便是个连直挺挺躺在床上都不会的蠢东西。我知道我一定能够。

托比　告诉我们，告诉我们；告诉我们一些关于他的事情。

玛利娅　好，老爷，有时候他有点儿像清教徒。

安德鲁　啊！要是我早想到了这一点，我要把他像狗一样打一顿呢。

托比　什么，为了像清教徒吗？你有什么绝妙的理由，亲爱的骑士？

安德鲁　我没有什么绝妙的理由，可是我有相当的理由。

玛利娅　他是个鬼清教徒，反复无常、逢迎取巧是他的本领；一头装腔作势的驴子，背熟了几句官话，便倒也似的倒了出来；自信非凡，以为自己真了不得，谁看见他都会爱他；我可以凭着那个弱点堂堂正正地给他一顿教训。

托比　你打算怎样？

玛利娅　我要在他走过的路上丢了一封暧昧的情书，里面活生生地描写着他的胡须的颜色、他的腿的形状、他走路的姿势、他的眼睛、额角和脸上的表情；他一见就会觉得是写的他自己。我会学您侄小姐的笔迹写字；在已经忘记了的信件上，我们连自己的笔迹也很难辨认呢。

托比　好极了，我嗅到了一个计策了。

安德鲁　我鼻子里也闻到了呢。

托比　他见了你丢下的这封信，便会以为是我的侄女写的，以为她爱上了他。

玛利娅　我的意思正是这样。

安德鲁　你的意思是要叫他变成一头驴子。

玛利娅　驴子，那是毫无疑问的。

安德鲁　啊！那好极了！

玛利娅　出色的把戏，你们瞧着好了；我知道我的药对他一定有效。我可以把你们两人连那傻子安顿在他拾着那信的地方，瞧他怎样把它解释。今夜呢，大家上床睡去，梦着那回事吧。再见。（下）

托比　晚安，好姑娘！

安德鲁　我说，她是个好丫头。

托比　她是头纯种的小猎犬，很爱我；怎样？

安德鲁　我也曾经给人爱过呢。

托比　我们去睡吧，骑士。你应该叫家里再寄些钱来。

安德鲁　要是我不能得到你的侄女，我就大上其当了。

托比　去要钱吧，骑士；要是你结果终不能得到她，你就叫我傻子。

安德鲁　要是我不去要，就再不要相信我，随你怎么办。

托比　来，来，我去烫些酒来；现在去睡太晚了。来，骑士；来，骑士。（同下）

第四场　公爵府中一室

【公爵、薇奥拉、丘里奥及余人等上。

公爵　给我奏些音乐。早安，朋友们。好西萨里奥，我只要听我们昨晚听的那支古曲；我觉得它比目前轻音乐中那种轻倩的乐调和警炼的字句更能慰解我的痴情。来，只唱一节吧。

丘里奥　启禀殿下，会唱这歌儿的人不在这儿。

公爵　他是谁？

丘里奥　是那个弄人费斯特，殿下；他是奥丽维娅小姐的尊翁所宠幸的傻子。他就在这儿左近。

公爵　去找他来，现在先把那曲调奏起来吧。（丘里奥下。奏乐）过来，孩子。要是你有一天和人恋爱了，请在甜蜜的痛苦中记着我；因为真心的恋人都像我一样，在其他一切情感上都是轻浮易变，但他所爱的人儿的影像，却永远铭刻在他的心头。你喜不喜欢这个曲调？

薇奥拉　它传出了爱情的宝座上的回声。

公爵　你说得很好。我相信你虽然这样年轻，你的眼睛一定曾经看中过什么人；是不是，孩子？

薇奥拉　略为有点，请您恕我。

公爵　是个什么样子的女人呢？

薇奥拉　相貌跟您差不多。

公爵　那么她是不配被你爱的。什么年纪呢？

薇奥拉　年纪也跟您差不多，殿下。

公爵　啊，那太老了！女人应当拣一个比她年纪大些的男人，这样她才跟他合得拢来，不会失去她丈夫的欢心；因为，孩子，不论我们怎样自称自赞，我们的爱情总比女人们流动不定些，富于希求，易于反复，更容易消失而生厌。

薇奥拉　这一层我也想到，殿下。

公爵　那么选一个比你年轻一点的姑娘做你的爱人吧，否则你的爱情便不能常青——

女人正像是娇艳的蔷薇，

花开才不久便转眼枯萎。

薇奥拉　是啊，可叹她刹那的光荣，早枝头零落留不住东风！

【丘里奥偕小丑重上。

公爵　啊，朋友！来，把我们昨夜听的那支歌儿再唱一遍。好好听着，西萨里奥。那是个古老而平凡的歌儿，是晒着太阳的纺线工人和织布工人以及无忧无虑的制花边的女郎们常唱的；歌里的话儿都是些平常不过的真理，搬弄着纯朴的古代的那种爱情的纯洁。

小丑　您预备好了吗，殿下？

公爵　好，请你唱吧。（奏乐）

小丑　（唱）

过来吧，过来吧，死神！

　让我横陈在凄凉的柏棺[①]的中央；

飞去吧，飞去吧，浮生！

　我被害于一个狠心的美貌姑娘。

为我罩上白色的殓衾铺满紫衫；

没有一个真心的人为我而悲哀。

莫让一朵花儿甜柔，

　撒上了我那黑色的、黑色的棺材；

没有一个朋友迓候

　我尸身，不久我的骨骼将会散开。

免得多情的人们千万次的感伤，

请把我埋葬在无从凭吊的荒场。

公爵　这是赏给你的辛苦钱。

小丑　一点不辛苦，殿下；我以唱歌为乐呢。

公爵　那么就算赏给你的快乐钱。

---

① 此处“柏棺”原文为Cypress，自来注家均肯定应作Crape（丧礼用之黑色绉纱）解释，按字面解Cypress为一种杉柏之属，径译“柏棺”，在语调上似乎更为适当，故仍将错就错，据字臆译。

小丑　不错，殿下，快乐总是要付出代价的。

公爵　现在允许我不再见你吧。

小丑　好，忧愁之神保佑着你！但愿裁缝用闪缎给你裁一身衫子，因为你的心就像猫眼石那样闪烁不定。我希望像这种没有恒心的人都航海去，好让他们过着五湖四海，千变万化的生活；因为这样的人总会两手空空地回家。再会。（下）

公爵　大家都退开去。（丘里奥及侍从等下）西萨里奥，你再给我到那位忍心的女王那边去；对她说，我的爱情是超越世间的，泥污的土地不是我所看重的事物；命运所赐给她的尊荣财富，你对她说，在我的眼中都像命运一样无常；吸引我的灵魂的是她的天赋的灵奇，绝世的仙姿。

薇奥拉　可是假如她不能爱您呢，殿下？

公爵　我不能得到这样的回音。

薇奥拉　可是您不能不得到这样的回音。假如有一位姑娘——也许真有那么一个人——也像您爱着奥丽维娅一样痛苦地爱着您；您不能爱她，您这样告诉她；那么她岂不是必得以这样的答复为满足吗？

公爵　女人的小小的身体一定受不住像爱情强加于我心中的那种激烈的搏跳；女人的心没有这样广大，可以藏得下这许多；她们缺少含忍的能力。唉，她们的爱就像一个人的口味一样，不是从脏腑里，而是从舌尖上感觉到的，过饱了便会食伤呕吐；可是我的爱就像饥饿的大海，能够消化一切。不要把一个女人所能对我发生的爱情跟我对于奥丽维娅的爱情相提并论吧。

薇奥拉　哦，可是我知道——

公爵　你知道什么？

薇奥拉　我知道得很清楚女人对于男人会怀着怎样的爱情；真的，她们是跟我们一样真心的。我的父亲有一个女儿，她爱上了一个男人，正像假如我是个女人也许会爱上了您殿下一样。

公爵　她的历史怎样？

薇奥拉　一片空白而已，殿下。她从来不向人诉说她的爱情，让隐藏在内心中的抑郁像蓓蕾中的蛀虫一样，侵蚀着她的绯红的脸颊；她因相思而憔悴，疾病和忧愁折磨着她，像是墓碑上刻着的“忍耐”的化身，默坐着向悲哀微笑。这不是真的爱情吗？我们男人也许更多话，更会发誓，可是我们所表示的，总多于我们所决心实行的；不论我们怎样山盟海誓，我们的爱情总不过如此。

公爵　但是你的姊姊有没有殉情而死，我的孩子？

薇奥拉　我父亲的女儿只有我一个，儿子也只有我一个——可她有没有殉情我不知道。殿下，我要不要就去见这位小姐？

公爵　对了，这是正事——

快前去，送给她这颗珍珠；
说我的爱情永不会认输。（各下）

第五场　奥丽维娅的花园

【托比·培尔契爵士、安德鲁·艾古契克爵士及费边上。

托比　来吧，费边先生。

费边　噢，我就来；要是我把这场好戏略为错过了一点点儿，让我在懊恼里煎死了吧。

托比　让这个卑鄙龌龊的丑东西出一场丑，你高兴不高兴?

费边　我才要快活死哩！您知道那次我因为耍熊，被他在小姐跟前说我坏话。

托比　我们再把那头熊牵来激他发怒；我们要把他作弄得体无完肤。你说怎样，安德鲁爵士?

安德鲁　要是我们不那么做，那才是终身的憾事呢。

托比　小坏东西来了。

【玛利娅上。

托比　啊，我的小宝贝！

玛利娅　你们三人都躲到黄杨树后面去。马伏里奥正从这条道上走过来了；他已经在那边太阳光底下对他自己的影子练习了半个钟头仪法。谁要是喜欢笑话，就留心瞧着他吧；我知道这封信一定会叫他变成一个发痴的呆子的。凭着玩笑的名义，躲起来吧！你躺在那边；（丢下一信）这条鲟鱼已经来了，你不去撩撩他的痒处是捉不到手的。（下）

【马伏里奥上。

马伏里奥　不过是运气；一切都是运气。玛利娅曾经对我说过小姐喜欢我；我也曾经听见她自己说过那样的话，说要是她爱上了人的话，一定要选像我这种脾气的人。而且，她待我比待其他的下人显得分外尊敬。这点我应该怎么解释呢?

托比　瞧这个自命不凡的浑蛋！

费边　静些！他已经痴心妄想得变成一头出色的火鸡了；瞧他那种蓬起了羽毛高视阔步的样子！

安德鲁　他妈的，我可以把这浑蛋痛打一顿！

托比　别闹啦！

马伏里奥　做了马伏里奥伯爵！

托比　啊，浑蛋！

安德鲁　给他吃手枪！给他吃手枪！

托比　别闹！别闹！

马伏里奥　这种事情是有前例可援的；斯特拉契夫人也下嫁给家臣。

安德鲁　该死，这畜生！

费边　静些！现在他着了魔啦；瞧他越想越得意。

马伏里奥　跟她结婚过了三个月，我坐在我的宝座上——

托比　啊！我要弹一颗石子到他的眼睛里去！

马伏里奥　身上披着绣花的丝绒袍子，召唤我的臣僚过来；那时我刚睡罢午觉，撇下奥丽维娅酣睡未醒——

托比　大火硫黄烧死他！

费边　静些！静些！

马伏里奥　那时我装出一副威严的神气，先目光凛凛地向众人瞟视一周，对他们表示我知道我的地位，他们也必须明白自己的身份；然后吩咐他们去请我的托比老叔过来——

托比　把他铐起来！

费边　别闹！别闹！别闹！好啦！好啦！

马伏里奥　我的七个仆人恭恭敬敬地前去找他。我皱了皱眉头，或者给我的表上了上弦，或者抚弄着我的——什么珠宝之类。托比来了，向我行了个礼——

托比　这家伙可以让他活命吗？

费边　哪怕有几辆马车要把我们的静默拉走，也不要闹吧！

马伏里奥　我这样向他伸出手去，用一副庄严的威势来抑住我的亲昵的笑容——

托比　那时托比不就给了你一个嘴巴子吗？

马伏里奥　说："托比叔父，我已蒙令侄女不弃下嫁，请您准许我这样说话——"

托比　什么？什么？

马伏里奥　“你必须把喝酒的习惯戒掉。”

托比　他妈的，这狗东西！

费边　哎，别生气，否则我们的计策就要失败了。

马伏里奥　“而且，您还把您的宝贵的光阴跟一个傻瓜骑士在一块儿浪费——”

安德鲁　说的是我，一定的啦。

马伏里奥　“那个安德鲁爵士——”

安德鲁　我知道是我；因为许多人都管我叫傻瓜。

马伏里奥　（见信）这儿有些什么东西呢？

费边　现在那蠢鸟走近陷阱旁边来了。

托比　啊，静些！但愿能操纵人心意的神灵叫他高声朗读。

马伏里奥　（拾信）哎哟，这是小姐的手笔！瞧这一钩一弯一横一直，那不正是她的笔锋吗？没有问题，一定是她写的。

安德鲁　她的一钩一弯一横一直，那是什么意思？

马伏里奥　（读）“给不知名的恋人，至诚的祝福。”完全是她的口气！对不住，封蜡。且慢！这封口上的钤记不就是她一直用作封印的鲁克丽丝的肖像吗？一定是我的小姐。可是那是写给谁的呢？

费边　这叫他心窝儿里都痒起来了。

马伏里奥　知我者天，
我爱为谁？
慎莫多言，
莫令人知。

“莫令人知。”下面还写些什么？又换了句调了！“莫令人知”：说的也许是你哩，马伏里奥！

托比　嘿，该死，这獾子！

马伏里奥　我可以向我所爱的人发号施令；
但隐秘的衷情如鲁克丽丝之刀，
杀人不见血地把我的深心剚刃：
我的命在M，O，A，I的手里飘摇。

费边　无聊的谜语！

托比　我说是个好丫头。

马伏里奥　“我的命在M，O，A，I的手里飘摇。”不，让我先想一想，让我想一想，让我想一想。

费边　她给他吃了一服多好的毒药！

托比　瞧那头鹰儿多么饿急似的想一口吞下去！

马伏里奥　“我可以向我所爱的人发号施令。”哦，她可以命令我；我侍候着她，她是我的小姐。这是无论哪个有一点点脑子的人都看得出来的；全然合得拢。可是那结尾一句，那几个字母又是什么意思呢？能不能牵附到我的身上？——慢慢！M，O，A，I——

托比　哎，这应该想个法儿；他弄糊涂了。

费边　即使像一头狐狸那样臊气冲天，这狗子也会闻出味来，汪汪地叫起来的。

马伏里奥　M，马伏里奥；M，嘿，那正是我的名字的第一个字母哩。

费边　我不是说他会想出来的吗？这狗的鼻子在没有味的地方也会闻出味来。

马伏里奥　M——可是这次序不大对；这样一试，反而不成功了。跟着来的应该是个A字，可是却是个O字。

费边　我希望O字应该放在结尾的吧？

托比　对了，否则我要揍他一顿，让他喊出个“O”来。

马伏里奥　A的背后又跟着个I。

费边　哼，要是你背后生眼睛[①]的话，你就知道你眼前并没有什么幸运，你的背后却有倒霉的事跟着呢。

马伏里奥　M，O，A，I；这隐语可跟前面所说的不很合辙；可是稍为把它颠倒一下，也就可以适合我了，因为这几个字母都在我的名字里。且慢！这儿还有散文呢。“要是这封信落到你手里，请你想一想。照我的命运而论，我是在你之上，可是你不用惧怕富贵：有的人是生来的富贵，有的人是挣来的富贵，有的人是送上

① 眼睛原文为eye，与I发音相近。

来的富贵。你的好运已经向你伸出手来，赶快用你的全副精神抱住它。你应该练习一下怎样才合乎你所将要做的那种人的身份，脱去你卑恭的旧习，放出一些活泼的神气来。对亲戚不妨分庭抗礼，对仆人不妨摆摆架子；你嘴里要鼓唇弄舌地谈些国家大事，装出一副矜持的样子。为你叹息的人儿这样吩咐着你。记着谁曾经赞美过你的黄袜子，愿意看见你永远扎着十字交叉的袜带；我对你说，你记着吧。好，只要你自己愿意，你就可以出头了；否则让我见你一生一世做个管家，与众仆为伍，不值得抬举。再会！我是愿意跟你交换地位的，幸运的不幸者。”青天白日也没有这么明白，平原旷野也没有这么显豁。我要摆起架子来，谈起国家大事来；我要叫托比丧气，我要断绝那些鄙贱之交，我要一点不含糊地做起这么一个人来。我没有自己哄骗自己，让想象把我愚弄；因为每一个理由都指点着说，我的小姐爱上了我了。她最近称赞过我的黄袜子和我的十字交叉的袜带；她就是用这方法表示她爱我，用一种命令的方法叫我打扮成她所喜欢的样式。谢谢我的命星，我好幸福！我要放出高傲的神气来，穿了黄袜子，扎着十字交叉的袜带，立刻就去装束起来。赞美上帝和我的命星！这儿还有附启：“你一定想得到我是谁。要是你接受我的爱情，请你用微笑表示你的意思；你的微笑是很好看的。我的好人儿，请你当着我的面前永远微笑着吧。”上帝，我谢谢你！我要微笑；我要做每一件你吩咐我做的事。（下）

费边　即使波斯王给我一笔几千块钱的恩俸，我也不愿错过这场玩意儿。

托比　这丫头想得出这种主意，我简直可以娶了她。

安德鲁　我也可以娶了她呢。

托比　我不要她什么妆奁，只要再给我想出这么一个笑话来就行了。

安德鲁　我也不要她什么妆奁。

费边　我那位捉蠢鹅的好手来了。

【玛利娅重上。

托比　你愿意把你的脚搁在我的头颈上吗？

安德鲁　或者搁在我的头颈上？

托比　要不要我把我的自由作孤注一掷，做你的奴隶？

安德鲁　是的，要不要我也做你的奴隶？

托比　你已经叫他大做其梦，要是那种幻象一离开了他，他一定会发疯的。

玛利娅　可是您老实对我说，他中计了吗？

托比　就像收生婆喝了烧酒一样。

玛利娅　要是你们要看看这场把戏会闹出些什么结果来，请看好他怎样到小姐跟前去：他会穿起了黄袜子，那正是她所讨厌的颜色；还要扎着十字交叉的袜带，那正是她所厌恶的式样；他还要向她微笑，照她现在那样悒郁的心境，她一定会不高兴，管保叫他大受一场没趣。假如你们要看的话，跟我来吧。

托比　好，就是到地狱门口也行，你这好机灵鬼！

安德鲁　我也要去。（同下）

第三幕

第一场　奥丽维娅的花园

【薇奥拉及小丑持手鼓上。

薇奥拉　上帝保佑你和你的音乐，朋友！你是靠着打手鼓过日子的吗？

小丑　不，先生，我靠着教堂过日子。

薇奥拉　你是个教士吗？

小丑　没有的事，先生。我靠着教堂过日子，因为我住在我的家里，而我的家是在教堂附近。

薇奥拉　你也可以说，国王住在叫花窝的附近，因为叫花子住在王宫的附近；教堂筑在你的手鼓旁边，因为你的手鼓放在教堂旁边。

小丑　您说得对，先生。人们一代比一代聪明了！一句话对于一个聪明人就像是一副小山羊皮的手套，一下子就可以翻了转来。

薇奥拉　嗯，那是一定的啦；善于在字面上翻弄花样的，很容易流于轻薄。

小丑　那么，先生，我希望我的妹妹不要有名字。

薇奥拉　为什么呢？朋友。

小丑　先生，她的名字不也是个字吗？在那个字上面翻弄翻弄花样，也许我的妹妹就会轻薄起来。可是文字自从失去自由以后，也就变成很危险的家伙了。

薇奥拉　你说出理由来，朋友？

小丑　不瞒您说，先生，要是我向您说出理由来，那非得用文字不可；可是现在文字变得那么坏，我真不高兴用它们来证明我的理由。

薇奥拉　我敢说你是个快活的家伙，万事都不关心。

小丑　不是的，先生，我所关心的事倒有一点儿；可是凭良心说，先生，我可一点不关心您；如果不关心您就是无所关心的话，先生，我倒希望您也能够化为乌有才好。

薇奥拉　你不是奥丽维娅小姐府中的傻子吗？

小丑　真的不是，先生。奥丽维娅小姐不喜欢傻气；她要嫁了人才会在家里养起傻子来，先生；傻子之于丈夫，犹之乎小鱼之于大鱼，丈夫不过是个大一点的傻子而已。我真的不是她的傻子，我是给她说说笑话的人。

薇奥拉　我最近曾经在奥西诺公爵的地方看见过你。

小丑　先生，傻气就像太阳一样环绕着地球，到处放射它的光辉。要是傻子不常到您主人那里去，如同常在我的小姐那儿一样，那么，先生，我可真是抱歉。我想我也曾经在那边看见过您这聪明人。

薇奥拉　哼，你要在我身上打趣，我可要不睬你了。拿去，这个钱给你。（给他一枚钱币）

小丑　好，上帝保佑您长起胡子来吧！

薇奥拉　老实告诉你，我倒真为了胡子害相思呢；虽然我不要在自己脸上长起来。小姐在里面吗？

小丑　（指着钱币）先生，您要是再赏我一个钱，凑成两个，不就可以养儿子了吗？

薇奥拉　不错，如果你拿它们去放债取利息。

小丑　先生，我愿意做个弗里吉亚的潘达洛斯，给这个特洛伊罗斯找一个克瑞西达来。①

薇奥拉　我知道了，朋友；你很善于乞讨。

小丑　我希望您不会认为这是非分的乞讨，先生，我要乞讨的不过是

① 关于特洛伊罗斯（Troilus）与克瑞西达（Cressida）恋爱的故事可参看莎士比亚所著悲剧《特洛伊罗斯与克瑞西达》。潘达洛斯（Pandarus）系克瑞西达之舅，为他们居间撮合者。克瑞西达因生性轻浮，后被人所弃，沦为乞丐。

个叫花子——克瑞西达后来不是变成个叫花子了吗？小姐就在里面，先生。我可以对他们说明您是从哪儿来的；至于您是谁，您来有什么事，那就不属于我的领域之内了——我应当说“范围”，可是那两个字已经给人用得太熟了。（下）

薇奥拉　这家伙扮傻子很有点儿聪明。装傻装得好也是要靠才情的：他必须窥伺被他所取笑的人们的心情，了解他们的身份，还得看准了时机；然后像窥伺着眼前每一只鸟雀的野鹰一样，每个机会都不放松。这是一种和聪明人的艺术一样艰难的工作：傻子不妨说几句聪明话，聪明人说傻话难免笑骂。

【托比·培尔契爵士、安德鲁·艾古契克爵士同上。

托比　您好，先生。

薇奥拉　您好，爵士。

安德鲁　上帝保佑您，先生。

薇奥拉　上帝保佑您，我是您的仆人。

安德鲁　先生，我希望您是我的仆人；我也是您的仆人。

托比　请您进去吧。舍侄女有请，要是您是来看她的话。

薇奥拉　我来正是要拜见令侄女，爵士；她是我的航行的目标。

托比　请您试试您的腿吧，先生；把它们移动起来。

薇奥拉　我的腿倒是听我使唤，爵士，可是我却听不懂您叫我试试我的腿是什么意思？

托比　我的意思是，先生，请您走，请您进去。

薇奥拉　好，我就移步前进。可是人家已经先来了。

【奥丽维娅及玛利娅上。

薇奥拉　最卓越最完美的小姐，愿诸天为您散下芬芳的香雾！

安德鲁　那年轻人是一个出色的廷臣。“散下芬芳的香雾”！好得很。

薇奥拉　我的来意，小姐，只能让您自己的玉耳眷听。

安德鲁　“香雾”“玉耳”“眷听”，我已经学会了三句话了。

奥丽维娅　关上园门，让我们两人谈话。（托比、安德鲁、玛利娅同下）把你的手给我，先生。

薇奥拉　小姐，我愿意奉献我的绵薄之力为您效劳。

奥丽维娅　你叫什么名字？

薇奥拉　您仆人的名字是西萨里奥，美貌的公主。

奥丽维娅　我的仆人，先生！自从假作卑恭认为是一种恭维之后，世界上从此不曾有过乐趣。你是奥西诺公爵的仆人，年轻人。

薇奥拉　他是您的仆人，他的仆人自然也是您的仆人；您的仆人的仆人便是您的仆人，小姐。

奥丽维娅　我不高兴想他；我希望他心里空无所有，不要充满着我。

薇奥拉　小姐，我来是要替他说动您那颗温柔的心。

奥丽维娅　啊！对不起，请你不要再提起他了。可是如果你肯为另外一个人求爱，我愿意听你的请求，胜过于听天乐。

薇奥拉　亲爱的小姐——

奥丽维娅　对不起，让我说句话。上次你到这儿来把我迷醉了之后，我叫人拿了个戒指追你；我欺骗了我自己，欺骗了我的仆人，也许还欺骗了你；我用那种无耻的狡狯把你明知道不属于你的东西强纳在你手里，一定会使你看不起我。你会怎样想呢？你不曾把我的名誉拴在桩柱上，让你那残酷的心所想得到的一切思想恣意地把它虐弄吧？像你这样敏慧的人，我已经表示得太露骨了；掩藏着我的心事的，只是一层薄薄的蝉纱。所以，让我听你的意见吧。

薇奥拉　我可怜你。

奥丽维娅　那是到达恋爱的一个阶段。

薇奥拉　不，此路不通，我们对敌人也往往会发生怜悯，这是常有的经验。

奥丽维娅　啊，听了你的话，我倒是又要笑起来了。世界啊！微贱的人多么容易骄傲！要是做了俘虏，那么落于狮子的爪下比之豺狼的吻中要幸运多少啊！（钟鸣）时钟在谴责我把时间浪费。别担心，好孩子，我不会留住你。可是等到才情和青春成熟之后，你的妻子将会收获到一个出色的男人。向西是你的路。

薇奥拉　那么向西开步走！愿小姐称心如意！您没有什么话要我向我的主人说吗，小姐？

奥丽维娅　且慢，请你告诉我你以为我这人怎样？

薇奥拉　我以为你以为你不是你自己。

奥丽维娅　要是我以为这样，我以为你也是这样。

薇奥拉　你猜想得不错，我不是我自己。

奥丽维娅　我希望你是我所希望于你的那种人！

薇奥拉　那是不是比现在的我要好些，小姐？我希望好一些，因为现在我不过是你的弄人。

奥丽维娅　唉！他嘴角的轻蔑和怒气，
冷然的神态可多么美丽！
爱比杀人重罪更难隐藏；
爱的黑夜有中午的阳光。
西萨里奥，凭着春日蔷薇、
贞操、忠信与一切，我爱你
这样真诚，不顾你的骄傲，
理智拦不住热情的宣告。
别以为我这样向你求情，
你就可以无须再献殷勤；
须知求得的爱虽费心力，
不劳而获的更应该珍惜。

薇奥拉　我起誓，凭着天真与青春，
我只有一条心一片忠诚，
没有女人能够把它占有，
只有我是我自己的君后。
别了，小姐，我从此不再
来为我主人向你苦苦陈哀。

奥丽维娅　你不妨再来，也许能感动，
我释去憎嫌把感情珍重。（同下）

第二场　奥丽维娅宅中一室

【托比·培尔契爵士，安德鲁·艾古契克爵士及费边上。

安德鲁　不，真的，我再不能住下去了。

托比　为什么呢，恼火的朋友？说出你的理由来。

费边　是啊，安德鲁爵士，您得说出个理由来。

安德鲁　嘿，我见你的侄小姐对待那个公爵的用人比之待我好得多；我在花园里瞧见的。

托比　她那时也看见你吗，老兄？告诉我。

安德鲁　就像我现在看见你一样明白。

费边　那正是她爱您的一个很好的证据。

安德鲁　哗！你把我当作一头驴子吗？

费边　大人，我可以用判断和推理来证明这句话的不错。

托比　说得好，判断和推理在挪亚[①]还没有上船以前，就已经当上陪审官了。

费边　她当着您的脸对那个少年表示殷勤，是要叫您发急，唤醒您那打瞌睡的勇气，给您的心里燃起火来，在您的肝脏里加点儿硫黄罢了。您那时就该走上去向她招呼，说几句崭新的俏皮话儿叫那年轻人哑口无言。她盼望您这样，可是您却大意错过了。您放过了这么一个大好的机会，我的小姐自然要冷淡您啦；您目前在她心里的地位就像挂在荷兰人胡须上的冰柱一样，除非您能用勇气或是手段干出一些出色的勾当，才可以挽回过来。

安德鲁　无论如何，我宁愿用勇气；因为我顶讨厌使手段。叫我做个政客，还不如做个布朗派[②]的教徒。

托比　好啊，那么把你的命运建筑在勇气上吧。给我去向那公爵差来的少年挑战，在他身上戳十来个窟窿，我的侄女一定会注意到。你

---

① 挪亚（Noah）及其方舟的故事，见《圣经·创世记》第六章。

② 布朗派为英国伊丽莎白时代清教徒布朗（Robert Browne）所创的教派。

可以相信，世上没有一个媒人会比一个勇敢的名声更能说动女人的心了。

费边　此外可没有别的办法了，安德鲁大人。

安德鲁　你们谁肯替我向他下战书？

托比　快去用一手虎虎有威的笔法写起来；要干脆简单；不用说俏皮话，只要言之成理，别出心裁就得了。尽你的笔墨所能把他嘲骂；要是你把他“你”啊“你”的“你”了三四次，那不会有错；再把纸上写满了谎，即使你的纸大得足以铺满英国威尔地方的那张大床[①]。快去写吧。把你的墨水里掺满着怨毒，虽然你用的是一枝鹅毛笔。去吧。

安德鲁　我到什么地方来见你们？

托比　我们会到你房间里来看你；去吧。（安德鲁下）

费边　这是您的一个宝货，托比老爷。

托比　我倒累他破费过不少呢，孩儿，约莫有两千多块钱的样子。

费边　我们就可以看到他的一封妙信了。可是您不会给他送去的吧？

托比　要是我不送去，你别相信我；我一定要把那年轻人激出一个回音来。我想就是叫牛儿拉着车绳也拉不拢他们两人在一起。你把安德鲁解剖开来，要是能在他肝脏里找得出一滴可以沾湿一只跳蚤的脚的血，我愿意把他那副臭皮囊吃下去。

费边　他那个对头的年轻人，照那副相貌看来，也不像是会下辣手的。

托比　瞧，一窠九只的鷦鷯中顶小的一只来了。

【玛利娅上。

玛利娅　要是你们愿意捧腹大笑，不怕笑到腰酸背痛，那么跟我来吧。那只蠢鹅马伏里奥已经信了邪道，变成一个十足的异教徒了；因为没有一个相信正道而希望得救的基督徒，会做出这种丑恶不堪的奇形怪状来的。他穿着黄袜子呢。

托比　袜带是十字交叉的吗？

玛利娅　再难看不过的了，就像个在寺院里开学堂的塾师先生。我像是

① 该床方十一呎，今尚存。

他的刺客一样紧跟着他。我故意掉下来诱他的那封信上的话，他每一句都听从；他笑容满面，脸上的皱纹比增添了东印度群岛的新地图上的线纹还多。你们从来不曾见过这样一个东西；我真忍不住要向他丢东西过去。我知道小姐一定会打他；要是她打了他，他一定仍然会笑，以为是一件大恩典。

托比　来，带我们去，带我们到他那儿去。（同下）

第三场　街　道

【西巴斯辛及安东尼奥上。

西巴斯辛　我本来不愿意麻烦你，可是你既然这样欢喜自己劳碌，那么我也不再向你多话了。

安东尼奥　我抛不下你；我的愿望比磨过的刀还要锐利地驱迫着我。虽然为了要看见你，再远的路我也会跟着你去；可并不全然为着这个理由：我担心你在这些地方是个陌生人，路上也许会碰到些什么；一路没人领导没有朋友的异乡客，出门总有许多不方便。我的诚心的爱，再加上这样使我忧虑的理由，迫使我来追赶你。

西巴斯辛　我的善良的安东尼奥，除了感谢、感谢、永远的感谢之外，再没有别的话好回答你了。一件好事常常只换得一声空口的道谢；可是我的钱财假如能跟我的衷心的感谢一样多，你的好心一定不会得不到重重的酬报。我们干些什么呢？要不要去瞧瞧这城里的古迹？

安东尼奥　明天吧，先生；还是先去找个下处。

西巴斯辛　我并不疲倦，到天黑还有许多时候呢；让我们去瞧瞧这儿的名胜，一饱眼福吧。

安东尼奥　请你原谅我；我在这一带街道上走路是冒着危险的。从前我曾经参加海战，和公爵的舰队作过对；那时我很立了一点功，假如在这儿给捉到了，可不知要怎样抵罪哩。

西巴斯辛　大概你杀死了很多的人吧？

安东尼奥　我的罪名并不是这么一种杀人流血的性质；虽然照那时的情形和争执的激烈看来，很容易有流血的可能。本来把我们夺来的东西还给了他们，就可以和平解决了，我们城里大多数人为了经商，也都这样做了；可是我却不肯屈服：因此，要是我在这儿给捉到了的话，他们决不会轻易放过我。

西巴斯辛　那么你不要太出来招摇吧。

安东尼奥　那的确不大妥当。先生，这儿是我的钱袋，请你拿着吧。

南郊的大象旅店是最好的下宿的地方，我先去订好膳宿；你可以在城里逛着见识见识，再到那边来见我好了。

西巴斯辛　为什么你要把你的钱袋给我？

安东尼奥　也许你会看中什么玩意儿想要买下；我知道你的钱不够买这些非急用的东西，先生。

西巴斯辛　好，我就替你保管你的钱袋；过一个钟头再见吧。

安东尼奥　在大象旅店。

西巴斯辛　我记得。（各下）

第四场　奥丽维娅的花园

【奥丽维娅及玛利娅上。

奥丽维娅　我已经差人去请他了。假如他肯来，我要怎样款待他呢？我要给他些什么呢？因为年轻人常常是买来的，而不是讨来或借来的。我说得太高声了。马伏里奥在哪儿呢？他这人很严肃，懂得规矩，以我目前的处境来说，很配做我的仆人。马伏里奥在什么地方？

玛利娅　他就来了，小姐；可是他的样子古怪得很。他一定给鬼迷了，小姐。

奥丽维娅　啊，怎么啦？他在说胡话吗？

玛利娅　不，小姐；他只是一味笑。他来的时候，小姐，您最好叫人保护着您，因为这人的神经有点不正常呢。

奥丽维娅　去叫他来。（玛利娅下。）

他是痴汉，我也是个疯婆；
他欢喜，我忧愁，一样糊涂。

【玛利娅偕马伏里奥重上。

奥丽维娅　怎样，马伏里奥！

马伏里奥　亲爱的小姐，哈哈！

奥丽维娅　你笑吗？我要差你做一件正经事呢，别那么快活。

马伏里奥　不快活，小姐！我当然可以不快活，这种十字交叉的袜带扎得我血脉不通；可是那有什么要紧呢？只要能叫一个人看了欢喜，那就像诗上所说的“一人欢喜，人人欢喜”了。

奥丽维娅　什么，你怎么啦，家伙？究竟是怎么一回事？

马伏里奥　我的腿儿虽然是黄的，我的心儿却不黑。那信已经到了他的手里，命令一定要服从。我想那一手簪花妙楷我们都是认得出来的。

奥丽维娅　你还是睡觉去吧，马伏里奥。

马伏里奥　睡觉去！对了，好人儿；我一定奉陪。

奥丽维娅　上帝保佑你！为什么你这样笑着，还老是吻你的手？

玛利娅　您怎么啦，马伏里奥？

马伏里奥　多承见问！是的，夜莺应该回答乌鸦的问话。

玛利娅　您为什么当着小姐的面前这样放肆？

马伏里奥　“不用惧怕富贵，”写得很好！

奥丽维娅　你说那话是什么意思，马伏里奥？

马伏里奥　“有的人是生来的富贵，”——

奥丽维娅　嘿！

马伏里奥　“有的人是挣来的富贵，”——

奥丽维娅　你说什么？

马伏里奥　“有的人是送上来的富贵。”

奥丽维娅　上天保佑你！

马伏里奥　“记着谁曾经赞美过你的黄袜子，”——

奥丽维娅　你的黄袜子！

马伏里奥　“愿意看见你永远扎着十字交叉的袜带。”

奥丽维娅　扎着十字交叉的袜带！

马伏里奥　“好，只要你自己愿意，你就可以出头了，”——

奥丽维娅　我就可以出头了？

马伏里奥　“否则让我见你一生一世做个管家吧。”

奥丽维娅　哎哟，这家伙简直中了暑在发疯了。

【一仆人上。

仆人　小姐，奥西诺公爵的那位青年使者回来了，我好容易才请他回来。他在等候着小姐的意旨。

奥丽维娅　我就去见他。（仆人下）好玛利娅，这家伙要好好看管。我的托比叔父呢？叫几个人加意留心着他；我宁可失掉我嫁妆的一半，也不希望看到他有什么意外。（奥丽维娅、玛利娅下）

马伏里奥　啊，哈哈！你现在明白了吗？不叫别人，却叫托比爵士来照看我！我正合信上所说的：她有意叫他来，好让我跟他顶撞一下；因为她信里正要我这样。“脱去你卑恭的旧习；”她说，“对亲戚不妨分庭抗礼，对仆人不妨摆摆架子；你嘴里要鼓唇弄舌地谈些国家大事，装出一副矜持的样子。”随后还写着怎样装出一副严肃的面孔、庄重的举止、慢声慢气的说话腔调，学着大人先生的样子，诸如此类。我已经捉到她了；可是那是上帝的功劳，感谢上帝！而且她刚才临去的时候，她说：“这家伙要好好看管。”家伙！不说马伏里奥，也不照我的地位称呼我，而叫我家伙。哈哈，一切都符合，一点儿没有疑惑，一点儿没有阻碍，一点儿没有不放心的地方。还有什么好说呢？什么也不能阻止我达到我的全部的希望。好，干这种事情的是上帝，不是我，感谢上帝！

【玛利娅偕托比·培尔契爵士及费边上。

托比　凭着神圣的名义，他在哪儿？要是地狱里的群鬼都缩小了身子，一起走进他的身体里去，我也要跟他说话。

费边　他在这儿，他在这儿。您怎么啦，大爷？您怎么啦，老兄？

马伏里奥　走开，我用不着你；别搅扰了我的安静。走开！

玛利娅　听，魔鬼在他嘴里说着鬼话了！我不是对您说过吗？托比老爷，小姐请您看顾看顾他。

马伏里奥　啊！啊！她这样说吗？

托比　好了，好了，别闹了吧！我们一定要客客气气对付他；让我一个人来吧。——你好，马伏里奥？你怎么啦？嘿，老兄！抵抗魔鬼呀！你想，他是人类的仇敌呢。

马伏里奥　你知道你在说些什么话吗？

玛利娅　你们瞧！你们一说了魔鬼的坏话，他就生气了。求求上帝，不要让他中了鬼迷才好！

费边　把他的小便送到巫婆那边去吧。

玛利娅　好，明天早晨一定送去。我的小姐舍不得他哩。

马伏里奥　怎么，姑娘！

玛利娅　主啊！

托比　请你别闹，这不是个办法；你不见你惹他生气了吗？让我来对付他。

费边　除了用软功之外，没有别的法子；轻轻地、轻轻地，魔鬼是个粗坯，你要跟他动粗是不行的。

托比　喂，怎么啦，我的好家伙！你好，好人儿？

马伏里奥　爵士！

托比　哦，小鸡，跟我来吧。嘿，老兄！跟魔鬼在一起玩可不对。该死的黑鬼！

玛利娅　叫他念祈祷，好托比老爷，叫他祈祷。

马伏里奥　念祈祷，小淫妇！

玛利娅　你们听着，跟他讲到关于上帝的话，他就听不进去了。

马伏里奥　你们全给我去上吊吧！你们都是些浅薄无聊的东西；我不是跟你们一样的人。你们就会知道的。（下）

托比　有这等事吗？

费边　要是这种情形在舞台上表演起来，我一定要批评它捏造得出乎情理之外。

托比　这个计策已经把他迷得神魂颠倒了，老兄。

玛利娅　还是追上他去吧；也许这计策一漏了风，就会毁掉。

费边　哦，我们真的要叫他发起疯来。

玛利娅　那时屋子里可以清静些。

托比　来，我们要把他捆起来关在一间暗室里。我的侄女已经相信他疯了；我们可以这样依计而行，让我们开开心，叫他吃吃苦头。等到我们开腻了这玩笑，再向他发起慈悲来；那时我们宣布我们的计策，把你封做疯人的发现者。可是瞧，瞧！

【安德鲁·艾古契克爵士上。

费边　又有别的花样来了。

安德鲁　挑战书已经写好在此，你读读看；念上去就像酸醋胡椒的味道呢。

费边　是这样厉害吗？

安德鲁　对了，我向他保证的；你只要读着好了。

托比　给我。（读）“年轻人，不管你是谁，你不过是个下贱的东西。”

费边　好，真勇敢！

托比　“不要吃惊，也不要奇怪为什么我这样称呼你，因为我不愿告诉你是什么理由。”

费边　一句很好的话，这样您就可以不受法律的攻击了。

托比　“你来见奥丽维娅小姐，她当着我的面把你厚待；可是你说谎，那并不是我要向你挑战的理由。”

费边　很简单明白，而且百分之百地——不通。

托比　“我要在你回去的时候埋伏着等候你；要是命该你把我杀死的话——”

费边　很好。

托比　“你便是个坏蛋和恶人。”

费边　您仍旧避过了法律方面的责任，很好。

托比　“再会吧；上帝超度我们两人中一人的灵魂吧！也许他会超度我的灵魂；可是我比你有希望一些，所以你留心着自己吧。你的朋友（这要看你怎样对待他），和你的誓不两立的仇敌，安德鲁·艾古契克上。”——要是这封信不能激动他，那么他的两条腿也不能走动了。我去送给他。

玛利娅　您有很凑巧的机会；他现在正在跟小姐谈话，等会儿就要出来了。

托比　去，安德鲁大人，给我在园子角落里等着他，像个衙役似的；一看见他，便拔出剑来；一拔剑，就高声咒骂；一句可怕的咒骂，神气活现地从嘴里厉声发出来，比之真才实艺更能叫人相信他是个了不得的家伙。去吧！

安德鲁　好，骂人的事情我自己会。（下）

托比　我可不去送这封信。因为照这位青年的举止看来，是个很有资格很有教养的人，否则他的主人不会差他来拉拢我的侄女的。这封信写得那么奇妙不通，一定不会叫这青年害怕；他一定会以为这是一个呆子写的。可是，老兄，我要口头去替他挑战，故意夸张艾古契克的勇气，让这位仁兄相信他是个勇猛暴躁的家伙；我知道他那样年轻一定会害怕起来的。这样他们两人便会彼此害怕，就像眼光能杀人的毒蜥蜴似的，两人一照面，就都呜呼哀哉了。

费边　他和您的侄小姐来了；让我们回避他们，等他告别之后再追上去。

托比　我可以想出几句可怕的挑战话儿来。（托比、费边、玛丽娅下）

【奥丽维娅偕薇奥拉重上。

奥丽维娅　我对一颗石子样的心太多费唇舌了，鲁莽地把我的名誉下了赌注。我心里有些埋怨自己的错；可是那是个极其倔强的错，埋怨只能招它一阵讪笑。

薇奥拉　我主人的悲哀也正和您这种痴情的样子相同。

奥丽维娅　拿着，为我的缘故把这玩意儿戴在你身上吧，那上面有我的小像。不要拒绝它，它不会多话讨你厌的。请你明天再过来。你无论向我要什么，只要于我的名誉没有妨碍，我都可以给你。

薇奥拉　我向您要的，只是请您把真心的爱给我的主人。

奥丽维娅　那我已经给了你了，怎么还能凭着我的名誉再给他呢？

薇奥拉　我可以奉还给你。

奥丽维娅　好，明天再来吧。

再见！像你这样一个恶魔，
我甘愿被你向地狱里拖。（下）

【托比·培尔契爵士及费边重上。

托比　先生，上帝保佑你！

薇奥拉　上帝保佑您，爵士！

托比　准备着防御吧。我不知道你做了什么对不起他的事情；可是你那位对头满心怀恨，一股子的杀气在园子尽头等着你呢。拔出你的剑来，赶快预备好；因为你的敌人是个敏捷精明而可怕的人。

薇奥拉　您弄错了，爵士，我相信没人会跟我争吵；我完全不记得我曾经得罪过什么人。

托比　你会知道事情是恰恰相反的，我告诉你；所以要是你看重你的生命的话，留点神吧；因为你的冤家年轻力壮，武艺不凡，火气又那么大。

薇奥拉　请问爵士，他是谁呀？

托比　他是个不靠军功而受封的骑士；可是跟人吵起架来，那简直是个魔鬼：他已经叫三个人的灵魂出壳了。现在他的怒气已经一发而不可收，不把人杀死送进坟墓里去决不甘心。他的格言是不管三七二十一，拼个你死我活。

薇奥拉　我要回到府里去请小姐派几个人给我保镖。我不会跟人打架。我听说有些人故意向别人寻事，试验他们的勇气；这个人大概也是这一类的。

托比　不，先生，他的发怒是有充分理由的，因为你得罪了他；所以你还是上去答应他的要求吧。你不能回到屋子里去，除非你在没有跟他交手之前先跟我比个高低。横竖都得冒险，你何必不去会会他呢？所以上去吧，把你的剑赤条条地拔出来；无论如何你非得动手不可，否则以后你再不用带剑了。

薇奥拉　这真是既无礼又古怪。请您帮我一下忙，去问问那骑士我得罪了他什么。那一定是我偶然的疏忽，决不是有意的。

托比　我就去问他。费边先生，你陪着这位先生等我回来。（下）

薇奥拉　先生，请问您知道这是怎么一回事吗？

费边　我知道那骑士对您很不乐意，抱着拼命的决心；可是详细的情形却不知道。

薇奥拉　请您告诉我他是个什么样子的人？

费边　照他的外表上看起来，并没有什么惊人的地方；可是您跟他一交手，就知道他的厉害了。他，先生，的确是您在伊利里亚无论哪个地方所碰得到的最有本领、最凶狠、最厉害的敌手。您就过去见他好不好？我愿意替您跟他讲和，要是能够的话。

薇奥拉　那多谢您了。我是个宁愿亲近教士不愿亲近骑士的人；我这副小胆子，即使让别人知道了，我也不在乎。（同下）

【托比及安德鲁重上。

托比　嘿，老兄，他才是个魔鬼呢；我从来不曾见过这么一个泼货。我跟他连剑带鞘较量了一回，他给我这么致命的一刺，简直无从招架；至于他还起手来，那简直像是你的脚踏在地上一样万无一失。他们说他曾经在波斯王宫里当过剑师。

安德鲁　糟了！我不高兴跟他动手。

托比　好，但是他可不肯甘休呢；费边在那边简直拦不住他。

安德鲁　该死！早知道他有这种本领，我怎么也不会去惹他的。假如他肯放过这回，我情愿把我的灰色马儿送给他。

托比　我去跟他说去。站在这儿，摆出些威势来；这件事情总可以和平了结的。（旁白）你的马儿少不得要让我来骑，你可大大地给我捉弄了。

【费边及薇奥拉重上。

托比　（向费边）我已经叫他把他的马儿送上议和。我已经叫他相信这孩子是个魔鬼。

费边　他也是十分害怕他，吓得心惊肉跳脸色发白，像是一头熊追在背后似的。

托比　（向薇奥拉）没有法子，先生；他因为已经发过了誓，非得跟你决斗一下不可。他已经把这回吵闹考虑过，认为起因的确是微不足道的；所以为了他所发的誓起见，拔出你的剑来吧，他声明他不会伤害你的。

薇奥拉　（旁白）求上帝保佑我！一点点事情就会给他们知道我是不配当男人的。

费边　要是你见他势不可当，就让让他吧。

托比　来，安德鲁爵士，没有办法，这位先生为了他的名誉起见，不得不跟你较量一下，按着决斗的规则，他不能规避这一回事；可是他已经答应我，因为他是个堂堂君子又是个军人，他不会伤害你的。来吧，上去！

安德鲁　求上帝让他不要背誓！（拔剑）

薇奥拉　相信我，这全然不是出于我的本意。（拔剑）

【安东尼奥上。

安东尼奥　放下你的剑。要是这位年轻的先生得罪了你，我替他担个不是；要是你得罪了他，我可不肯对你甘休。（拔剑）

托比　你，朋友！咦，你是谁呀？

安东尼奥　先生，我是他的好朋友；为了他的缘故，无论什么事情说得出的便做得到。

托比　好吧，你既然这样喜欢管人家的闲事，我就奉陪了。（拔剑）

费边　啊，好托比老爷，住手吧！警官们来了。

托比　过会儿再跟你算账。

薇奥拉　（向安德鲁）先生，请你放下你的剑吧。

安德鲁　好，放下就放下，朋友；我可以向你担保，我的话说过就算数。那匹马你骑起来准很舒服，它也很听话。

【二警吏上。

警吏甲　就是这个人；执行你的任务吧。

警吏乙　安东尼奥，我奉奥西诺公爵之命来逮捕你。

安东尼奥　你看错人了，朋友。

警吏甲　不，先生，一点没有错。我很认识你的脸，虽然你现在头上不戴着水手的帽子。——把他带走，他知道我认识他的。

安东尼奥　我只好服从。（向薇奥拉）这场祸事都是因为要来寻找你而起；可是没有办法，我必得服罪。现在我不得不向你要回我的钱袋了，你预备怎样呢？叫我难过的倒不是我自己的遭遇，而是不能给你尽一点力。你吃惊吗？请你宽心吧。

警吏乙　来，朋友，去吧。

安东尼奥　那笔钱我必须向你要几个。

薇奥拉　什么钱，先生？为了您在这儿对我的好意相助，又看见您现在的不幸，我愿意尽我的微弱的力量借给您几个钱；我是个穷小子，这儿随身带着的钱，可以跟您平分。拿着吧，这是我一半的家私。

安东尼奥　你现在不认识我了吗？难道我给你的好处不能使你心动吗？别看着我倒霉好欺侮，要是激起我的性子来，我也会不顾一切，向你一一数说你的忘恩负义的。

薇奥拉　我一点不知道；您的声音相貌我也完全不认识。我痛恨人们的忘恩，比之痛恨说谎、虚荣、饶舌、酗酒，或是其他存在于脆弱的人心中的陷入的恶德还要厉害。

安东尼奥　唉，天哪！

警吏乙　好了，对不起，朋友，走吧。

安东尼奥　让我再说句话，你们瞧这个孩子，他是我从死神的掌握中夺了来的，我用神圣的爱心照顾着他；我以为他的样子是个好人，才那样看重着他。

警吏甲　那跟我们有什么相干呢？别耽误了时间，去吧！

安东尼奥　可是，唉！这个天神一样的人，原来却是个邪魔歪道！西巴斯辛，你未免太羞辱了你这副好相貌了。

心上的瑕疵是真的垢污；
无情的人才是残废之徒。
善即是美；但美丽的奸恶，
是魔鬼雕就文彩的空椟。

警吏甲　这家伙发疯了；带他去吧！来，来，先生。

安东尼奥　带我去吧。（警吏带安东尼奥下）

薇奥拉　他的话儿句句发自衷肠；
他坚持不疑，我意乱心慌。
但愿想象的事果真不错，
是他把妹妹错认作哥哥！

托比　过来，骑士；过来，费边；让我们悄悄地讲几句聪明话。

薇奥拉　他说起西巴斯辛的名字，
我哥哥正是我镜中影子，
兄妹俩生就一般的形状，
再加上穿扮得一模一样；
但愿暴风雨真发了慈心，
无情的波浪变作了多情！（下）

托比　好一个刁滑的卑劣的孩子，比兔子还胆怯！他坐视朋友危急而不顾，还要装作不认识，可见他刁恶的一斑，至于他的胆怯呢，问费边好了。

费边　一个懦夫，一个把怯懦当神灵一样敬奉的懦夫。

安德鲁　他妈的，我要追上去把他揍一顿。

托比　好，把他狠狠地揍一顿，可是别拔出你的剑来。

安德鲁　要是我不——（下）

费边　来，让我们去瞧去。

托比　我可以赌无论多少钱，到头来不会有什么事发生的。（同下）

第四幕

第一场　奥丽维娅宅旁街道

【西巴斯辛及小丑上。

小丑　你要我相信我不是差来请你的吗？

西巴斯辛　算了吧，算了吧，你是个傻瓜；给我走开去。

小丑　装腔装得真好！是的，我不认识你；我的小姐也不会差我来请你去讲话；你的名字也不是西萨里奥大爷。什么都不是。

西巴斯辛　请你到别处去大放厥词吧；你又不认识我。

小丑　大放厥词！他从什么大人物那儿听了这句话，却来用在一个傻瓜身上。大放厥词！我担心整个痴愚的世界都要装腔作态起来了。请你别那么怯生生的，告诉我应当向我的小姐放些什么"厥词"。要不要对她说你就来？

西巴斯辛　傻东西，请你走开吧；这儿有钱给你；要是你再不去，我可就要不客气了。

小丑　真的，你倒是很慷慨。这种聪明人把钱给傻子，就像用十四年的收益来买一句好话。

【安德鲁上。

安德鲁　呀，朋友，我又碰见你了吗？吃这一下。（击西巴斯辛）

西巴斯辛　怎么，给你尝尝这一下，这一下，这一下！（打安德鲁）所有的人们都疯了吗？

【托比及费边上。

托比　停住，朋友，否则我要把你的刀子摔到屋子里去了。

小丑　我就去把这事告诉我的小姐。我不愿凭两便士就代人受过。（下）

托比　（拉西巴斯辛）算了，朋友，住手吧。

安德鲁　不，让他去吧。我要换一个法儿对付他。要是伊利里亚是有法律的话，我要告他非法殴打的罪；虽然是我先动手，可是那没有关系。

西巴斯辛　放下你的手！

托比　算了吧，朋友，我不能放走你。来，我的青年的勇士，放下你的家伙。你打架已经打够了；来吧。

西巴斯辛　你别想抓住我。（挣脱）现在你要怎样？要是你有胆子的话，拔出你的剑来吧。

托比　什么！什么！那么我倒要让你流几滴莽撞的血呢。（拔剑）

【奥丽维娅上。

奥丽维娅　住手，托比！我命令你！

托比　小姐！

奥丽维娅　有这等事吗？忘恩的恶人！只配住在从来不懂得礼貌的山林和洞窟里的。滚开！——别生气，亲爱的西萨里奥。——莽汉，走开！（托比、安德鲁、费边同下）好朋友，你是个有见识的人，这回的惊扰实在太失礼、太不成话了，请你不要生气。跟我到舍下去吧；我可以告诉你这个恶人曾经多少次无缘无故地惹是招非，你听了就可以把这回事情一笑置之了。你一定要去的：

别推托！他灵魂该受天戳，
为你惊起了我心头小鹿。

西巴斯辛　滋味难名，不识其中奥妙；
是疯眼昏迷？是梦魂颠倒？
愿心魂永远在忘河沉浸；
有这般好梦再不须梦醒！

奥丽维娅　请你来吧；你得听我的话。

西巴斯辛　小姐，遵命。

奥丽维娅　但愿这回非假！（同下）

第二场　奥丽维娅宅中一室

【玛利娅及小丑上；马伏里奥在相接的暗室内。

玛利娅　哦，我请你把这件袍子穿上，这把胡须套上，让他相信你是副牧师托巴斯师傅。快些，我就去叫托比老爷来。（下）

小丑　好，我就穿起来，假装一下；我希望我是第一个扮作这种样子的。我的身材不够高，穿起来不怎么神气；略为胖一点，也不像个用功念书的：可是给人称赞一声是个老实汉子和很好的当家人，也就跟一个用心思的读书人一样好了。——那两个同党的来了。

【托比·培尔契爵士及玛利娅上。

托比　上帝祝福你，牧师先生！

小丑　早安，托比大人！目不识丁的布拉格的老隐士曾经向高波杜克王的侄女说过这么一句聪明话："是什么，就是什么。"因此，我既是牧师先生，也就是牧师先生；因为"什么"即是"什么"，"是"即是"是"。

托比　走过去，托巴斯师傅。

小丑　呃哼，喂！这监狱里平安呀！

托比　这小子装得很像，好小子。

马伏里奥　（在内）谁在叫？

小丑　副牧师托巴斯师傅来看疯人马伏里奥来了。

马伏里奥　托巴斯师傅，托巴斯师傅，托巴斯好师傅，请您到我小姐那儿去一趟。

小丑　滚你的，胡言乱语的魔鬼！瞧这个人给你缠得这样子！只晓得嚷小姐吗？

托比　说得好，牧师先生。

马伏里奥　（在内）托巴斯师傅，从来不曾有人给人这样冤枉过。托巴斯好师傅，别以为我疯了。他们把我关在这个暗无天日的地方。

小丑　啐，你这不老实的撒旦！我用最客气的称呼叫你，因为我是个最有礼貌的人，即使对于魔鬼也不肯失礼。你说这屋子是黑的吗？

马伏里奥　像地狱一样，托巴斯师傅。

小丑　嘿，它的凸窗像壁垒一样透明，它的向着南北方的顶窗像乌木一样发光呢；你还说看不见吗？

马伏里奥　我没有发疯，托巴斯师傅。我对您说，这屋子是黑的。

小丑　疯子，你错了。我对你说，世间并无黑暗，只有愚昧。埃及人在大雾中辨不清方向，还不及你在愚昧里那样发昏。

马伏里奥　我说，这座屋子简直像愚昧一样黑暗，即使愚昧是像地狱一样黑暗。我说，从来不曾有人给人这样欺侮过。我并不比您更疯；您不妨提出几个合理的问题来问我，试试我疯不疯。

小丑　毕达哥拉斯对于野鸟有什么意见？

马伏里奥　他说我们祖母的灵魂也许曾经在鸟儿的身体里寄住过。

小丑　你对于他的意见觉得怎样？

马伏里奥　我认为灵魂是高贵的，绝对不赞成他的说法。

小丑　再见，你在黑暗里住下去吧。等到你赞成了毕达哥拉斯的说法之后，我才可以承认你的头脑健全。留心别打山鹬，因为也许你要害得你祖母的灵魂流离失所了。再见。

马伏里奥　托巴斯师傅！托巴斯师傅！

托比　我的了不得的托巴斯师傅！

小丑　嘿，我可真是多才多艺呢。

玛利娅　你就是不挂胡须不穿道袍也没有关系；他又看不见你。

托比　你再用你自己的口音去对他说话；怎样的情形再来告诉我。我希望这场恶作剧快快告个段落。要是不妨把他释放，我看就放了他吧；因为我已经大大地失去了我侄女的欢心，倘把这玩意儿尽管闹下去，恐怕不大妥当。等会儿到我的屋子里来吧。（托比、玛利娅下）

小丑　　嗨，罗宾，快活的罗宾哥，
　　问你的姑娘近况如何。

马伏里奥　傻子！

小丑　不骗你，她心肠有点硬。

马伏里奥　傻子！

小丑　唉，为了什么原因，请问？

马伏里奥　喂，傻子！

小丑　　她已经爱上了别人。

　　——嘿！谁叫我？

马伏里奥　好傻子，谢谢你给我拿一支蜡烛、笔、墨水和纸张来，以后我不会亏待你的。君子不扯谎，我永远感你的恩。

小丑　马伏里奥大爷吗？

马伏里奥　是的，好傻子。

小丑　唉，大爷，您怎么会发起疯来呢？

马伏里奥　傻子，从来不曾有人给人这样欺侮过。我的头脑跟你一样清楚呢，傻子。

小丑　跟我一样？那么您真的是疯了，要是您的头脑跟傻子差不多。

马伏里奥　他们把我当作一件家具看待，把我关在黑暗里，差牧师们——那些蠢驴子！——来看我，千方百计想把我弄昏了头。

小丑　您说话留点神吧；牧师就在这儿呢。——马伏里奥，马伏里奥，上天保佑你明白过来吧！好好地睡睡觉儿，别噜哩噜苏地讲空话。

马伏里奥　托巴斯师傅！

小丑　别跟他说话，好伙计。——谁？我吗，师傅？我可不要跟他说话哩，师傅。上帝和您同在，好托巴斯师傅！——呃，阿门！——好的，师傅，好的。

马伏里奥　傻子，傻子，傻子，我对你说！

小丑　唉，大爷，您耐心吧！您怎么说，师傅？——师傅怪我跟您说话哩。

马伏里奥　好傻子，给我拿一点儿灯火和纸张来。我对你说，我跟伊利里亚无论哪个人一样头脑清楚呢。

小丑　唉，我巴不得这样呢，大爷！

马伏里奥　我可以举手发誓我没有发疯。好傻子，拿墨水、纸和灯火来；我写好之后，你去替我送给小姐。你送了这封信去，一定会到手一笔空前的大赏赐的。

小丑　我愿意帮您的忙。但是老实告诉我，您是不是真的疯了，还是装疯？

马伏里奥　相信我，我没有发疯，我老实告诉你。

小丑　嘿，我可信不过一个疯子的话，除非我能看见他的脑子。我去给您拿蜡烛、纸和墨水。

马伏里奥　傻子，我一定会重重报答你。请你去吧。

小丑　大爷我去了，
　请您不要吵，
不多一会的时光，
小鬼再来见魔王；
　手拿木板刀，
　胸中如火烧，
向着魔鬼打哈哈，
样子像个疯娃娃：
　爹爹不要恼，
　给您剪指甲，
再见，我的魔王爷！（下）

第三场　奥丽维娅的花园

【西巴斯辛上。

西巴斯辛　这是空气；那是灿烂的太阳；这是她给我的珍珠，我看得见也摸得到：虽然怪事这样包围着我，然而却不是疯狂。那么安东尼奥到哪儿去了呢？我在大象旅店里找不到他；可是他曾经到过那边，据说他到城中各处寻找我去了。现在我很需要他的指教；因为虽然我心里很觉得这也许是出于错误，而并非是一种疯狂的举动，可是这种意外和飞来的好运太有些未之前闻，无可理解了，我简直不敢相信我的眼睛；无论我的理智怎样向我解释，我总觉得不是我疯了便是这位小姐疯了。可是，真是这样的话，她一定不会那样井井有条，神气那么端庄地操持她的家务，指挥她的仆人，料理一切的事情，如同我所看见的那样。其中一定有些蹊跷。她来了。

【奥丽维娅及一牧师上。

奥丽维娅　不要怪我太性急。要是你没有坏心肠的话，现在就跟我和这位神父到我家的礼拜堂里去吧；当着他的面前，在那座圣堂的屋顶下，你要向我充分证明你的忠诚，好让我小气的、多疑的心安定下来。他可以保守秘密，直到你愿意宣布出来按照着我的身份的婚礼将在什么时候举行。你说怎样？

西巴斯辛　我愿意跟你们两位前往；
　　立过的盟誓永没有欺罔。

奥丽维娅　走吧，神父；但愿天公作美，
　　一片阳光照着我们酣醉！（同下）

第五幕

第一场　奥丽维娅宅前街道

【小丑及费边上。

费边　看在咱们交情的分上，让我瞧一瞧他的信吧。

小丑　好费边先生，允许我一个请求。

费边　尽管说吧。

小丑　别向我要这封信看。

费边　这就是说，把一条狗给了人，要求的代价是，再把那条狗要还。

【公爵、薇奥拉、丘里奥及侍从等上。

公爵　朋友们，你们是奥丽维娅小姐府中的人吗？

小丑　是的，殿下；我们是附属于她的一两件零星小物。

公爵　我认识你；你好吗，我的好朋友？

小丑　不瞒您说，殿下，我的仇敌使我好些，我的朋友使我坏些。

公爵　恰恰相反，你的朋友使你好些。

小丑　不，殿下，坏些。

公爵　为什么呢？

小丑　呃，殿下，他们称赞我，把我当作驴子一样愚弄；可是我的仇敌却坦白地告诉我说我是一头驴子；因此，殿下，多亏我的仇敌我才能明白我自己，我的朋友却把我欺骗了；因此，结论就像接吻一样，说四声“不”就等于说两声“请”，这样一来，当然是朋友使我坏些，仇敌使我好些了。

公爵　啊，这说得好极了！

小丑　凭良心说，殿下，这一点不好；虽然您愿意做我的朋友。

公爵　我不会使你坏些；这儿是钱。

小丑　倘不是恐怕犯了骗人钱财的罪名，殿下，我倒希望您把它再加一倍。

公爵　啊，你给我出的好主意。

小丑　把您的慷慨的手伸进您的袋里去，殿下；只这一次，不要犹疑吧。

公爵　好吧，我姑且来一次罪上加罪，拿去。

小丑　掷骰子有幺二三；古话说，“一不做，二不休，三回才算数”；跳舞要用三拍子；您只要听圣班纳特教堂的钟声好了，殿下——一，二，三。

公爵　你这回可骗不动我的钱了。要是你愿意去对你小姐说我在这儿要见她说话，同着她到这儿来，那么也许会再唤醒我的慷慨来的。

小丑　好吧，殿下，给您的慷慨唱个安眠歌，等着我回来吧。我去了，殿下；可是我希望您明白我的要钱并不是贪财。好吧，殿下，就照您的话，让您的慷慨打个盹儿，我等一会儿再来叫醒他吧。（下）

薇奥拉　殿下，这儿来的人就是搭救了我的。

【安东尼奥及警吏上。

公爵　他那张脸我记得很清楚；可是上次我见他的时候，他脸上涂得黑黑的，就像烽烟里的乌尔冈一样。他是一只吃水量和体积都很小的舰上的舰长，可是却使我们舰队中最好的船只大遭损失，就是心怀嫉恨的、给他打败的人也不得不佩服他。为了什么事？

警吏　启禀殿下，这就是在坎迪地方把“凤凰号”和它的货物劫了去的安东尼奥；也就是在“猛虎号”上把您的侄公子泰特斯削去了腿的那人。我们在这儿的街道上看见他穷极无赖，在跟人家打架，因此抓了来了。

薇奥拉　殿下，他曾经拔刀相助，帮过我忙，可是后来却对我说了一番奇怪的话，似乎发了疯似的。

公爵　好一个海盗！在水上行窃的贼徒！你怎么敢凭着你的愚勇，投身到被你用血肉和巨量的代价结下冤仇的人们的手里呢？

安东尼奥　尊贵的奥西诺，请许我洗刷去您给我的称呼；安东尼奥从来不曾做过海盗或贼徒，虽然我有充分的理由和原因承认我是奥西诺的敌人。一种魔法把我吸引到这儿来。在您身边的那个最没有良心的孩子，是我从汹涌的怒海的吞噬中救了出来的，否则他已经毫无希望了。我给了他生命，又把我的友情无条件地完全给了他；为了他的缘故，纯粹出于爱心，我冒着危险出现在这个敌对的城里，见他给人包围了，就拔剑相助；可是我遭了逮捕，他的狡恶的心肠因恐我连累他受罪，便假装不认识我，一霎眼就像已经暌违了二十年似的，甚至于我在半点钟前给他任意使用的我自己的钱袋，也不肯还给我。

薇奥拉　怎么会有这种事呢？

公爵　他在什么时候到这城里来的？

安东尼奥　今天，殿下；三个月来，我们朝朝夜夜都在一起，不曾有一分钟分离过。

【奥丽维娅及侍从等上。

公爵　这里来的是伯爵小姐，天神降临人世了！——可是你这家伙，完全在说疯话；这孩子已经侍候我三个月了。那种话等会儿再说吧。把他带到一旁去。

奥丽维娅　殿下有什么下示？除了断难遵命的一件事之外，凡是奥丽维娅力量所能及的，一定愿意效劳。——西萨里奥，你失了我的约啦。

薇奥拉　小姐！

公爵　温柔的奥丽维娅！——

奥丽维娅　你怎么说，西萨里奥？——殿下——

薇奥拉　我的主人要跟您说话；地位关系我不能开口。

奥丽维娅　殿下，要是您说的仍旧是那么一套，我可已经听厌了，就像奏过音乐以后的叫号一样令人不耐。

公爵　仍旧是那么残酷吗？

奥丽维娅　仍旧是那么坚定，殿下。

公爵　什么，坚定得不肯改变一下你的乖僻吗？你这无礼的女郎！向着你的无情的不仁的祭坛，我的灵魂已经用无比的虔诚吐露出最忠心的献礼。我还有什么办法呢？

奥丽维娅　办法就请殿下自己斟酌吧。

公爵　假如我狠得下那么一条心，为什么我不可以像临死时的埃及大盗一样，把我所爱的人杀死了呢？蛮性的嫉妒有时也带着几分高贵的气质。但是你听着我吧：既然你漠视我的诚意，我也有些知道谁在你的心中夺去了我的位置，你就继续做你的铁石心肠的暴君吧；可是你所爱着的这个宝贝，我当天发誓我曾经那样宠爱着他，我要把他从你的那双冷酷的眼睛里除去，免得他傲视他的主人。来，孩子，跟我来。我的恶念已经成熟：

我要牺牲我钟爱的羔羊，
白鸽的外貌乌鸦的心肠。（走）

薇奥拉　我甘心愿受一千次死罪，
只要您的心里得到安慰。（随行）

奥丽维娅　西萨里奥到哪儿去？

薇奥拉　追随我所爱的人，
我爱他甚于生命和眼睛，
远过于对于妻子的爱情。
愿上天鉴察我一片诚挚，
倘有虚谎我决不辞一死！

奥丽维娅　哎哟，他厌弃了我！我受了欺骗了！

薇奥拉　谁把你欺骗？谁给你受气？

奥丽维娅　才不久你难道已经忘记？——请神父来。（一侍从下）

公爵　（向薇奥拉）去吧！

奥丽维娅　到哪里去，殿下？西萨里奥，我的夫，别去！

公爵　你的夫？

奥丽维娅　是的，我的夫；他能抵赖吗？

公爵　她的夫，嘿？

薇奥拉　不，殿下，我不是。

奥丽维娅　唉！是你的卑怯的恐惧使你否认了自己的身份。不要害怕，西萨里奥；别放弃了你的地位。你知道你是什么人，要是承认了出来，你就跟你所害怕的人并肩相埒了。

【牧师上。

奥丽维娅　啊，欢迎，神父！神父，我请你凭着你的可尊敬的身份，到这里来宣布你所知道的关于这位少年和我之间不久以前的事情；虽然我们本来预备保守秘密，但现在不得不在时机未到之前公布了。

牧师　一个永久相爱的盟约，已经由你们两人握手缔结，用神圣的吻证明，用戒指的交换确定了。这婚约的一切仪式，都由我主持做证；照我的表上所指示，距离现在我不过向我的坟墓走了两小时的行程。

公爵　唉，你这骗人的小畜生！等你年纪一大了起来，你会是个怎样的人呢？

也许你过分早熟的奸诡，
反会害你自己身败名毁。
别了，你尽管和她论嫁娶；
可留心以后别和我相遇。

薇奥拉　殿下，我要声明——

奥丽维娅　不要发誓；

放大胆些，别亵渎了神祇！

【安德鲁·艾古契克爵士头破血流上。

安德鲁　看在上帝的分上，叫个外科医生来吧！立刻去请一个来瞧瞧托比爵士。

奥丽维娅　什么事？

安德鲁　他把我的头给打破了，托比爵士也给他弄得满头是血。看在上帝的分上，救救命吧！谁要是给我四十镑钱，我也宁愿回到家里去。

奥丽维娅　谁干了这种事，安德鲁爵士？

安德鲁　公爵的跟班名叫西萨里奥的。我们把他当作一个孱头，哪晓得他简直是个魔鬼。

公爵　我的跟班西萨里奥？

安德鲁　他妈的！他就在这儿。你无缘无故敲破我的头！我不过是给托比爵士怂恿了才动手的。

薇奥拉　你为什么对我说这种话呢？我没有伤害你呀。你自己无缘无故向我拔剑；可是我对你很客气，并没有伤害你。

安德鲁　假如一颗血淋淋的头可以算得是伤害的话，你已经把我伤害了；我想你以为满头是血，是算不了一回事的。托比爵士一跷一拐地来了——

【托比·培尔契爵士由小丑搀扶醉步上。

安德鲁　你等着瞧吧：如果他刚才不是喝醉了，你一定会尝到他的厉害手段。

公爵　怎么，老兄！你怎么啦？

托比　有什么关系？他把我打坏了，还有什么别的说的？傻瓜，你有没有看见狄克医生，傻瓜？

小丑　喔！他在一个钟头之前喝醉了，托比老爷；他的眼睛在早上八点钟就昏花了。

托比　那么他便是个踱着八字步的混蛋。我顶讨厌酒鬼。

奥丽维娅　把他带走！谁把他们弄成这样子的？

安德鲁　我来扶着您吧，托比爵士；咱们一块儿裹伤口去。

托比　你来扶着我？蠢驴，傻瓜，浑蛋，瘦脸的浑蛋，笨鹅！

奥丽维娅　招呼他上床去，好好看顾一下他的伤口。（小丑、费边、托比、安德鲁同下）

【西巴斯辛上。

西巴斯辛　小姐，我很抱歉伤了令亲；可是即使他是我的同胞兄弟，为了自卫起见我也只好出此手段。您用那样冷淡的眼光瞧着我，我知道我一定冒犯了您了；原谅我吧，好人，看在不久以前我们彼此立下的盟誓分上。

公爵　一样的面孔，一样的声音，一样的装束，化成了两个身体；一副天然的幻镜，真实和虚妄的对照！

西巴斯辛　安东尼奥！啊，我的亲爱的安东尼奥！自从我不见了你之后，我的时间过得多么痛苦啊！

安东尼奥　你是西巴斯辛吗？

西巴斯辛　难道你不相信是我吗，安东尼奥？

安东尼奥　你怎么会分身呢？把一只苹果切成两半，也不会比这两人更为相像。哪一个是西巴斯辛？

奥丽维娅　真奇怪呀！

西巴斯辛　那边站着的是我吗？我从来不曾有过一个兄弟；我又不是一尊无所不在的神明。我只有一个妹妹，但已经被盲目的波涛卷去了。对不住，请问你我之间有什么关系？你是哪一国人？叫什么名字？谁是你的父母？

薇奥拉　我是梅萨林人。西巴斯辛是我的父亲；我的哥哥也是一个像你一样的西巴斯辛，他葬身于海洋中的时候也穿着像你一样的衣服。要是灵魂能够照着在生时的形状和服饰出现，那么你是来吓我们的。

西巴斯辛　我的确是一个灵魂；可是还没有脱离我的生而具有的物质的皮囊。你的一切都能符合，只要你是个女人，我一定会让我的眼泪滴在你的脸上，而说："大大地欢迎，溺死了的薇奥拉！"

薇奥拉　我的父亲额角上有一颗黑痣。

西巴斯辛　我的父亲也有。

薇奥拉　他死的时候薇奥拉才十三岁。

西巴斯辛　唉！那记忆还鲜明地留在我的灵魂里。他的确在我妹妹刚满十三岁的时候完毕了他人世的任务。

薇奥拉　假如只是我这一身僭妄的男装阻碍了我们彼此的欢欣，那么等一切关于地点、时间、遭遇的枝节完全衔接，证明我确是薇奥拉之后，再拥抱我吧。我可以叫一个在这城中的船长来为我证明，我的女衣便是寄放在他那里的；多亏他的帮忙，我才侥幸保全了生命，能够来侍候这位尊贵的公爵。此后我便一直奔走于这位小姐和这位贵人之间。

西巴斯辛 （向奥丽维娅）小姐；原来您是弄错了；但那也是心理上的自然的倾向。您本来要跟一个女孩子订婚；可是拿我的生命起誓，您的希望并没有落空。您现在同时是一个女人和一个男人的未婚妻了。

公爵 不要惊骇；他的血统也很高贵。要是这回事情果然是真，看来似乎不是一面骗人的镜子，那么在这番最幸运的覆舟里我也要沾点儿光。（向薇奥拉）孩子，你曾经向我说过一千次决不会像爱我一样爱着一个女人。

薇奥拉 那一切的话我愿意再发誓证明；那一切的誓我都要坚守在心中，就像分隔昼夜的天球中蕴藏着的烈火一样。

公爵 把你的手给我；让我瞧你穿了女人的衣服是什么样子。

薇奥拉 把我带上岸来的船长那里存放着我的女服；可是他现在跟这儿小姐府上的管家马伏里奥有点讼事，被拘留起来了。

奥丽维娅 一定要他把他放出来。去叫马伏里奥来。——唉。我现在记起来了，他们说，可怜的人，他的神经病很厉害呢。因为我自己在大发其疯，所以把他的疯病完全忘记了。

【小丑持信及费边上。

奥丽维娅 他怎样啦，小子？

小丑 启禀小姐，他总算很尽力抵挡着魔鬼。他写了一封信给您。我本该今天早上就给您的；可是疯人的信不比福音，送没送到都没甚关系。

奥丽维娅 拆开来读给我听。

小丑 傻子要念疯子的话了，请你们洗耳恭听。（读）“凭着上帝的名义，小姐——”

奥丽维娅 怎么！你疯了吗？

小丑 不，小姐，我在读疯话呢。小姐您既然要我读这种东西，那么您就得准许我疯声疯气地读。

奥丽维娅 请你读得清楚一些。

小丑 我正是在这样做，小姐；可是他的话怎么写，我就只能怎么读。

所以，我的好公主，请您还是全神贯注，留意倾听吧。

奥丽维娅 （向费边）喂，还是你读吧。

费边 （读）“凭着上帝的名义，小姐，您屈待了我；全世界都要知道这回事。虽然您已经把我幽闭在黑暗里，叫您的醉酒的令叔看管我，可是我的头脑跟您小姐一样清楚呢。您自己骗我打扮成那个样子，您的信还在我手里；我很可以用它来证明我自己的无辜，可是您的脸上却不好看哩。随您把我怎么看待吧。因为冤枉难明，不得不暂时僭越了奴仆的身份，请您原谅。被虐待的马伏里奥上。”

奥丽维娅 这封信是他写的吗？

小丑 是的，小姐。

公爵 这倒不像是个疯子的话哩。

奥丽维娅 去把他放出来，费边；带他到这儿来。（费边下）殿下，等您把这一切再好好考虑一下之后，如果您不嫌弃，肯认我作一个亲戚，而不是妻子，那么同一天将庆祝我们两家的婚礼，地点就在我家，费用也由我来承担。

公爵 小姐，多蒙厚意，敢不领情。（向薇奥拉）你的主人解除了你的职务了。你事主多么勤劳，全然不顾那种职务多么不适于你的娇弱的身份和优雅的教养；你既然一直把我称作主人，从此以后，你便是你主人的主妇了。握着我的手吧。

奥丽维娅 你是我的妹妹了！

【费边偕马伏里奥重上。

公爵 这便是那个疯子吗？

奥丽维娅 是的，殿下，就是他。——怎样，马伏里奥！

马伏里奥 小姐，您屈待了我，大大地屈待了我！

奥丽维娅 我屈待了你吗，马伏里奥？没有的事。

马伏里奥 小姐，您屈待了我。请您瞧这封信。您能抵赖说那不是您写的吗？您能写几笔跟这不同的字，几句跟这不同的句子吗？您能说这不是您的图章，不是您的大作吗？您可不能否认。好，那么承认了吧；凭着您的贞洁告诉我：为什么您向我表示这种露骨的恩意，吩咐我见您的时候脸带笑容，扎着十字交叉的袜带，穿着黄袜子，对托比大人和底下人要皱眉头？我满心怀着希望，一切服从您，您怎么要把我关起来，禁锢在暗室里，叫牧师来看我，给人当作闻所未闻的大傻瓜愚弄？告诉我为什么？

奥丽维娅　唉！马伏里奥，这不是我写的，虽然我承认很像我的笔迹；但这一定是玛利娅写的。现在我记起来了，第一个告诉我你发疯了的就是她；那时你便一路带笑而来，打扮和动作的样子就跟信里所说的一样。你别恼吧；这场诡计未免太恶作剧，等我们调查明白原因和主谋的人之后，你可以自己兼作原告和审判官来断这件案子。

费边　好小姐，听我说，不要让争闹和口角来打断了当前这个使我惊喜交加的好时光。我希望您不会见怪，我坦白地承认是我跟托比老爷因为看不上眼这个马伏里奥的顽固无礼，才想出这个计策来。因为托比老爷央求不过，玛利娅才写了这封信；为了酬劳她，他已经跟她结了婚了。假如把两方所受到的难堪衡情酌理地判断起来，那么这种恶作剧的戏谑可供一笑，也不必计较了吧。

奥丽维娅　唉，可怜的傻子，他们太把你欺侮了！

小丑　嘿，"有的人是生来的富贵，有的人是挣来的富贵，有的人是送上来的富贵。"这本戏文里我也是一个角色呢，大爷；托巴斯师傅就是我，大爷；但这没有什么相干。"凭着上帝起誓，傻子，我没有疯。"可是您记得吗？"小姐，您为什么要对这么一个没头脑的浑蛋发笑？您要是不笑，他就开不了口啦。"六十年风水轮流转，您也遭了报应了。

马伏里奥　我一定要出这一口气，你们这批东西一个都不放过。（下）

奥丽维娅　他给人欺侮得太不成话了。

公爵　追他回来，跟他讲个和；他还不曾把那船长的事告诉我们哩。等我们知道了以后，假如时辰吉利，我们便可以举行郑重的结合的典礼。贤妹，我们现在还不会离开这儿。西萨里奥，来吧；当你还是一个男人的时候，你便是西萨里奥——

　等你换过了别样的衣裙，

你才是奥西诺心上情人。（除小丑外均下）

小丑 （歌）

当初我是个小儿郎，
　嗨，呵，一阵雨儿一阵风；
做了傻事毫不思量，
　朝朝雨雨呀又风风。
年纪长大啦不学好，
　嗨，呵，一阵雨儿一阵风；
闭门羹到处吃个饱，
　朝朝雨雨呀又风风。

娶了老婆，唉！要照顾，
　嗨，呵，一阵雨儿一阵风；
法螺医不了肚子饿，
　朝朝雨雨呀又风风。
一壶老酒往头里灌，
　嗨，呵，一阵雨儿一阵风；
掀开了被窝三不管，
　朝朝雨雨呀又风风。

开天辟地有几多年，
　嗨，呵，一阵雨儿一阵风；
咱们的戏文早完篇，
　愿诸君欢喜笑融融！（下）

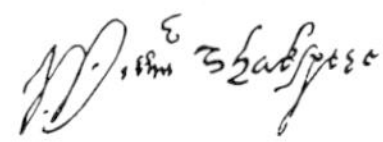

皆大欢喜

Happy

剧中人物

公　爵　在放逐中

弗莱德里克　其弟，篡位者

阿米恩斯
杰奎斯　流亡公爵的从臣

勒·波　弗莱德里克的侍臣

查尔斯　拳师

奥列佛
贾奎斯
奥兰多　罗兰·德·鲍埃爵士的儿子

亚　当
丹尼斯　奥列佛的仆人

试金石　小丑

奥列佛·马坦克斯特师傅　牧师

柯　林
西尔维斯　牧人

威　廉　乡人，恋奥德蕾

扮许门者

罗瑟琳　流亡公爵的女儿

西莉娅　弗莱德里克的女儿

菲　苾　牧女

奥德蕾　村姑

众臣、侍童、林居人及侍从等

地点

奥列佛宅旁庭园；篡位者的宫廷；亚登森林

第一幕

第一场　奥列佛宅旁园中

【奥兰多及亚当上。

奥兰多　亚当，我记得遗嘱上留给我的只是区区一千块钱，而且正像你所说的，还要我大哥把我好生教养，否则他就不能得到我父亲的祝福：我的不幸就这样开始了。他把我的二哥贾奎斯送进学校，据说成绩很好；可是我呢，他却叫我像个村汉似的住在家里，或者再说得确切一点，把我当作牛马似的关在家里：你说像我这种身份的良家子弟，就可以像一条牛那样养着的吗？他的马匹也还比我养得好些；因为除了食料充足之外，还要对它们加以训练，因此用重金雇下了骑师；可是我，他的兄弟，却不曾在他手下得到一点好处，除了让我白白地傻长，这是我跟他那些粪堆上的畜生一样要感激他的。他除了给我大量的乌有之外，还要剥夺去我固有的一点点天分；他叫我和佃工在一起过活，不把我当兄弟看待，尽他一切力量用这种教育来摧毁我的高贵的素质。这是使我伤心的缘故，亚当；我觉得在我身体之内的我的父亲的精神已经因为受不住这种奴隶的生活而反抗起来了。我一定不能再忍受下去，虽然我还不曾想到怎样避免它的妥当的方法。

亚当　大爷，您的哥哥从那边来了。

奥兰多　走旁边去，亚当，你就会听到他将怎样欺侮我。

【奥列佛上。

奥列佛　嘿，少爷！你来做什么？

奥兰多　不做什么；我不曾学习过做什么。

奥列佛　那么你在作践些什么呢，少爷？

奥兰多　哼，大爷，我在帮您的忙，把一个上帝造下来的、您的可怜的没有用处的兄弟用游荡来作践着哩。

奥列佛　那么你给我做事去，别站在这儿吧，少爷。

奥兰多　我要去看守您的猪，跟它们一起吃糠吗？我浪费了什么了，才要受这种惩罚？

奥列佛　你知道你在什么地方吗，少爷？

奥兰多　噢，大爷，我知道得很清楚；我是在这儿您的园子里。

奥列佛　你知道你是当着谁说话吗，少爷？

奥兰多　哦，我知道我面前这个人是谁，比他知道我要清楚得多。我知道你是我的大哥；但是说起优良的血统，你也应该知道我是谁。按着世间的常礼，你的身份比我高些，因为你是长子；可是同样的礼法却不能取去我的血统，即使我们之间还有二十个兄弟。我的血液里有着跟你一样多的我们父亲的素质；虽然我承认你既出生在先，就更该得到家长应得的尊敬。

奥列佛　什么，孩子！

奥兰多　算了吧，算了吧，大哥，你不用这样卖老啊。

奥列佛　你要向我动起手来了吗，浑蛋？

奥兰多　我不是浑蛋；我是罗兰·德·鲍埃爵士的小儿子，他是我的父亲；谁敢说这样一位父亲会生下浑蛋儿子来的，才是个大浑蛋。你倘不是我的哥哥，我这手一定不放松你的喉咙，直等我那另一只手拔出了你的舌头为止，因为你说了这样的话。你骂的是你自己。

亚当　（上前）好爷爷们，别生气；看在去世老爷的脸上，大家和和气气的吧！

奥列佛　放开我！

奥兰多　等我高兴放你的时候再放你；你一定要听我说话，父亲在遗嘱上吩咐你好好教育我；你却把我培育成一个农夫，不让我具有或学习任何上流人士的本领。父亲的精神在我心中炽烈燃烧，我再也忍受不下去了。你得允许我去学习那种适合上流人身份的技艺；否则把父亲在遗嘱里指定给我的那笔小小数目的钱给我，也好让我去自寻生路。

奥列佛　等到那笔钱用完了你便怎样？去做叫花子吗？哼，少爷，给我进去吧，别再跟我找麻烦了；你可以得到你所要的一部分。请你走吧。

奥兰多　我不愿过分冒犯你，除了为我自身的利益。

奥列佛　你跟着他去吧，你这老狗！

亚当　“老狗”便是您给我的谢意吗？一点不错，我服侍你已经服侍得牙齿都落光了。上帝和我的老爷同在！他是决不会说出这种话来的。（奥兰多、亚当下）

奥列佛　竟有这种事吗？你不服我管了吗？我要把你的傲气去掉，还不给你那一千块钱。喂，丹尼斯！

【丹尼斯上。

丹尼斯　大爷叫我吗？

奥列佛　公爵手下那个拳师查尔斯不是在这儿要跟我说话吗？

丹尼斯　禀大爷，他就在门口，要求见您哪。

奥列佛　叫他进来。（丹尼斯下）这是一个妙计；明天就是摔跤的日子。

【查尔斯上。

查尔斯　早安，大爷！

奥列佛　查尔斯好朋友，新朝廷里有些什么新消息？

查尔斯　朝廷里没有什么新消息，大爷，只有一些老消息：那就是说老公爵给他的弟弟新公爵放逐了；三四个忠心的大臣自愿跟着他出亡，他们的地产收入都给新公爵没收了去，因此他巴不得他们一个个滚蛋。

奥列佛　你知道公爵的女儿罗瑟琳是不是也跟她的父亲一起放逐了？

查尔斯　啊，不，因为新公爵的女儿，她的族妹，自小便跟她在一个摇篮里长大，非常爱她，一定要跟她一同出亡，否则便要寻死；所以她现在仍旧在宫里，她的叔父把她像自家女儿一样看待着；从来不曾有两位小姐像她们这样要好的了。

奥列佛　老公爵预备住在什么地方呢？

查尔斯　据说他已经住在亚登森林了，有好多人跟着他；他们在那边度着昔日英国罗宾汉那样的生活。据说每天有许多年轻贵人投奔到他那儿去，逍遥地把时间消磨过去，像是置身在古昔的黄金时代里一样。

奥列佛　喂，你明天要在新公爵面前表演摔跤吗？

查尔斯　正是，大爷；我来就是要通知您一件事情。我得到了一个风声，大爷，说您的令弟奥兰多想要假扮了明天来跟我交手。明天这一场摔跤，大爷，是与我的名誉有关的；谁想不断一根骨头而安然逃出，必须好好留点儿神才行。令弟年纪太轻，顾念着咱们的交情，我本来不愿对他施加毒手，可是如果他一定要参加，为了我自己的名誉起见，我也别无办法。为此看在咱们的交情分上，我特地来通报您一声：您或者劝他打断了这个念头；或者请您不用为了他所将要遭到的羞辱而生气，这全然是他自取其咎，并非我的本意。

奥列佛　查尔斯，多谢你对我的好意，我一定会重重报答你的。我自己也已经注意到舍弟的意思，曾经用婉言劝阻过他；可是他执意不改。我告诉你，查尔斯，他是在全法国顶无理可喻的一个兄弟，野心勃勃，一见人家有什么好处，心里总是不服，而且老是在阴谋设计陷害我，他的同胞的兄长。一切悉听你的尊意吧；我巴不得你把他的头颈和手指一起撅断了呢。你得留心一些；要是你略为削了他一点面子，或者他不能大大地削你的面子，他就会用毒药毒死你，用奸谋陷害你，非把你的性命用卑鄙的手段除掉了不肯甘休。不瞒你说，我一说起也忍不住要流泪，在现在世界上没有比他更奸恶的年轻人了。因为他是我自己的兄弟，我不好怎样说他；假如我把他的真相完全告诉了你，那我一定要惭愧得痛哭流涕，你也要脸色发白，大吃一惊的。

查尔斯　我真幸运上您这儿来。假如他明天来，我一定要给他一顿教

训；倘若不叫他瘸了腿，我以后再不跟人家摔跤赌锦标了。好，上帝保佑您大爷！（下）

奥列佛　再见，好查尔斯。——现在我要去挑拨这位好勇斗狠的家伙了。我希望他送了命。我自己也不明白我为什么要那么恨他；说起来他很善良，从来不曾受过教育，然而却很有学问，充满了高贵的思想，无论哪一等人都爱戴他；真的，大家都是这样喜欢他，尤其是我自己手下的人，以至于我倒给人家轻视起来。可是情形不会长久下去的；这个拳师可以给我解决一切。现在我只消把那孩子激动前去就是了；我就去。（下）

第二场　公爵宫门前草地

【罗瑟琳及西莉娅上。

西莉娅　罗瑟琳，我的好姊姊，请你快活些吧。

罗瑟琳　亲爱的西莉娅，我已经强作欢容，你还要我再快活一些吗？除非你能够教我怎样忘掉一个放逐的父亲，否则你总不能叫我想起无论怎样有趣的事情的。

西莉娅　我看出你爱我的程度比不上我爱你那样深。要是我的伯父，你的放逐的父亲，放逐了你的叔父，我的父亲，只要你仍旧跟我在一起，我可以爱你的父亲就像我自己的父亲一样。假如你爱我也像我爱你一样真纯，那么你也一定会这样的。

罗瑟琳　好，我愿意忘记我自己的处境，为了你而高兴起来。

西莉娅　你知道我父亲只有我一个孩子，看来也不见得会再有了，等他去世之后，你便可以承继他；因为凡是他用暴力从你父亲手里夺来的东西，我都要怀着爱心归还给你。凭着我的名誉起誓，我一定会这样；要是我背了誓，让我变成个妖怪。所以，我的好罗瑟琳，我的亲爱的罗瑟琳，快活起来吧。

罗瑟琳　妹妹，从此以后我要高兴起来，想出一些消遣的法子。让我看；你想来一下子恋爱怎样？

西莉娅　好的，不妨作为消遣，可是不要认真爱起人来；而且玩笑也不要开得过度，羞答答地脸红了一下子就算了，不要弄到丢了脸摆不脱身。

罗瑟琳　那么我们作什么消遣呢？

西莉娅　让我们坐下来嘲笑那位好管家太太命运之神，叫她羞得离开了纺车，免得她的赏赐老是不公平。[①]

罗瑟琳　我希望我们能够这样做，因为她的恩典完全是滥给的。这位慷慨的瞎眼婆子在给女人赏赐的时候尤其是乱来。

---

① 希腊神话，命运女神于纺车上织人类的命运；因命运赏罚毫无定准，故下文云“瞎眼婆子”。

西莉娅　一点不错，因为她给了美貌，就不给贞洁；给了贞洁，就只给丑陋的相貌。

罗瑟琳　不，现在你把命运的职务拉扯到造物身上去了；命运管理着人间的赏罚，可是管不了天生的相貌。

试金石上。

西莉娅　管不了吗？造物生下了一个美貌的人儿来，命运不会把她推到火里去从而毁坏她的容颜吗？造物虽然给我们智慧，可以把命运取笑，可是命运不已经差这个傻瓜来打断我们的谈话了吗？

罗瑟琳　真的，那么命运太对不起造物了，她会叫一个天生的傻瓜来打断天生的智慧。

西莉娅　也许这也不干命运的事，而是造物的意思，因为看到我们天生的智慧太迟钝了，不配议论神明，所以才叫这傻瓜来做我们的砺石；因为傻瓜的愚蠢往往是聪明人的砺石。喂，聪明人！你到哪儿去？

试金石　小姐，快到您父亲那儿去。

西莉娅　你做起差人来了吗？

试金石　不，我以名誉为誓，我是奉命来请您去的。

罗瑟琳　傻瓜，你从哪儿学来的这一句誓？

试金石　从一个骑士那儿学来，他以名誉为誓说煎饼很好，又以名誉为誓说芥末不行；可是我知道煎饼不行，芥末很好；然而那骑士却也不曾发假誓。

西莉娅　你怎样用你那一大堆的学问证明他不曾发假誓呢？

罗瑟琳　哦，对了，请把你的聪明施展出来吧。

试金石　您两人都站出来；摸摸你们的下巴，以你们的胡须为誓说我是个坏蛋。

西莉娅　以我们的胡须为誓，要是我们有胡须的话，你是个坏蛋。

试金石　以我的坏蛋的身份为誓，要是我有坏蛋的身份的话，那么我便是个坏蛋。可是假如你们用你们所没有的东西起誓，你们便不算是发的假誓。这个骑士用他的名誉起誓，因为他从来不曾有过什么名誉，所以他也不算是发假誓；即使他曾经有过名誉，也早已

在他看见这些煎饼和芥末之前发誓发掉了。

西莉娅　请问你说的是谁？

试金石　是您的父亲老弗莱德里克所喜欢的一个人。

西莉娅　我的父亲欢喜他，他也就够有名誉的了。够了，别再说起他；你总有一天会因为把人讥诮而吃鞭子的。

试金石　这就可发一叹了，聪明人可以做傻事，傻子却不准说聪明话。

西莉娅　真的，你说的对；自从把傻子的一点点小聪明禁止发表之后，聪明人的一点点小小的傻气却大大地显起身手来了。——勒·波先生来啦。

罗瑟琳　含着满嘴的新闻。

西莉娅　他会把他的新闻向我们倾吐出来，就像鸽子哺雏一样。

罗瑟琳　那么我们要塞满一肚子的新闻了。

西莉娅　那再好没有，塞得胖胖的，更好卖啦。

【勒·波上。

西莉娅　您好，勒·波先生。有什么新闻？

勒·波　好郡主，您错过一场很好的玩意儿了。

西莉娅　玩意儿！什么花色的？

勒·波　什么花色的，小姐！我怎么回答您呢？

罗瑟琳　凭着您的聪明和您的机缘吧。

试金石　或者按照着命运女神的旨意。

西莉娅　说得好，极堆砌之能事了。

试金石　本来吗，如果我说的话不够味儿——

罗瑟琳　你的口臭病大概就好了。

勒·波　两位小姐，你们叫我莫名其妙。我是要来告诉你们有一场很好的摔跤，你们错过机会了。

罗瑟琳　可是把那场摔跤的情形讲给我们听吧。

勒·波　我可以把开场的情形告诉你们；假如两位小姐听着乐意，收场的情形你们可以自己看一个明白，精彩的部分还不曾开始呢；他们就要到这儿来表演了。

西莉娅　好，就把那个已经陈死了的开场说来听听。

勒·波　有一个老人带着他的三个儿子到来——

西莉娅　我可以把这开头接上一个老故事去。

勒·波　三个漂亮的青年，长得一表人才——

罗瑟琳　头颈里挂着招贴："特此布告，俾众周知。"

勒·波　老大跟公爵的拳师查尔斯摔跤，查尔斯一下子就把他摔倒了，打断了三根肋骨，生命已无希望；老二老三也都这样给他对付过去。他们都躺在那边；那个可怜的老头子，他们的父亲，在为他们痛哭，惹得旁观的人都陪他落泪。

罗瑟琳　哎哟！

试金石　但是，先生，您说小姐们错过了的玩意儿是什么呢？

勒·波　哪，就是我说过的这件事啊。

试金石　所以人们每天都可以增进一些见识。我今天才第一次听见折断肋骨是小姐们的玩意儿。

西莉娅　我也是第一次呢。

罗瑟琳　可是还有谁想要听自己肋下清脆动人的一声吗？还有谁喜欢让他的肋骨给人敲断吗？妹妹，我们要不要去看他们摔跤？

勒·波　要是你们不走开去，那么不看也得看；因为这儿正是指定摔跤的地方，他们就要来表演了。

西莉娅　真的，他们从那边来了；让我们不要走开，看一下子吧。

【喇叭奏花腔。弗莱德里克公爵、众臣、奥兰多、查尔斯及侍从等上。

弗莱德里克　来吧；那年轻人既然不肯听劝，就让他吃些苦楚，也是他自不量力的报应。

罗瑟琳　那边就是那个人吗？

勒·波　就是他，小姐。

西莉娅　唉！他太年轻啦；可是瞧他的神气倒好像很有得胜的希望。

弗莱德里克　啊，吾儿和侄女！你们也溜到这儿来看摔跤吗？

罗瑟琳　是的，殿下，请您准许我们。

弗莱德里克　我可以断定你们一定不会感到兴趣的，两方的实力太不平均了。我因为可怜这个挑战的人年纪轻轻，想把他劝阻了，可是他不肯听劝。小姐们，你们去对他说说，看能不能说服他。

西莉娅　叫他过来，勒·波先生。

弗莱德里克　好吧，我就走开去。（退至一旁）

勒·波　挑战的先生，两位郡主有请。

奥兰多　敢不从命。

罗瑟琳　年轻人，你向拳师查尔斯挑战了吗？

奥兰多　不，美貌的郡主，他才是向众人挑战的人；我不过像别人一样来到这儿，想要跟他较量较量我的青春的力量。

西莉娅　年轻的先生，照您的年纪而论，您的胆量是太大了。您已经看见了这个人的无情的蛮力；要是您能够用您的眼睛瞧见您自己的形状，或者用您的理智判断您自己的能力，那么您对于这回冒险所怀的戒惧，一定会劝您另外找一件比较适宜于您的事情来做。为了您自己的缘故，我们请求您顾虑您自身的安全，放弃这种尝试吧。

罗瑟琳　是的，年轻的先生，您的名誉不会因此受到损失；我们可以去请求公爵停止这场摔跤。

奥兰多　我要请你们原谅，我觉得我自己十分有罪，胆敢拒绝这么两位美貌出众的小姐的要求。可是让你们的美目和好意伴送着我去作这场决斗吧。假如我打败了，那不过是一个从来不曾给人看重过的人丢了脸；假如我死了，也不过死了一个自己愿意寻死的人。我不会辜负我的朋友们，因为没有人会哀悼我；我不会对世间有什么损害，因为我在世上一无所有；我不过在世间占了一个位置，也许死后可以让更好的人来补充。

罗瑟琳　我但愿我所有的一点点微弱的气力也加在您身上。

西莉娅　我也愿意把我的气力再加在她的气力上面。

罗瑟琳　再会。求上天但愿我错看了您！

西莉娅　愿您的希望成全！

查尔斯　来，这个想要来送死的哥儿在什么地方？

奥兰多　已经预备好了，朋友；可是他却不像你这样傲慢自负。

弗莱德里克　你们斗一个回合就够了。

查尔斯　殿下，既然这头一个回合您已经竭力敦劝他不要参加，我包您不会再有第二个回合。

奥兰多　你要在以后嘲笑我，可不必事先就嘲笑起来。来啊。

罗瑟琳　赫拉克勒斯默佑着你，年轻人！

西莉娅　我希望我有隐身术，去拉住那强徒的腿。（查尔斯、奥兰多二人摔跤）

罗瑟琳　啊，出色的青年！

西莉娅　假如我的眼睛里会打雷，我知道谁是要被打倒的。（查尔斯被摔倒；欢呼声）

弗莱德里克　算了，算了。

奥兰多　请殿下准许我再试；我的一口气还不曾透完哩。

弗莱德里克　你怎样啦，查尔斯？

勒·波　他说不出话来了，殿下。

弗莱德里克　把他抬出去。你叫什么名字，年轻人？（查尔斯被抬下）

奥兰多　禀殿下，我是奥兰多，罗兰·德·鲍埃的幼子。

弗莱德里克　我希望你是别人的儿子。世间都以为你的父亲是个好人，但他却是我的永远的仇敌；假如你是别族的子孙，你今天的行事一定可以使我更喜欢你一些。再见吧；你是个勇敢的青年，我愿你向我说起的是另外一个父亲。（弗莱德里克、勒·波及随从下）

西莉娅　姊姊，假如我在我父亲的地位，我会做这种事吗？

奥兰多　我以做罗兰爵士的儿子为荣，即使只是他的幼子；我不愿改变我的地位，过继给弗莱德里克做后嗣。

罗瑟琳　我的父亲宠爱罗兰爵士，就像他的灵魂一样；全世界都抱着和我父亲同样的意见。要是我本来就已经知道这位青年便是他的儿子，我一定含着眼泪谏劝他不要做这种冒险。

西莉娅　好姊姊，让我们到他跟前去鼓励鼓励他。我父亲的无礼猜忌的脾气，使我十分痛心。——先生，您很值得尊敬；您的本事确实令人意外，如果您对意中人也如此真诚守信，那么您的情人一定是很有福气的。

罗瑟琳　先生，（自颈上取下项链赠奥兰多）为了我的缘故，请戴上这个吧；我是个失爱于命运的人，心有余而力不足，不过略表微忱而已。我们去吧，妹妹。

西莉娅　好。再见，好先生。

奥兰多　我不能说一句谢谢您吗？我的心神都已摔倒，站在这儿的只是一个人形的枪靶，一块没有生命的木石。

罗瑟琳　他在叫我们回去。我的矜傲早随着我的命运一起丢光了；我且去问他有什么话说。您叫我们吗，先生？先生，您摔跤摔得很好；给您征服了的，不单是您的敌人。

西莉娅　去吧，姊姊。

罗瑟琳　你先走，我跟着你。再会。（罗瑟琳、西莉娅下）

奥兰多　什么一种情感重压住我的舌头？虽然她想跟我交谈，我却想不出话来对她说。可怜的奥兰多啊，你给征服了！战胜了你的，不是查尔斯，却是比他更柔弱的人儿。

【勒·波重上。

勒·波　先生，我为着好意劝您还是离开这地方吧。虽然您很值得恭维、赞扬和敬爱，但是公爵的脾气太坏，他会把您一切的行事都误会了的。公爵的心性有点捉摸不定；他的为人怎样我不便说，还是您自己去忖度忖度吧。

奥兰多　谢谢您，先生。我还要请您告诉我，这两位小姐中间哪一位是在场的公爵的女儿？

勒·波　要是我们照行为举止上看起来，两个可说都不是他的女儿；但是那位矮小一点的是他的女儿。另外一位便是放逐在外的公爵所生，被她这位篡位的叔父留在这儿陪伴他的女儿；她们两人的相爱是远过于同胞姊妹的。但是我可以告诉您，新近公爵对于他这位温柔的侄女有点不乐意；毫无理由，只是因为人民都称赞她的品德，为了她那位好父亲的缘故而同情她；我可以断定他对于这位小姐的恶意不久就会突然显露出来的。再会吧，先生；我希望在另外一个较好的世界里可以再跟您多多结识。

奥兰多　我非常感谢您的好意；再会。（勒·波下）才穿过浓烟，又钻进烈火；一边是专制的公爵，一边是暴虐的哥哥。可是天仙一样的罗瑟琳啊！（下）

第三场　宫中一室

【西莉娅及罗瑟琳上。

西莉娅　喂，姊姊！喂，罗瑟琳！爱神哪！没有一句话吗？

罗瑟琳　连可以丢给一条狗的一句话也没有。

西莉娅　不，你的话是太宝贵了，怎么可以丢给贱狗呢？丢给我几句吧。来，讲一些道理来叫我浑身瘫痪。

罗瑟琳　那么姊妹两人都害了病了：一个是给道理害得浑身瘫痪，一个是因为想不出什么道理来而发了疯。

西莉娅　但这是不是全然为了你的父亲？

罗瑟琳　不，一部分是为了我的孩子的父亲。唉，这个平凡的世间是多么充满荆棘呀！

西莉娅　姊姊，这不过是些有刺的果壳，为了取笑玩玩而丢在你身上的；要是我们不在道上走，我们的裙子就要给它们抓住。

罗瑟琳　在衣裳上的，我可以把它们抖去；但是这些刺是在我的心里呢。

西莉娅　你咳嗽一声就咳出来了。

罗瑟琳　要是我咳嗽一声，他就会应声而来，那么我倒会试一下的。

西莉娅　算了算了；使劲地把你的爱情克服下来吧。

罗瑟琳　唉！我的爱情比我气力大得多哩！

西莉娅　啊，那么我替你祝福吧！将来总有一天，你也得试一下。但是把笑话搁在一旁，让我们正正经经地谈谈。你真的会突然这样猛烈地爱上老罗兰爵士的小儿子吗？

罗瑟琳　我的父亲和他的父亲非常要好呢。

西莉娅　因此你也必须和他的儿子非常要好吗？照这样说起来，那么我的父亲非常恨他的父亲，因此我也应当恨他了；可是我却不恨奥兰多。

罗瑟琳　不，看在我的面上，不要恨他。

西莉娅　为什么不呢？他不是值得恨的吗？

罗瑟琳　因为他是值得爱的，所以让我爱他；因为我爱他，所以你也要爱他。瞧，公爵来了。

西莉娅　他满眼都是怒气。

【弗莱德里克公爵率从臣上。

弗莱德里克　姑娘，为了你的安全，你得赶快收拾起来，离开我们的宫廷。

罗瑟琳　我吗，叔父？

弗莱德里克　你，侄女。在这十天之内，要是发现你在离我们宫廷二十哩之内，就得把你处死。

罗瑟琳　请殿下开示我，我犯了什么罪过。要是我有自知之明，要是我并没有做梦，也不曾发疯——我相信我没有——那么，亲爱的叔父，我从来不曾起过半分触犯您老人家的念头。

弗莱德里克　一切叛徒都是这样的；要是他们凭着口头的话便可以免罪，那么他们都是再清白没有的了。可是我不能信任你，这一句话就够了。

罗瑟琳　但是您的不信任不能便使我变成叛徒；请告诉我您有什么证据？

弗莱德里克　你是你父亲的女儿；还用得着说别的话吗？

罗瑟琳　当殿下您夺去了我父亲的公国的时候，我就是他的女儿；当殿下您把他放逐的时候，我也还是他的女儿。叛逆并不是遗传的，殿下；即使我们受到亲友的牵连，那与我又有什么相干？我的父亲并不是个叛徒呀。所以，殿下，别看错了我，把我的穷迫看作了奸慝。

西莉娅　好殿下，听我说。

弗莱德里克　嗯，西莉娅，我让她留在这儿，只是为了你的缘故，否则她早已跟她的父亲流浪去了。

西莉娅　那时我没有请您让她留下；那是您自己的主意，因为您自己觉得不好意思。那时我还太小，不曾知道她的好处；但现在我知道她了。要是她是个叛逆，那么我也是。我们一直都睡在一起，同时起床，一块儿读书，同游同食，无论到什么地方去，都像朱诺的一双天鹅，永远成着对，拆不开来。

弗莱德里克　她这人太阴险，你敌不过她；她的和气、她的沉默和她的忍耐，都能感动人心，叫人民可怜她。你是个傻子，她已经夺去了你的名誉；她去了之后，你就可以显得格外光彩而贤德了。所以闭住你的嘴；我对她所下的判决是确定而无可挽回的，她必须被放逐。

西莉娅　那么您把这句判决也加在我身上吧，殿下；我没有她做伴便活不下去。

弗莱德里克　你是个傻子。侄女，你得准备起来，假如误了期限，凭着我的名誉和我的言出如山的命令，要把你处死。（偕从臣下）

西莉娅　唉，我的可怜的罗瑟琳！你到哪儿去呢？你肯不肯换一个父亲？我把我的父亲给了你吧。请你不要比我更伤心。

罗瑟琳　我比你有更多的伤心的理由。

西莉娅　你没有，姊姊。请你高兴一点；你知道不知道，公爵把他的女儿也放逐了？

罗瑟琳　他没有。

西莉娅　没有？那么罗瑟琳还没有那种爱情，使你明白你我两人有如一体。我们难道要拆散吗？我们难道要分手吗，亲爱的姑娘？不，让我的父亲另外找一个后嗣吧。你应该跟我商量我们应当怎样飞走，到哪儿去，带些什么东西。不要因为环境的变迁而独自伤心，让我分担一些你的心事吧。我对着因为同情我们而惨白的天空起誓，无论你怎样说，我都要跟你一起走。

罗瑟琳　但是我们到哪儿去呢？

西莉娅　到亚登森林找我的伯父去。

罗瑟琳　唉，像我们这样的姑娘家，走这么远路，该是多么危险！美貌比金银更容易引起盗心呢。

西莉娅　我可以穿了破旧的衣裳，用些黄泥涂在脸上，你也这样；我们便可以通行过去，不会遭人家算计了。

罗瑟琳　我的身材特别高，完全打扮得像个男人岂不更好？腰间插一把出色的匕首，手里拿一柄刺野猪的长矛；心里尽管隐藏着女人家的胆怯，俺要在外表上装出一副雄赳赳气昂昂的样子来，正像那些冒充好汉的懦夫一般。

西莉娅　你做了男人之后，我叫你什么名字呢？

罗瑟琳　我要取一个和乔武的侍童一样的名字，所以你叫我盖尼米德吧。但是你叫什么呢？

西莉娅　我要取一个可以表示我的境况的名字；我不再叫西莉娅，就叫爱莲娜①吧。

罗瑟琳　但是妹妹，我们设法去把你父亲宫廷里的小丑偷来好不好？他在我们的旅途中不是很可以给我们解闷吗？

西莉娅　他一定肯跟着我走遍广大的世界；让我独自去对他说吧。我们且去把珠宝钱物收拾起来。我出走之后，他们一定要追寻，我们该想出一个顶适当的时间和顶安全的方法来避过他们。现在我们是满心的欢畅，去找寻自由，不是流亡。（同下）

---

① 爱莲娜原文 Aliena，暗示 alienated（远隔）之意。

第二幕

第一场　亚登森林

【老公爵、阿米恩斯及众臣作林居人装束上。

公爵　我的流放生涯中的同伴和弟兄们，我们不是已经习惯了这种生活，觉得它比虚饰的浮华有趣得多吗？这些树林不比猜忌的朝廷更为安全吗？我们在这儿所感觉到的，只是时序的改变，那是上帝加于亚当的惩罚[①]；冬天的寒风张舞着冰雪的爪牙，发出暴声的呼啸，即使当它砭刺着我的身体，使我冷得发抖的时候，我也会微笑着说："这不是谄媚啊；它们就像是忠臣一样，谆谆提醒我所处的地位。"逆运也有它的好处，就像丑陋而有毒的蟾蜍，它的头上却顶着一颗珍贵的宝石。我们的这种生活，虽然远离尘嚣，却可以听树木的谈话，溪中的流水便是大好的文章，一石之微，也暗寓着教训；每一件事物中间，都可以找到些益处来。我不愿改变这种生活。

阿米恩斯　殿下真是幸福，能把命运的顽逆说成这样恬静而可爱。

公爵　来，我们打鹿去吧；可是我心里却有些不忍，这种可怜的花斑的蠢物，本来是这荒凉的城市中的居民，现在却要在它们自己的家园中让它们的后腿领略箭镞的滋味。

---

① 亚当未逐出乐园之前，四季如春。见《圣经·创世记》。

臣甲　不错，那忧愁的杰奎斯很为此伤心，发誓说在这件事上跟您那篡位的兄弟相比，您还是个更大的篡位者；今天阿米恩斯大人跟我两人悄悄地躲在背后，瞧他躺在一株橡树底下，那古老的树根露出在沿着林旁潺潺流去的溪水上面，有一只可怜的失群的牡鹿中了猎人的箭受伤，奔到那边去喘气；真的，殿下，这头不幸的畜生发出了那样的呻吟，真要把它的皮囊都胀破了，一颗颗又大又圆的泪珠怪可怜地争先恐后流到它的无辜的鼻子上；忧愁的杰奎斯瞧着这头可怜的毛畜这样站在急流的小溪边，用眼泪添注在溪水里。

公爵　但是杰奎斯怎样说呢？他见了此情此景，不又要讲起一番道理来了吗？

臣甲　啊，是的，他作了一千种的譬喻。起初他看见那鹿把眼泪浪费地流下了水流之中，便说："可怜的鹿，他就像世人立遗嘱一样，把他所有的一切给了那已经有得太多的人。"于是，看它孤苦伶仃，被它那些皮毛柔滑的朋友们所遗弃，便说："不错，人倒了霉，朋友也不会来睬你了。"不久又有一群吃得饱饱的、无忧无虑的鹿跳过它的身边，也不停下来向它打个招呼；"嗯，"杰奎斯说，"奔过去吧，你们这批肥胖而富于脂肪的市民们；世事无非如此，那个可怜的破产的家伙，瞧他作什么呢？"他这样用最恶毒的话来辱骂着乡村、城市和宫廷的一切，甚至于骂着我们的这种生活；发誓说我们只是些篡位者、暴君或者比这更坏的人物，到这些畜生们的天然的居处来惊扰它们，杀害它们。

公爵　你们就在他做这种思索的时候离开了他吗？

臣甲　是的，殿下，就在他为了这头啜泣的鹿而流泪发议论的时候。

公爵　带我到那地方去，我喜欢趁他发愁的时候去见他，因为那时他最富于见识。

臣甲　我就领您去见他。（同下）

第二场　宫中一室

【弗莱德里克公爵、众臣及侍从上。

弗莱德里克　难道没有一个人看见她们吗？决不会的；一定在我的宫廷里有奸人知情串通。

臣甲　我不曾听见谁说曾经看见她。她寝室里的侍女们都看她上了床；可是一早就看见床上没有她们的郡主了。

臣乙　殿下，那个常常逗您发笑的下贱小丑也失踪了。郡主的侍女希丝比利娅供认她曾经偷听到郡主跟她的姊姊常常称赞最近在摔跤赛中打败了强有力的查尔斯的那个汉子的技艺和人品；她说她相信不论她们到哪里去，那个少年一定是跟她们在一起的。

弗莱德里克　差人到他哥哥家里去，把那家伙抓来；要是他不在，就带他的哥哥来见我，我要叫他去找他。马上去，这两个逃走的傻子一定要用心搜寻探访，非把她们寻回来不可。（众下）

第三场　奥列佛家门前

【奥兰多及亚当自相对方向上。

奥兰多　那边是谁？

亚当　啊！我的少爷吗？啊，我的善良的少爷！我的好少爷！啊，您叫人想起了老罗兰爵爷！唉，您为什么到这里来呢？您为什么这样好呢？为什么人家要爱您呢？为什么您是这样仁慈、这样健壮、这样勇敢呢？为什么您这么傻，要去把那乖僻的公爵手下那个大力士的拳师打败呢？您的声誉是来得太快了。您不知道吗，少爷，有些人常会因为他们太好了，反而害了自己？您也正是这样；您的好处，好少爷，就是陷害您自身的圣洁的叛徒，唉，这算是一个什么世界，怀德的人会因为他们的德行反遭毒手！

奥兰多　啊，怎么一回事？

亚当　唉，不幸的青年！不要走进这扇门来；在这屋子里潜伏着您一切美德的敌人呢。您的哥哥——不，不是哥哥，然而却是您父亲的儿子——不，他也不能称为您父亲的儿子——他听见了人家称赞您的话，预备在今夜放火烧去您所住的屋子；要是这计划不成功，他还会想出别的法子来除掉您。他的阴谋给我偷听到了。这儿不是安身之处，这屋子不过是一所屠场，您要回避，您要警戒，别走进去。

奥兰多　什么，亚当，你要我到哪儿去？

亚当　随您到哪儿去都好，只要不在这儿。

奥兰多　什么，你要我去做个要饭的吗？还是在大路上用下贱无耻的剑做一个强盗？我只好走这种路，否则我就不知道怎么办；可是不论怎样，我也不愿这样干；我宁愿忍受一个不念手足之情的凶狠的哥哥的恶意。

亚当　可是不要这样。我在您父亲手下侍候了这许多年，曾经辛辛苦苦把工钱省下了五百块；我把那笔钱存下，本来是预备等我没有气力做不动事的时候做养老之本，人老了，不中用了，是会给人踢在角落里的。您把这钱拿了去吧；上帝既然给食物与乌鸦，也不会忘记把麻雀喂饱的，我这一把年纪，就悉听他的慈悲吧！钱就在这儿，我把它全都给了您吧。让我做您的仆人。我虽然瞧上去这么老，可是我的气力还不错；因为我在年轻时候从不曾灌下过一滴猛烈的酒，也不曾鲁莽地贪欲伤身，所以我的老年好比生气勃勃的冬天，虽然结着严霜，却并不惨淡。让我跟着您去；我可以像一个年轻人一样，为您照料一切。

奥兰多　啊，好老人家！在你身上多么明白地表现出来古时那种义胆侠肠，不是为着报酬，只是为了尽职而流着血汗！你是太不合时了；现在的人们努力工作，只是为着希望高升，等到目的一达到，便耽于安逸；你却不是这样。但是，可怜的老人家，你虽然这样辛辛苦苦地费尽培植的功夫，给你培植的却是一株不成材的树木，开不出一朵花来酬答你的殷勤。可是赶路吧，我们要在一块儿走；在我们没有把你年轻时的积蓄花完之前，一定要找到一处小小的安身的地方。

亚当　少爷，走吧；我愿意忠心地跟着您，直至喘尽最后一口气。从十七岁起我到这儿来，到现在快八十了，却要离开我的老地方。许多人在十七岁的时候都去追求幸运，但八十岁的人是不济的了；可是我只要能够有个好死，对得住我的主人，那么命运对我也不算无恩。（同下）

第四场　亚登森林

【罗瑟琳男装、西莉娅作牧羊女装束及试金石上。

罗瑟琳　天哪！我的精神多么疲乏啊。

试金石　假如我的两腿不疲乏，我可不管我的精神。

罗瑟琳　我简直想丢了我这身男装的脸，而像一个女人一样哭起来；可是我必须安慰安慰这位小娘子，穿褐衫短裤的，总该向穿裙子的显出一点勇气来才是。好，打起精神来吧，好爱莲娜。

西莉娅　请你担待担待我吧；我再也走不动了。

试金石　我可以担待你，可是不要叫我担你；但是即使我担你，也没什么，因为我想你钱包里已没有什么了。

罗瑟琳　好，这儿就是亚登森林了。

试金石　哦，现在我到了亚登了。我真是个大傻瓜！在家里要舒服得多哩；可是旅行人只好知足一点。

罗瑟琳　对了，好试金石。你们瞧，谁来了；一个年轻人和一个老头子在一本正经地讲话。

【柯林及西尔维斯上。

柯林　你那样不过叫她永远把你笑骂而已。

西尔维斯　啊，柯林，你要知道我是多么爱她！

柯林　我有点猜得出来，因为我也曾经恋爱过呢。

西尔维斯　不，柯林，你现在老了，也就不能猜想了；虽然在你年轻的时候，你也像那些半夜三更在枕上翻来覆去的情人们一样真心。可是假如你的爱情也跟我的差不多——我想一定没有人会有我那样的爱情——那么你为了你的痴心梦想，一定做过不知多少可笑的事情呢！

柯林　我做过一千种的傻事，现在都已忘记了。

西尔维斯　噢！那么你就是不曾诚心爱过。假如你记不得你为了爱情而做出来的一件最琐细的傻事，你就不算真的恋爱过。假如你不曾像我现在这样坐着絮絮讲你的姑娘的好处，使听的人不耐烦，你就不算真的恋爱过。假如你不曾突然离开你的同伴，像我的热情现在驱使着我一样，你也不算真的恋爱过。啊，菲苾！菲苾！菲苾！（下）

罗瑟琳　唉，可怜的牧人！我在诊断你的痛处的时候，却不幸地找到我自己的创伤了。

试金石　我也是这样。我记得我在恋爱的时候，曾经把一柄剑在石头上摔断，叫夜里来和琴·史美尔幽会的那个家伙留心着我；我记得我曾经吻过她的洗衣棒，也吻过被她那双皲裂的玉手挤过的母牛乳头；我记得我曾经把一颗豌豆荚权当作她而向她求婚，我剥出了两颗豆子，又把它们放进去，边流泪边说："为了我的缘故，请您留作纪念吧。"我们这种多情种子都会做出一些古怪事儿来；但是我们既然都是凡人，一着了情魔是免不得要大发其痴劲的。

罗瑟琳　你的话聪明得出于你自己意料之外。

试金石　哦，我总不知道自己的聪明，除非有一天我给它绊了一跤，跌断了我的腿骨。

罗瑟琳　天神，天神！这个牧人的痴心，很有几分像我自己的情形。

试金石　也有点像我的情形；可是在我似乎有点儿陈腐了。

西莉娅　请你们随便哪一位去问问那边的人，肯不肯让我们用金子向他买一点吃的东西；我简直晕得要死了。

试金石　喂，你这蠢货！

罗瑟琳　别响，傻子；他并不是你的一家人。

柯林　谁叫？

试金石　比你好一点的人，朋友。

柯林　要是他们不比我好一点，那可寒酸得太不成话啦。

罗瑟琳　对你说，别响。——您晚安，朋友。

柯林　晚安，好先生；各位晚安。

罗瑟琳　牧人，假如人情或是金银可以在这种荒野里换到一点款待的话，请你带我们到一处可以休息一下吃些东西的地方去好不好？这一位小姑娘赶路疲乏，快要晕过去了。

柯林　好先生，我可怜她，不是为我自己打算，只是为了她的缘故，但愿我有能力帮助她；可是我只是给别人看羊，羊儿虽然归我饲养，羊毛却不归我剪。我的东家很小气，从不会修修福做点儿好事；而且他的草屋、他的羊群、他的牧场，现在都要出卖了。现在因为他不在家，我们的牧舍里没有一点可以给你们吃的东西；但是别管它有些什么，请你们来瞧瞧，我是极其欢迎你们的。

罗瑟琳　他的羊群和牧场预备卖给谁呢？

柯林　就是刚才你们看见的那个年轻汉子，他是从来不想要买什么东西的。

罗瑟琳　要是没有什么不对的地方，我请你把那草屋、牧场和羊群都买下了，我们给你出钱。

西莉娅　我们还要加你的工钱。我喜欢这地方，很愿意在这儿消度我的时光。

柯林　这桩买卖一定可以成交。跟我来；要是你们打听过后，对于这块地皮、这种收益和这样的生活觉得中意，我愿意做你们十分忠心的仆人，马上用你们的钱去把它买来。（同下）

第五场　林中的另一部分

【阿米恩斯、杰奎斯及余人等上。

阿米恩斯 （唱）

绿树高张翠幕，
谁来偕我偃卧，
翻将欢乐心声，
学唱枝头鸟鸣：
盍来此？盍来此？盍来此？
目之所接，
精神契一，
唯忧雨雪之将至。

杰奎斯　再来一个，再来一个，请你再唱下去。

阿米恩斯　那会叫您发起愁来的，杰奎斯先生。

杰奎斯　再好没有。请你再唱下去！我可以从一曲歌中抽出愁绪来，就像黄鼠狼吮啜鸡蛋一样。请你再唱下去吧！

阿米恩斯　我的喉咙很粗，我知道一定不能讨您的欢喜。

杰奎斯　我不要你讨我的欢喜；我只要你唱。来，再唱一阕；你是不是把它们叫作一阕一阕的？

阿米恩斯　您高兴怎样叫就怎样叫吧，杰奎斯先生。

杰奎斯　不，我倒不去管它们叫什么名字；它们又不借我的钱。你唱起来吧！

阿米恩斯　既蒙敦促，我就勉为其难了。

杰奎斯　那么好，要是我会感谢什么人，我一定会感谢你；可是人家所说的恭维就像是两只狗碰了头。倘使有人诚心感谢我，我就觉得好像我给了他一个铜子，所以他像一个叫花子似的向我道谢。来，唱起来吧；你们不唱的都不要作声。

阿米恩斯　好，我就唱完这支歌。列位，铺起食桌来吧；公爵就要到这株树下来喝酒了。他已经找了您整整一天啦。

杰奎斯　我已经躲避了他整整一天啦。他太喜欢辩论了，我不高兴跟他在一起；我想到的事情像他一样多，可是谢谢天，我却不像他那样会说嘴。来，唱吧。

阿米恩斯　（唱，众和）

　　孰能敝屣尊荣，
　　来沐丽日光风，
　　觅食自求果腹，
　　一饱欣然意足：
　　盍来此？盍来此？盍来此？
　　目之所接，
　　精神契一，
　　唯忧雨雪之将至。

杰奎斯　昨天我曾经按着这调子不加雕饰顺口吟成一节，倒要献丑献丑。

阿米恩斯　你可以把它唱出来。

杰奎斯　是这样的：

　　倘有痴愚之徒，
　　忽然变成蠢驴，
　　趁着心性癫狂，
　　撇却财富安康，
　　特达米，特达米，特达米，
　　盍来此？
　　举目一视，
　　唯见傻瓜之遍地。

阿米恩斯　"特达米"是什么意思？

杰奎斯　这是希腊文里召唤傻子们排起圆圈来的一种咒语。——假如睡得成觉的话，我要睡觉去；假如睡不成，我就要把埃及地方一切头胎生的痛骂一顿①。

阿米恩斯　我可要找公爵去；他的点心已经预备好了。（各下）

---

① 《旧约·出埃及记》载上帝降罚埃及，凡埃及一切头胎生的皆遭瘟死，此处杰奎斯暗讽老公爵。

第六场　林中的另一部分

【奥兰多及亚当上。

亚当　好少爷，我再也走不动了；唉！我要饿死了。让我在这儿躺下挺尸吧。再会了，好心的少爷！

奥兰多　啊，怎么啦，亚当？你再没有勇气了吗？再活一些时候；提起一点精神来，高兴点儿。要是这座古怪的林中有什么野东西，那么我倘不是给它吃了，一定会把它杀了来给你吃的。你并不是真就要死了，不过是在胡思乱想而已。为了我的缘故，提起精神来吧；向死神抗拒一会儿，我去一去就回来看你，要是我找不到什么可以给你吃的东西，我一定答应你死去；可是假如你在我没有回来之前便死去，那你就是看不起我的辛苦了。说得好！你瞧上去有点振作了。我立刻就来。可是你躺在寒风里呢；来，我把你背到有遮阴的地方去。只要这块荒地里有活东西，你一定不会因为没有饭吃而饿死。振作起来吧，好亚当。（同下）

第七场　林中的另一部分

【食桌铺就。老公爵、阿米恩斯及流亡诸臣上。

公爵　我想他一定已经变成一头畜生了，因为我到处找不到他的人影。

臣甲　殿下，他刚刚走开去；方才他还在这儿很高兴地听人家唱歌。

公爵　要是浑身都不和谐的他，居然也会变得爱好起音乐来，那么天体上不久就要大起骚乱了。去找他来，对他说我要跟他谈谈。

臣甲　他自己来了，省了我一番跋涉。

【杰奎斯上。

公爵　啊，怎么啦，先生？这算什么，您的可怜的朋友们一定要千求万唤才把您请来吗？啊，您的神气很高兴哩！

杰奎斯　一个傻子，一个傻子！我在林中遇见一个傻子，一个身穿彩衣的傻子；唉，苦恼的世界！我确实遇见了一个傻子，正如我是靠着食物而活命一样确实；他躺着晒太阳，用头头是道的话辱骂着命运女神，然而他仍然不过是个身穿彩衣的傻子。“早安，傻子。”我说。“不，先生，”他说，“等到老天保佑我发了财，您再叫我傻子吧。”[①] 于是他从袋里掏出一只表来，用没有光彩的眼睛瞧着它，很聪明地说：“现在是十点钟了；我们可以从这里看出世界是怎样在变迁着：一小时之前还不过是九点钟，而再过一小时便是十一点钟了；照这样一小时一小时过去，我们越长越老，越老越不中用，这上面真是大有感慨可发。”我听了这个穿彩衣的傻子对时间发挥的这一段玄理，奇怪着傻子居然会有这样深刻的思想；我笑个不停，在他的表上整整笑去了一个小时。啊，高贵的傻子！可敬的傻子！彩衣是最好的装束。

公爵　这是个怎么样的傻子？

杰奎斯　啊，可敬的傻子！他曾经出入宫廷；他说凡是年轻貌美的小姐们，都是有自知之明的。他的头脑就像航海回来剩下的饼干那样

---

① 成语有“愚人多福”（Fortune favours fools），故云。

干燥，其中的每一个角落却塞满了人生的经验，他都用杂乱的话儿随口说了出来。啊，我但愿我也是个傻子！我想要穿一件花花的外套。

公爵　你可以有一件。

杰奎斯　这是我唯一的要求；只要殿下明鉴，除掉一切成见，别把我当聪明人看待；同时要准许我有像风那样广大的自由，高兴吹着谁便吹着谁：傻子们是有这种权利的，那些最被我的傻话所挖苦的人也最应该笑。殿下，为什么他们必须这样呢？这理由正和到教区礼拜堂去的路一样清楚：被一个傻子用俏皮话讥刺了的人，即使刺痛了，假如不装出一副若无其事的样子来，那么就显出聪明人的傻气，可以被傻子不经意一箭就刺穿，未免太傻了。给我穿一件彩衣，准许我说我心里的话；我一定会痛痛快快地把这染病的世界的丑恶的身体清洗个干净，假如他们肯耐心接受我的药方。

公爵　算了吧！我知道你会做出些什么来。

杰奎斯　我可以拿一根筹码打赌，我做的事会不好吗？

公爵　最坏不过的罪恶，就是指斥他人的罪恶：因为你自己也曾经是一个放纵你的兽欲的浪子，你要把你那身因为你的荒唐而长起来的臃肿的脓疮、溃烂的恶病，向全世界播散。

杰奎斯　什么，呼斥人间的奢侈，难道便是对于个人的攻击吗？奢侈的习俗不是像海潮一样浩瀚地流着，直到力竭而消退吗？假如我说城里的那些小户人家的妇女穿扮得像王公大人的女眷一样，我指明是哪一个女人吗？谁能挺身出来说我说的是她，假如她的邻居也是和她一个样子？一个操着最微贱行业的人，假如心想我讥讽了他，说他的好衣服不是我出的钱，那不是恰恰把他的愚蠢合上了我说的话吗？照此看来，又有什么关系呢？指给我看我的话伤害了他什么地方：要是说得对，那是他自取其咎；假如他问心无愧，那么我的责骂就像是一只野鸭飞过，不干谁的事。——可是谁来了？

【奥兰多拔剑上。

奥兰多　停住，不准吃！

杰奎斯　嘿，我还不曾吃过呢。

奥兰多　而且也不会再给你吃，除非让饿肚子的人先吃过了。

杰奎斯　这只公鸡是哪儿来的？

公爵　朋友，你是因为落难而变得这样强横吗？还是因为生来就是瞧不起礼貌的粗汉子，一点儿不懂得规矩？

奥兰多　你第一下就猜中我了，困苦逼迫着我，使我不得不把温文的礼貌抛在一旁；可是我却是在都市生长，受过一点儿教养的。但是我吩咐你们停住；在我的事情没有办完之前，谁碰一碰这些果子，就得死。

杰奎斯　你要是不理可喻，那么我准得死。

公爵　你要什么？假如你不用暴力，客客气气地向我们说，我们一定会更客客气气地对待你的。

奥兰多　我快饿死了；给我吃。

公爵　请坐请坐，随意吃吧。

奥兰多　你说得这样客气吗？请你原谅我，我以为这儿的一切都是野蛮的，因此才装出这副暴横的威胁神气来。可是不论你们是些什么人，在这儿人踪不到的荒野里，躺在凄凉的树荫下，不理会时间的消逝；假如你们曾经见过较好的日子，假如你们曾经到过鸣钟召集礼拜的地方，假如你们曾经参加过上流人的宴会，假如你们曾经揩过你们眼里的泪水，懂得怜悯和被怜悯的，那么让我的温文的态度格外感动你们：我抱着这样的希望，惭愧地藏好我的剑。

公爵　我们确曾见过好日子，曾经被神圣的钟声召集到教堂里去，参加过上流人的宴会，从我们的眼里揩去过被神圣的怜悯所感动而流下的眼泪；所以你不妨和和气气地坐下来，凡是我们可以帮忙满足你需要的地方，一定愿意效劳。

奥兰多　那么请你们暂时不要把东西吃掉，我就去像一只母鹿一样找寻我的小鹿，把食物喂给他吃。有一位可怜的老人家，全然出于好心，跟着我一跷一拐地走了许多疲乏的路，双重的劳瘁——他的高龄和饥饿——累倒了他；除非等他饱餐了之后，我决不接触一口食物。

公爵　快去找他，我们绝对不把东西吃掉，等着你回来。

奥兰多　谢谢；愿您好心有好报！（下）

公爵　你们可以看到不幸的不只是我们；这个广大的宇宙的舞台上，还有比我们所演出的更悲惨的场景呢。

杰奎斯　全世界是一个舞台，所有的男男女女不过是一些演员；他们都有下场的时候，也都有上场的时候。一个人的一生中扮演着好几个角色，他的表演可以分为七个时期。最初是婴孩，在保姆的怀中啼哭呕吐。然后是背着书包、满脸红光的学童，像蜗牛一样慢腾腾地拖着脚步，不情愿地呜咽着上学堂。然后是情人，像炉灶一样叹着气，写了一首悲哀的诗歌咏着他恋人的眉毛。然后是一个军人，满口发着古怪的誓，胡须长得像豹子一样，爱惜着名誉，动不动就要打架，在炮口上寻求着泡沫一样的荣名。然后是法官，胖胖圆圆的肚子塞满了阉鸡，凛然的眼光，整洁的胡须，满嘴都是格言和老生常谈；他这样扮了他的一个角色。第六个时期变成了精瘦的趿着拖鞋的龙钟老叟，鼻子上架着眼镜，腰边悬着钱袋；他那年轻时候节省下来的长袜子套在他皱瘪的小腿上显得宽大异常；他那朗朗的男子的口音又变成了孩子似的尖声，像是吹着风笛和哨子。终结着这段古怪的多事的历史的最后一场，是孩提时代的再现，全然的遗忘，没有牙齿，没有眼睛，没有口味，没有一切。

【奥兰多背亚当重上。

公爵　欢迎！放下你背上那位可敬的老人家，让他吃东西吧。

奥兰多　我代他向您竭诚道谢。

亚当　您真该代我道谢；我简直不能为自己向您开口道谢呢。

公爵　欢迎，请用吧；我还不会马上就来打扰你，问你的遭遇。给我们奏些音乐；贤卿，你唱吧。

阿米恩斯　（唱）

不惧冬风凛冽，

风威远难遽及
　人世之寡情；
其为气也虽厉，
其牙尚非甚锐，
风体本无形。
噫嘻乎！且向冬青歌一曲：
友交皆虚妄，恩爱痴人逐。
噫嘻乎冬青！
可乐唯此生。
不愁冱天冰雪，
其寒尚难遽及，
　受施而忘恩；
风皱满池碧水，
利刺尚难遽比
捐旧之友人。
噫嘻乎！且向冬青歌一曲：
友交皆虚妄，恩爱痴人逐。
噫嘻乎冬青！
可乐唯此生。

公爵　照你刚才悄声儿老老实实告诉我的，你说你是好罗兰爵士的儿子，我看你的相貌也真的十分像他；如果不是假的，那么我真心欢迎你到这儿来。我便是敬爱你父亲的那个公爵。关于你其他的遭遇，到我的洞里来告诉我吧。好老人家，我们欢迎你像欢迎你的主人一样。搀扶着他。把你的手给我，让我明白你们一切的经过。（众下）

第三幕

第一场　宫中一室

【弗莱德里克公爵、奥列佛、众臣及侍从等上。

弗莱德里克　以后没有见过他！哼，哼，不见得吧。倘不是因为仁慈在我的心里占了上风，有着你在眼前，我尽可以不必找一个不在的人出气的。可是你留心着吧，不论你的兄弟在什么地方，都得去给我找来；点起灯笼去寻访吧；在一年之内，要把他不论死活找到，否则你不用再在我们的领土上过活了。你的土地和一切你自命为属于你的东西，值得没收的我们都要没收，除非等你能够凭着你兄弟的招供洗刷去我们对你的怀疑。

奥列佛　求殿下明鉴！我从来就不曾喜欢过我的兄弟。

弗莱德里克　这可见你更是个坏人。好，把他赶出去；吩咐该管官吏把他的房屋土地没收。赶快把这事办好，叫他滚蛋。（众下）

第二场　亚登森林

【奥兰多携纸上。

奥兰多　悬在这里吧，我的诗，证明我的爱情；

你三重王冠的夜间的女王[①]，请临视，

从苍白的昊天，用你那贞洁的眼睛，

　那支配我生命的，你那猎伴[②]的名字。

啊，罗瑟琳！这些树林将是我的书册，

　我要在一片片树皮上镂刻下相思，

好让每一个来到此间的林中游客，

　任何处见得到颂赞她美德的言辞。

走，走，奥兰多；去在每株树上刻着伊，

　那美好的、幽娴的、无可比拟的人儿。（下）

【柯林及试金石上。

柯林　您喜欢不喜欢这种牧人的生活，试金石先生？

试金石　说老实话，牧人，按着这种生活的本身说起来，倒是一种很好的生活；可是按着这是一种牧人的生活说起来，那就毫不足取了。照它的清静而论，我很喜欢这种生活；可是照它的寂寞而论，实在是一种很坏的生活。看到这种生活是在田间，很使我满意；可是看到它不是在宫廷里，那简直很无聊。你瞧，这是一种很经济的生活，因此倒怪合我的脾胃；可是它未免太寒碜了，因此我过不来。你懂不懂得一点哲学，牧人？

柯林　我只知道这一点儿：一个人越是害病，他越是不舒服；钱财、资本和知足，是人们缺少不来的三位好朋友；雨湿淋衣，火旺烧柴；好牧场产肥羊，天黑是因为没有了太阳；生来愚笨怪祖父，

---

① 三重王冠的女王指黛安娜女神，因为她在天上为琉娜（Luna），在地上为狄安娜，在幽冥为普洛塞庇那（Proserpina）。

② 狄安娜又为司狩猎的女神，又为处女的保护神，故奥兰多以罗瑟琳为她的猎伴。

学而不慧师之惰。

试金石　这样一个人是天生的哲学家了。有没有到过宫廷里，牧人？

柯林　没有，不瞒您说。

试金石　那么你这人就该死了。

柯林　我希望不至于吧？

试金石　真的，你这人该死，就像一个煎得不好一面焦的鸡蛋。

柯林　因为没有到过宫廷里吗？请问您的理由。

试金石　喏，要是你从来没有到过宫廷里，你就不曾见过好礼貌；要是你从来没有见过好礼貌，你的举止一定很坏；坏人就是有罪的人，有罪的人就该死。你的情形很危险呢，牧人。

柯林　一点不，试金石。在宫廷里算作好礼貌的，在乡野里就会变成可笑，正像乡下人的行为一到了宫廷里就显得寒碜一样。您对我说过你们在宫廷里只要见人打招呼就要吻手；要是宫廷里的老爷们都是牧人，那么这种礼貌就要嫌太龌龊了。

试金石　有什么证据？简单地说；来，说出理由来。

柯林　喏，我们的手常常要去碰着母羊；它们的毛，您知道，是很油腻的。

试金石　嘿，廷臣们的手上不是也要出汗的吗？羊身上的脂肪比起人身上的汗腻来，不是一样干净的吗？浅薄！浅薄！说出一个好一点的理由来，说吧。

柯林　而且，我们的手很粗糙。

试金石　那么你们的嘴唇格外容易感到它们。还是浅薄！再说一个充分一点的理由，说吧。

柯林　我们的手在给羊包扎伤处的时候总是涂满了焦油；您要我们跟焦油接吻吗？宫廷里的老爷们手上都是涂着麝香的。

试金石　浅薄不堪的家伙！把你跟一块好肉比起来，你简直是一块给蛆虫吃的臭肉！用心听聪明人的教训吧：麝香是一只猫身上流出来的龌龊东西，它的来源比焦油脏得多呢。把你的理由修正修正吧，牧人。

柯林　您太会讲话了，我说不过您；我不说了。

试金石　你就甘心该死吗？上帝保佑你，浅薄的人！上帝把你好好针砭一下！你太不懂世事了。

柯林　先生，我是一个道地的做活的；我用自己的力量换饭吃换衣服穿；不跟别人结怨，也不妒羡别人的福气；瞧着人家得意我也高兴，自己倒了霉就自宽自解；我的最大的骄傲就是瞧我的母羊吃草，我的羔羊啜奶。

试金石　这又是你的一桩因为傻气而造下的孽：你把母羊和公羊拉拢在一起，靠着它们的配对来维持你的生活；给挂铃的羊当龟奴，替一头歪脖子的老王八公羊把才一岁的雌儿骗诱失身，也不想到合配不合配；要是你不会因此而下地狱，那么魔鬼也没有人给他牧羊了。我想不出你有什么豁免的希望。

柯林　盖尼米德大官人来了，他是我的新主妇的哥哥。

【罗瑟琳读一张字纸上。

罗瑟琳　从东印度到西印度找遍奇珍，
没有一颗珠玉比得上罗瑟琳。
她的名声随着好风播满诸城，
整个世界都在仰慕着罗瑟琳。
画工描摹下一幅幅倩影真真，
都要黯然无色一见了罗瑟琳。
任何的脸貌都不用铭记在心，
单单牢记住了美丽的罗瑟琳。

试金石　我可以给您这样凑韵下去凑它整整的八年，吃饭和睡觉的时间除外。这好像是一连串上市去卖奶油的好大娘。

罗瑟琳　啐，傻子！

试金石　试一下看：
要是公鹿找不到母鹿很伤心，
不妨叫它前去寻找那罗瑟琳。
倘说是没有一只猫儿不叫春，
心同此情有谁能责怪罗瑟琳？
冬天的衣裳棉花应该衬得温，

免得冻坏了娇怯怯的罗瑟琳。
割下的田禾必须捆得端端整，
一车的禾捆上装着个罗瑟琳。
最甜蜜的果子皮儿酸痛了唇，
这种果子的名字便是罗瑟琳。
有谁想找到玫瑰花开香喷喷，
就会找到爱的棘刺和罗瑟琳。

这简直是胡扯的歪诗；您怎么也会给这种东西沾上了呢？

罗瑟琳 别多嘴，你这蠢傻瓜！我在一株树上找到它们的。

试金石 真的，这株树生的果子太坏。

罗瑟琳 那我就把它和你接种在一起，把它和爱乱缠的枸杞接种在一起；这样它就是地里最早的果子了；因为你没等半熟就会烂掉的，这正是爱乱缠的枸杞的特点。

西莉娅读一张字纸上。

罗瑟琳 静些！我的妹妹读着些什么来了；站旁边去。

西莉娅 为什么这里是一片荒碛？
因为没有人居住吗？不然，
我要叫每株树长起喉舌，
吐露出温文典雅的语言：
或是慨叹着生命一何短，
匆匆跑完了游子的行程，
只须把手掌轻轻翻个转，
便早已终结人们的一生；
或是感怀着旧盟今已冷，
同心的契友忘却了故交；
但我要把最好树枝选定，
缀附在每行诗句的终梢，
罗瑟琳三个字小名美妙，
向普世的读者遍告周知。
莫看她苗条的一身娇小，

宇宙间的精华尽萃于兹；
造物当时曾向自然诏示，
吩咐把所有的绝世姿才，
向纤纤一躯中合炉熔制，
累天工费去不少的安排
负心的海伦醉人的脸蛋，
克莉奥佩特拉威仪丰容。
阿塔兰忒[1]的柳腰儿款摆，
鲁克丽西娅[2]的节操贞松：
劳动起玉殿上诸天仙众，
造成这十全十美罗瑟琳；
荟萃了各式的妍媚万种，
选出一副俊脸目秀精神。
上天给她这般恩赐优渥，
我命该终身做她的臣仆。

罗瑟琳　啊，最温柔的宣教师！您的恋爱的说教是多么啰唆得叫您的教民听了厌烦，可是您却也不喊一声："请耐心一点，好人们。"

西莉娅　啊！朋友们，退后去！牧人，稍为走开一点；跟他去，小子。

试金石　来，牧人，让我们堂堂退却：大小箱笼都不带，只带一个头陀袋。（柯林、试金石下）

西莉娅　你有没有听见这种诗句？

罗瑟琳　啊，是的，我都听见了。真是大块文章；有些诗句里多出好几步，拖都拖不动。

西莉娅　那没关系，步子可以拖着诗走。

罗瑟琳　不错，但是这些步子自己就不是四平八稳的，没有诗韵的帮助，简直寸步难行；所以只能勉强塞在那里。

西莉娅　但是你听见你的名字被人家悬挂起来，还刻在这种树上，不觉

① 阿塔兰忒（Atalanta），希腊传说中善疾走的美女。

② 鲁克丽西娅（Lucretia），莎士比亚叙事诗《鲁克丽丝受辱记》中的主角。

得奇怪吗？

罗瑟琳　人家说一件奇事过了九天便不足为奇；在你没有来之前，我已经过了第七天了。瞧，这是我在一株棕榈树上找到的。自从毕达哥拉斯的时候以来，我从不曾被人这样用诗句咒过；那时我是一只爱尔兰的老鼠[1]，现在简直记也记不起来了。

西莉娅　你想这是谁干的？

罗瑟琳　是个男人吗？

西莉娅　而且有一根链条，是你从前带过的，套在他的颈上。你脸红了吗？

罗瑟琳　请你告诉我是谁？

西莉娅　主啊！主啊！朋友们见面真不容易；可是两座高山也许会给地震搬了家而碰起头来。

罗瑟琳　哎，但是究竟是谁呀？

西莉娅　真的猜不出来吗？

罗瑟琳　哎，我使劲地央求你告诉我他是谁。

西莉娅　奇怪啊！奇怪啊！奇怪到无可再奇怪的奇怪！奇怪而又奇怪！说不出来的奇怪！

罗瑟琳　我要脸红起来了！你以为我打扮得像个男人，就会在精神上也穿起男装来吗？你再耽延一刻不再说出来，就要累我在汪洋大海里做茫茫的探索了。请你快快告诉我他是谁，不要吞吞吐吐。我倒希望你是个口吃的，那么你也许会把这个保守着秘密的名字不期然而然地打你嘴里吐出来，就像酒从狭口的瓶里倒出来一样，不是一点都倒不出，就是一下子出来了许多。求求你拔去你嘴里的塞子，让我饮着你的消息吧。

西莉娅　那么你要把那人儿一口气吞下肚子里去是不是？

罗瑟琳　他是上帝造下来的吗？是个什么样子的人？他的头戴上一顶帽子显不显得寒碜？他的下巴留着一把胡须像不像个样儿？

西莉娅　不，他只有一点点儿胡须。

---

① 念咒驱除老鼠为爱尔兰人一种迷信习俗。

罗瑟琳　哦，要是这家伙知道好歹，上帝会再给他一些的。要是你立刻就告诉我他的下巴是怎么一个样子，我愿意等候他长起须来。

西莉娅　他就是年轻的奥兰多，一下子把那拳师的脚跟和你的心一起绊跌了个跟斗的。

罗瑟琳　哎，取笑人的让魔鬼抓了去；像一个老老实实的好姑娘似的，规规矩矩说吧。

西莉娅　真的，姊姊，是他。

罗瑟琳　奥兰多？

西莉娅　奥兰多。

罗瑟琳　哎哟！我这一身大衫短裤该怎么办呢？你看见他的时候他在做些什么？他说些什么？他瞧上去怎样？他穿着些什么？他为什么到这儿来？他问起我吗？他住在哪儿？他怎样跟你分别的？你什么时候再去看他？用一个字回答我。

西莉娅　你一定先要给我向卡冈都亚借一张嘴来才行；像我们这时代的人，一张嘴里是装不下这么大的一个字的。要是一句句都用“是”和“不”回答起来，也比考问教理还麻烦呢。

罗瑟琳　可是他知道我在这林子里，打扮成男人的样子吗？他是不是跟摔跤的那天一样有精神？

西莉娅　回答情人的问题，就像数微尘的粒数一般为难。你好好听我讲我怎样找到他的情形，静静地体味着吧。我看见他在一株树底下，像一颗落下来的橡果。

罗瑟琳　树上会落下这样果子来，那真可以说是神树了。

西莉娅　好小姐，听我说。

罗瑟琳　讲下去。

西莉娅　他直挺挺地躺在那儿，像一个受伤的骑士。

罗瑟琳　虽然这种样子有点可怜相，可是地上躺着这样一个人，倒也是很合适的。

西莉娅　喊你的舌头停步吧；它简直随处乱跳。——他打扮得像个猎人。

罗瑟琳　哎哟，糟了！他要来猎取我的心了。

西莉娅　我唱歌的时候不要别人和着唱；你缠得我弄错拍子了。

罗瑟琳　你不知道我是个女人吗？我心里想到什么，便要说出口来。好人儿，说下去吧。

西莉娅　你已经打断了我的话头。且慢！他不是来了吗？

罗瑟琳　是他；我们躲在一旁瞧着他吧。

【奥兰多及杰奎斯上。

杰奎斯　多谢相陪；可是说老实话，我倒是喜欢一个人清静些。

奥兰多　我也是这样；可是为了礼貌的关系，我多谢您的陪伴。

杰奎斯　上帝和您同在！让我们越少见面越好。

奥兰多　我希望我们还是不要相识的好。

杰奎斯　请您别再在树皮上写情诗糟蹋树木了。

奥兰多　请您别再用难听的声调念我的诗，把它们糟蹋了。

杰奎斯　您的情人的名字是罗瑟琳吗？

奥兰多　正是。

杰奎斯　我不喜欢她的名字。

奥兰多　她取名的时候，并没有打算要您喜欢。

杰奎斯　她的身材怎样？

奥兰多　恰恰够得到我的心头那样高。

杰奎斯　您怪会说俏皮的回答；您是不是跟金匠们的妻子有点儿交情，因此把戒指上的警句都默记下来了？

奥兰多　不，我都是用彩画的挂帷上的话儿来回答您；您的问题也是从那儿学来的。

杰奎斯　您的口才很敏捷，我想是用阿塔兰忒的脚跟做成的。我们一块儿坐下来好不好？我们两人要把世界痛骂一顿，大发一下牢骚。

奥兰多　我不愿责骂世上的有生之伦，除了我自己；因为我知道自己的错处最明白。

杰奎斯　您的最坏的错处就是要恋爱。

奥兰多　我不愿把这个错处来换取您的最好的美德。您真叫我腻烦。

杰奎斯　说老实话，我遇见您的时候，本来是在找一个傻子。

奥兰多　他掉在溪水里淹死了，您向水里一望，就可以瞧见他。

杰奎斯　我只瞧见我自己的影子。

奥兰多　那我以为倘不是个傻子，定然是个废物。

杰奎斯　我不想再跟您在一起了。再见，多情的公子。

奥兰多　我巴不得您走。再会，忧愁的先生。（杰奎斯下）

罗瑟琳　我要像一个无礼的小厮一样去向他说话，跟他捣捣乱。——听见我的话吗，树林里的人？

奥兰多　很好，你有什么话说？

罗瑟琳　请问现在是几点钟？

奥兰多　你应该问我现在是什么时辰；树林里哪来的钟？

罗瑟琳　那么树林里也不会有真心的情人了；否则每分钟的叹气，每点钟的呻吟，该会像时钟一样计算出时间的懒懒的脚步来的。

奥兰多　为什么不说时间的快步呢？那样说不对吗？

罗瑟琳　不对，先生。时间对于各种人有各种的步法。我可以告诉你时间对于谁是走慢步的，对于谁是跨着细步走的，对于谁是奔着走的，对于谁是立定不动的。

奥兰多　请问他对于谁是跨着细步走的？

罗瑟琳　呃，对于一个订了婚还没有成礼的姑娘，时间是跨着细步有气无力地走着的；即使这中间只有一星期，也似乎有七年那样难过。

奥兰多　对于谁时间是走着慢步的？

罗瑟琳　对于一个不懂拉丁文的牧师，或是一个不害痛风的富翁：一个因为不能读书而睡得很酣畅，一个因为没有痛苦而活得很高兴；一个可以不必辛辛苦苦地钻研，一个不知道有贫穷的艰困。对于这种人，时间是走着慢步的。

奥兰多　对于谁他是奔着走的？

罗瑟琳　对于一个上绞架的贼子；因为虽然他尽力放慢脚步，他还是觉得到得太快了。

奥兰多　对于谁他是静止不动的？

罗瑟琳　对于在休假中的律师，因为他们在前后开庭的时期之间，完全昏睡过去，不觉到时间的移动。

奥兰多　可爱的少年，你住在哪儿？

罗瑟琳　跟这位牧羊姑娘，我的妹妹，住在这儿的树林边，正像裙子上的花边一样。

奥兰多　你是本地人吗？

罗瑟琳　跟那头你看见的兔子一样，它的住处就是它生长的地方。

奥兰多　住在这种穷乡僻壤，你的谈吐却很高雅。

罗瑟琳　好多人都曾经这样说我；其实是因为我有一个修行的老伯父，他本来是在城市里生长的，是他教导我讲话；他曾经在宫廷里闹过恋爱，因此很懂得交际的门槛。我曾经听他发过许多反对恋爱的议论；多谢上帝我不是个女人，不会犯到他所归咎于一般女性的那许多心性轻浮的罪恶。

奥兰多　你记不记得他所说的女人的罪恶当中主要的几桩？

罗瑟琳　没有什么主要不主要的，跟两个铜子相比一样，全差不多；每一件过失似乎都十分严重，可是立刻又有一件出来可以赛过它。

奥兰多　请你说几件看。

罗瑟琳　不，我的药是只给病人吃的。这座树林里常常有一个人来往，在我们的嫩树皮上刻满了"罗瑟琳"的名字，把树木糟蹋得不成样子；山楂树上挂起了诗篇，荆棘枝上吊悬着哀歌，说来说去都是把罗瑟琳的名字捧作神明。要是我碰见了那个卖弄风情的家伙，我一定要好好给他一番教训，因为他似乎害着相思病。

奥兰多　我就是那个给爱情折磨的他。请你告诉我你有什么医治的方法。

罗瑟琳　我伯父所说的那种记号在你身上全找不出来，他曾经告诉我怎样可以看出来一个人是在恋爱着；我可以断定你一定不是那个草扎的笼中的囚人。

奥兰多　什么是他所说的那种记号呢？

罗瑟琳　一张瘦瘦的脸庞，你没有；一双眼圈发黑的凹陷的眼睛，你没有；一副懒得跟人家交谈的神气，你没有；一脸忘记了修薙的胡子，你没有；——可是那我可以原谅你，因为你的胡子本来就像小兄弟的产业一样少得可怜。而且你的袜子上应当是不套袜带的，你的帽子上应当是不结帽纽的，你的袖口的纽扣应当是脱开的，你的鞋子上的带子应当是松散的，你身上的每一处都要表示出一种不经心的疏懒。可是你却不是这样一个人；你把自己打扮得这么齐整，瞧你倒有点顾影自怜，全不像在爱着什么人。

奥兰多　美貌的少年，我希望我能使你相信我是在恋爱。

罗瑟琳　我相信！你还是叫你的爱人相信吧。我可以断定，她即使容易相信你，她嘴里也是不肯承认的；这也是女人们不老实的一点。可是说老实话，你真的便是把恭维着罗瑟琳的诗句悬挂在树上的那家伙吗？

奥兰多　少年，我凭着罗瑟琳的玉手向你起誓，我就是他，那个不幸的他。

罗瑟琳　可是你真的像你诗上所说的那样热恋着吗？

奥兰多　什么也不能表达我的爱情的深切。

罗瑟琳　爱情不过是一种疯狂；我对你说，有了爱情的人，是应该像对待一个疯子一样，把他关在黑屋子里用鞭子抽一顿的。那么为什么他们不用这种处罚的方法来医治爱情呢？因为那种疯病是极其平常的，就是拿鞭子的人也在恋爱哩。可是我有医治它的法子。

奥兰多　你曾经医治过什么人吗？

罗瑟琳　是的，医治过一个；法子是这样的：他假想我是他的爱人，他的情妇，我叫他每天都来向我求爱；那时我是一个善变的少年，便一会儿伤心，一会儿温存，一会儿翻脸，一会儿思慕，一会儿欢喜；骄傲、古怪、刁钻、浅薄、轻浮，有时满眼的泪，有时满脸的笑。什么情感都来一点儿，但没有一种是真切的，就像大多数的孩子们和女人们一样；有时欢喜他，有时讨厌他，有时讨好他，有时冷淡他，有时为他哭泣，有时把他唾弃：我这样把我这位求爱者从疯狂的爱逼到真个疯狂起来，以至于抛弃人世，做起隐士来了。我用这种方法治好了他，我也可以用这种方法把你的心肝洗得干干净净，像一颗没有毛病的羊心一样，再没有一点爱情的痕迹。

奥兰多　我不愿意治好，少年。

罗瑟琳　我可以把你治好，假如你把我叫作罗瑟琳，每天到我的草屋里来向我求爱。

奥兰多　凭着我的恋爱的真诚，我愿意。告诉我你住在什么地方。

罗瑟琳　跟我去，我可以指点给你看；一路上你也要告诉我你住在林中的什么地方。去吗？

奥兰多　很好，好孩子。

罗瑟琳　不，你一定要叫我罗瑟琳。来，妹妹，我们去吧。（同下）

第三场　林中的另一部分

【试金石及奥德蕾上；杰奎斯随后。

试金石　快来，好奥德蕾；我去把你的山羊赶来。怎样，奥德蕾？我还不曾是你的好人儿吗？我这副粗鲁的神气你中意吗？

奥德蕾　您的神气！天老爷保佑我们！什么神气？

试金石　我陪着你和你的山羊在这里，就像那最会梦想的诗人奥维德在一群哥特人中间一样。

杰奎斯　（旁白）唉，学问装在这么一副躯壳里，比乔武住在草棚里更坏！

试金石　要是一个人写的诗不能叫人懂，他的才情不能叫人理解，那比之小客栈里开出一张大账单来还要命。真的，我希望神们把你变得诗意一点。

奥德蕾　我不懂得什么叫"诗意一点"。那是一句好话，一件好事情吗？那是诚实的吗？

试金石　老实说，不，因为最真实的诗是最虚妄的；情人们都富于诗意，他们在诗里发的誓，可以说都是情人们的假话。

奥德蕾　那么您愿意天老爷把我变得诗意一点吗？

试金石　是的，不错；因为你发誓说你是贞洁的，假如你是个诗人，我就可以希望你说的是假话了。

奥德蕾　您不愿意我贞洁吗？

试金石　对了，除非你生得难看；因为贞洁跟美貌碰在一起，就像在糖里再加蜜。

杰奎斯　（旁白）好一个有见识的傻瓜！

奥德蕾　好，我生得不好看，因此我求求天老爷让我贞洁吧。

试金石　真的，把贞洁丢给一个丑陋的懒女人，就像把一块好肉盛在龌龊的盆子里。

奥德蕾　我不是个懒女人，虽然我谢谢天老爷我是丑陋的。

试金石　好吧，感谢天老爷把丑陋赏给了你！懒惰也许会跟着来的。可是不管这些，我一定要跟你结婚；为了这事我已经去见过邻村的牧师奥列佛·马坦克斯特师傅，他已经答应在这儿树林里会我，给我们配对。

杰奎斯 （旁白）我倒要瞧瞧这场热闹。

奥德蕾 好，天爷爷们保佑我们快活吧！

试金石 阿门！倘使是一个胆小的人，也许不敢贸然从事；因为这儿没有庙宇，只有树林，没有宾众，只有一些出角的畜生；但这有什么要紧呢？放出勇气来！角虽然讨厌，却也是少不来的。人家说："许多人有数不清的家私。"对了，许多人也有数不清的好角儿。好在那是他老婆陪嫁来的妆奁，不是他自己弄到手的。出角吗？有什么要紧？只有苦人儿才出角吗？不，不，最高贵的鹿和最寒碜的鹿长的角儿一样大呢。那么单身汉便算是好福气吗？不，城市总比乡村好些，已婚者隆起的额角，也要比未婚者平坦的额角体面得多；懂得几手击剑法的，总比一点不会的好些，因此有角也总比没角强。奥列佛师傅来啦。

【奥列佛·马坦克斯特师傅上。

试金石 奥列佛·马坦克斯特师傅，您来得巧极了。您还是就在这树下替我们把事情办了呢，还是让我们跟您到您的教堂里去？

马坦克斯特 这儿没有人可以把这女人做主嫁出去吗？

试金石 我不要别人把她布施给我。

马坦克斯特 真的，她一定要有人做主许嫁，否则这种婚姻便不合法。

杰奎斯 （上前）进行下去，进行下去；我可以把她许嫁。

试金石 晚安，某某先生；您好，先生？欢迎欢迎！上次多蒙照顾，不胜感激。我很高兴看见您。我现在有一点点儿小事，先生。嗳，请戴上帽子。

杰奎斯 你要结婚了吗，傻瓜？

试金石 先生，牛有轭，马有勒，猎鹰腿上挂金铃，人非木石岂无情？鸽子也要亲个嘴儿；女大当嫁，男大当婚。

杰奎斯 像你这样有教养的人，却愿意在一棵树底下像叫花子那样成亲吗？到教堂里去，找一位可以告诉你们婚姻的意义的好牧师。要是让这个家伙把你们像钉墙板似的钉在一起，你们中间总有一个人会像没有晒干的木板一样干缩起来，越变越弯的。

试金石 （旁白）我倒以为让他给我主婚比别人好一点，因为瞧他的样子是不会像像样样地主持婚礼的；假如结婚结得草率一些，以后我可以借口离弃我的妻子。

杰奎斯 你跟我来，让我指教指教你。

试金石 来，好奥德蕾。我们一定得结婚，否则我们只好通奸。再见，好奥列佛师傅，不是

亲爱的奥列佛！
勇敢的奥列佛！
请你不要把我丢弃；[1]
而是
走开去，奥列佛！
滚开去，奥列佛！
我们不要你行婚礼。（杰奎斯、试金石、奥德蕾同下）

马坦克斯特 不要紧，这一批荒唐的浑蛋谁也不能讥笑掉我的饭碗。（下）

---

① 卡冈都亚（Gargantua），法国拉伯雷（Rabelais）《巨人传》中的饕餮巨人。

第四场　林中的另一部分

【罗瑟琳及西莉娅上。

罗瑟琳　别跟我讲话；我一定要哭。

西莉娅　你就哭吧；可是你还得想一想男人是不该流眼泪的。

罗瑟琳　但我岂不是有应该哭的理由吗？

西莉娅　理由是再充分也没有的了；所以你哭吧。

罗瑟琳　瞧他的头发的颜色，就可以看出来他是个坏东西。

西莉娅　比犹大的头发颜色略为深些；他的接吻就是犹大一脉相传下来的。

罗瑟琳　凭良心说一句，他的头发颜色很好。

西莉娅　那颜色好极了；栗色是最好的颜色。

罗瑟琳　他的接吻神圣得就像圣餐面包触到唇边一样。

西莉娅　他买来了一对狄安娜用过的嘴唇；一个凛若冰霜的尼姑也不会吻得像他那样虔诚；他的嘴唇里就有着冷冰冰的贞洁。

罗瑟琳　可是他为什么发誓说今天早上要来，却偏偏不来呢？

西莉娅　不用说，他这人没有半分真心。

罗瑟琳　你是这样想吗？

西莉娅　是的。我想他不是个扒儿手，也不是个盗马贼；可是要说起他的爱情的真不真来，那么我想他就像一只盖好了的空杯子，或是一枚蛀空了的硬壳果一样空心。

罗瑟琳　他的恋爱不是真心吗？

西莉娅　他在恋爱的时候，他是真心的；可是我以为他并不在恋爱。

罗瑟琳　你不是听见他发誓说他的的确确在恋爱吗？

西莉娅　从前说是，现在却不一定是；而且情人们发的誓，是和堂倌嘴里的话一样靠不住的，他们都是惯报虚账的家伙。他在这儿树林子里跟公爵你的父亲在一块儿呢。

罗瑟琳　昨天我碰见公爵，跟他谈了好久。他问我的父母是怎样的人；我对他说，我的父母跟他一样高贵；他大笑着让我走了。可是我们现在有像奥兰多这么一个人，还要谈父亲做什么呢？

西莉娅　啊，好一个出色的人！他写得一手好诗，讲得一口漂亮话，发着动听的誓，再堂而皇之地毁了誓，同时碎了他情人的心；正如一个拙劣的枪手，骑在马上一面歪，像一头好鹅一样把他的枪杆折断了。但是年轻人凭着血气和痴劲做出来的事，总是很出色的。——谁来了？

【柯林上。

柯林　姑娘和大官人，你们不是常常问起那个害相思病的牧人，那天你们不是看见他和我坐在草地上，称赞着他的情人，那个盛气凌人的牧羊女吗？

西莉娅　嗯，他怎样啦？

柯林　要是你们想看一本认真扮演的好戏，一面是因为情痴而容颜惨白，一面是因为傲慢而满脸绯红；只要稍走几步路，我可以领你们去，看一个痛快。

罗瑟琳　啊！来，让我们去吧。在恋爱中的人，欢喜看人家相恋。带我们去看；我将要在他们的戏文里当一名重要的角色。（同下）

第五场　林中的另一部分

【西尔维斯及菲苾上。

西尔维斯　亲爱的菲苾，不要讥笑我；请不要，菲苾！您可以说您不爱我，但不要说得那样狠。习惯于杀人的硬心肠的刽子手，在把斧头向低俯的颈项上劈下的时候也要先说一声对不起；难道您会比这种靠着流血为生的人心肠更硬吗？

【罗瑟琳、西莉娅及柯林自后上。

菲苾　我不愿做你的刽子手，我逃避你，因为我不愿伤害你。你对我说我的眼睛会杀人；这种话当然说得很好听，很动人；眼睛本来是最柔弱的东西，一见了些微尘就会胆小得关起门来，居然也会给人叫作暴君、屠夫和凶手！现在我使劲地抡起白眼瞧着你；假如我的眼睛能够伤人，那么让它们把你杀死了吧：现在你可以假装晕过去了啊；嘿，现在你可以倒下去了呀；假如你并不倒下去，哼！羞啊，羞啊，你可别再胡说，说我的眼睛是凶手了。现在你且把我的眼睛加在你身上的伤痕拿出来看。单单用一枚针儿划了一下，也会有一点疤痕；握着一根灯芯草，你的手掌上也会有一刻儿留着痕迹；可是我的眼光现在向你投射，却不曾伤了你：我相信眼睛里是决没有可以伤人的力量的。

西尔维斯　啊，亲爱的菲苾，要是有一天——也许那一天就近在眼前——您在谁个清秀的脸庞上看出了爱情的力量，那时您就会感觉到爱情的利箭所加在您心上的无形的创伤了。

菲苾　可是在那一天没有到来之前，你不要走近我吧。如其有那一天，那么你可以用你的讥笑来凌虐我，却不用可怜我；因为不到那时候，我总不会可怜你的。

罗瑟琳　（上前）为什么呢，请问？谁是你的母亲，生下了你来，把这个不幸的人这般侮辱，如此欺凌？你生得不漂亮——老实说，我看你还是晚上不用点蜡烛就钻到被窝里去的好——难道就该这样骄傲而无情吗？——怎么，这是什么意思？你望着我做什么？我瞧你不过是一件天生的粗货罢了。他妈的！我想她要打算迷住我哩。不，老实说，骄傲的姑娘，你别做梦吧！凭着你的黑水一样的眉毛，你的乌丝一样的头发，你的黑玻璃球一样的眼睛，或是你的乳脂一样的脸庞，可不能叫我为你倾倒呀。——你这蠢牧人儿，干吗你要追随着她，像是挟着雾雨而俱来的南风？你是比她漂亮一千倍的男人；都是因为有了你们这种傻瓜，世上才有那许多难看的孩子。叫她得意的是你的恭维，不是她的镜子；听了你的话，她便觉得她自己比她本来的容貌美得多了。——可是，姑娘，你自己得放明白些；跪下来，斋戒谢天，赐给你这么好的一个爱人。我得向你耳边讲句体己的话，有买主的时候赶快卖去了吧；你不是到处都有销路的。求求这位大哥恕了你；爱他；接受他的好意。生得丑再要瞧人不起，那才是奇丑无比了。——好，牧人，你拿了她去。再见吧。

菲苾　可爱的青年，请您把我骂一整年吧。我宁愿听您的骂，不要听这人的恭维。

罗瑟林　他爱上了她的丑样子，她爱上了我的怒气。倘使真有这种事，那么她一扮起了怒容来答复你，我便会把刻薄的话儿去治她。——你为什么这样瞧着我？

菲苾　我对您没有怀着恶意呀。

罗瑟林　请你不要爱我吧，我这人是比醉后发的誓更靠不住的；而且我又不喜欢你。要是你要知道我家在何处，请到这儿附近的那簇橄榄树的地方来寻访好了。——我们去吧，妹妹。——牧人，着力追求她。——来，妹妹。——牧女，待他好一点儿，别那么骄傲；整个世界上生眼睛的人，都不会像他那样把你当作天仙的。——来，瞧我们的羊群去。（罗瑟琳、西莉娅、柯林同下）

菲苾　过去的诗人，现在我明白了你的话果然是真：“谁个情人不是一见就钟情？”

西尔维斯　亲爱的菲苾——

菲苾　啊！你怎么说，西尔维斯？

西尔维斯　亲爱的菲苾，可怜我吧！

菲苾　唉，我为你伤心呢，温柔的西尔维斯。

西尔维斯　同情之后，必有安慰；要是您见我因为爱情而伤心而同情我，那么只要把您的爱给我，您就可以不用再同情，我也无须再伤心了。

菲苾　你已经得到我的爱了；咱们不是像邻居那么要好着吗？

西尔维斯　我要的是您。

菲苾　啊，那就是贪心了。西尔维斯，从前我讨厌你；可是现在我也不是对你有什么爱情；不过你既然讲爱情讲得那么好，我本来是讨厌跟你在一起的，现在我可以忍受你了。我还有事儿要差遣你呢；可是除了你自己因为供我差遣而感到的欣喜以外，可不用希望我还会用什么来答谢你。

西尔维斯　我的爱情是这样圣洁而完整，我又是这样不蒙眷顾，因此只要能够拾些人家收获过后留下来的残穗，我也以为是一次最丰富的收成了；随时略为给我一个不经意的微笑，我就可以靠着它活命。

菲苾　你认识刚才对我讲话的那个少年吗？

西尔维斯　不大熟悉，但我常常遇见他；他已经把本来属于那个老头儿的草屋和地产都买下来了。

菲苾　不要以为我爱他，虽然我问起他。他只是个淘气的孩子；可是倒很会讲话；但是空话我理它作甚？然而说话的人要是能够讨听话的人欢喜，那么空话也是很好的。他是个标致的青年；不算顶标致。当然他是太骄傲了；然而他的骄傲很配他。他长起来倒是一个漂亮的汉子，顶好的地方就是他的脸色；他的舌头刚刚得罪了人，用眼睛一瞟就补偿过来了。他的个儿不很高；然而照他的年纪说起来也就够高。他的腿不过如此；但也还好。他的嘴唇红得很美，比他那张白脸上掺和着的红色更烂熟更浓艳；一个是大红，一个是粉红。西尔维斯，有些女人假如也像我一样向他这么评头品足起来，一定会马上爱上他的；可是我呢，我不爱他，也不恨他；然而我有应该格外恨他的理由。凭什么他要骂我呢？他说我的眼珠黑，我的头发黑；现在我记起来了，他嘲笑着我呢。我不懂怎么我不还骂他；但那没有关系，不声不响并不就是善罢甘休。我要写一封辱骂的信给他，你可以给我带去；你肯不肯，西尔维斯？

西尔维斯　菲苾，那是我再愿意不过的了。

菲苾　我就写去；这件事情盘绕在我的心头，我要简简单单地把他挖苦一下。跟我去，西尔维斯。（同下）

第四幕

第一场　亚登森林

【罗瑟琳、西莉娅及杰奎斯上。

杰奎斯　可爱的少年，请你许我跟你结识结识。

罗瑟琳　他们说你是个多愁的人。

杰奎斯　是的，我喜欢发愁不喜欢笑。

罗瑟琳　这两件事各趋极端，都会叫人讨厌，比之醉汉更容易招一般人的指摘。

杰奎斯　发发愁不说话，有什么不好？

罗瑟琳　那么何不做一根木头呢？

杰奎斯　我没有学者的忧愁，那是好胜；也没有音乐家的忧愁，那是幻想；也没有侍臣的忧愁，那是骄傲；也没有军人的忧愁，那是野心；也没有律师的忧愁，那是狡猾；也没有女人的忧愁，那是挑剔；也没有情人的忧愁，那是集上面一切之大成；我的忧愁全然是我独有的，它是由各种成分组成的，是从许多事物中提炼出来的，是我旅行中所得到的各种观感，因为不断沉思，终于把我笼罩在一种十分古怪的悲哀之中。

罗瑟琳　是一个旅行家吗？噢，那你就有应该悲哀的理由了。我想你多半是卖去了自己的田地去看别人的田地；看见的这么多，自己却一无所有；眼睛是看饱了，两手却是空空的。

杰奎斯　是的，我已经得到了我的经验。

罗瑟琳　而你的经验使你悲哀。我宁愿叫一个傻瓜来逗我发笑，不愿叫经验来使我悲哀；而且还要到各处旅行去找它！

【奥兰多上。

奥兰多　早安，亲爱的罗瑟琳！

杰奎斯　要是你要念起诗来，那么我可要少陪了。（下）

罗瑟琳　再会，旅行家先生。你该打起些南腔北调，穿了些奇装异服，瞧不起本国的一切好处，厌恶你的故乡，简直要怨恨上帝干吗不给你生一副外国人的相貌；否则我可不能相信你曾经在威尼斯荡过艇子。——啊，怎么，奥兰多！你这些时都在哪儿？你算是一个情人！要是你再对我来这么一套，你可再不用来见我了。

奥兰多　我的好罗瑟琳，我来得不过迟了一小时还不满。

罗瑟琳　误了一小时的情人的约会！谁要是把一分钟分作了一千分，而在恋爱上误了一千分之一分钟的几分之一的约会，这种人人家也许会说丘比特曾经拍过他的肩膀，可是我敢说他的心是不曾中过爱神之箭的。

奥兰多　原谅我吧，亲爱的罗瑟琳！

罗瑟琳　哼，要是你再这样慢腾腾的，以后不用再来见我了；我宁愿让一条蜗牛向我献殷勤的。

奥兰多　一条蜗牛！

罗瑟琳　对了，一条蜗牛；因为他虽然走得慢，可是却把他的屋子顶在头上，我想这是一份比你所能给予一个女人的更好的家产；而且他还随身带着他的命运哩。

奥兰多　那是什么？

罗瑟琳　嘿，角儿哪；那正是你所要谢谢你的妻子的，可是他却自己随身带了它做武器，免得人家说他妻子的坏话。

奥兰多　贤德的女子不会叫她丈夫当王八；我的罗瑟琳是贤德的。

罗瑟琳　而我是你的罗瑟琳吗？

西莉娅　他喜欢这样叫你；可是他有一个长得比你漂亮的罗瑟琳哩。

罗瑟琳　来，向我求婚，向我求婚；我现在很高兴；多半会答应你。假如我真是你的罗瑟琳，你现在要向我说些什么话?

奥兰多　我要在没有说话之前先接个吻。

罗瑟琳　不，你最好先说话，等到所有的话都说完了，想不出什么来的时候，你就可以趁此接吻。善于演说的人，当他们一时无话可说之际，他们会吐一口痰；情人们呢，上帝保佑我们！倘使缺少了说话的资料，接吻是最便当的补救办法。

奥兰多　假如她不肯让我吻她呢?

罗瑟琳　那么她就使得你向她请求，这样又有了新的话题了。

奥兰多　谁见了他的心爱的情人而会说不出话来呢?

罗瑟琳　哼，假如我是你的情人，你就会说不出话来。不然的话，我就会认为自己是德有余而才不足了。

奥兰多　怎么，我会闷头不语吗?

罗瑟琳　可以伸头，却说不出话。我不是你的罗瑟琳吗?

奥兰多　我很愿意把你当作罗瑟琳，因为这样我就可以讲着她了。

罗瑟琳　好，我代表她说我不愿接受你。

奥兰多　那么我代表我自己说我要死去。

罗瑟琳　不，真的，还是请个人代死吧。这个可怜的世界差不多有六千年的岁数了，可是从来不曾有过一个人亲自殉情而死。特洛伊罗斯是被一个希腊人的棍棒砸出了脑浆的；可是在这以前他就已经寻过死，而他是一个模范的情人。即使希罗当了尼姑，里昂德也会活下去活了好多年的，倘不是因为一个酷热的仲夏之夜；因为，好孩子，他本来只是要到赫勒斯滂海峡里去洗个澡的，可是在水中害起抽筋来，因而淹死了：那时代的愚蠢的史家却说他是为了塞斯托斯的希罗而死。这些全都是谎；人们一代一代地死去，他们的尸体都给蛆虫吃了，可是决不会为爱情而死的。

奥兰多　我不愿我的真正的罗瑟琳也作这样的想法；因为我可以发誓说她只要皱一皱眉头就会把我杀死。

罗瑟琳　我凭着此手发誓，那是连一只苍蝇也杀不死的。但是来吧，现在我要做你的一个乖乖的罗瑟琳；你向我要求什么，我一定允许你。

奥兰多　那么爱我吧，罗瑟琳！

罗瑟琳　好，我就爱你，星期五、星期六以及一切的日子。

奥兰多　你肯接受我吗？

罗瑟琳　肯的，我肯接受像你这样二十个男人。

奥兰多　你怎么说？

罗瑟琳　你不是个好人吗？

奥兰多　我希望是的。

罗瑟琳　那么好的东西会嫌太多吗？——来，妹妹，你要扮作牧师，给我们主婚。——把你的手给我，奥兰多。你怎么说，妹妹？

奥兰多　请你给我们主婚。

西莉娅　我不会说。

罗瑟琳　你应当这样开始："奥兰多，你愿不愿——"

西莉娅　好吧。——奥兰多，你愿不愿娶这个罗瑟琳为妻？

奥兰多　我愿意。

罗瑟琳　嗯，但是什么时候才娶呢？

奥兰多　当然就在现在哪；只要她能替我们完成婚礼。

罗瑟琳　那么你必须说，"罗瑟琳，我娶你为妻。"

奥兰多　罗瑟琳，我娶你为妻。

罗瑟琳　我本来可以问你凭着什么来娶我的；可是奥兰多，我愿意接受你做我的丈夫。——这丫头等不到牧师问起，就冲口说出来了；真的，女人的思想总是比行动跑得更快。

奥兰多　一切的思想都是这样；它们是生着翅膀的。

罗瑟琳　现在你告诉我你占有了她之后，打算保留多久？

奥兰多　永久再加上一天。

罗瑟琳　说一天，不用说永久。不，不，奥兰多，男人们在未婚的时候是四月天，结婚的时候是十二月天；姑娘们做姑娘的时候是五月天，一做了妻子，季候便改变了。我要比一只巴巴里雄鸽对待它的雌鸽格外多疑地对待你；我要比下雨前的鹦鹉格外吵闹，比猢狲格外弃旧怜新，比猴子格外反复无常；我要在你高兴的时候像喷泉上的狄安娜女神雕像一样无端哭泣；我要在你想睡的时候像土狼一样纵声大笑。

奥兰多　但是我的罗瑟琳会做出这种事来吗?

罗瑟琳　我可以发誓她会像我一样做出来的。

奥兰多　啊！但是她是个聪明人哩。

罗瑟琳　她倘不聪明，怎么有本领做这等事?越是聪明，越是淘气。假如用一扇门把一个女人的才情关起来，它会从窗子里钻出来的；关了窗，它会从钥匙孔里钻出来的；塞住了钥匙孔，它会跟着一道烟从烟囱里飞出来的。

奥兰多　男人娶到了这种有才情的老婆，就难免要感慨“才情才情，看你横行到什么地方”了。

罗瑟琳　不，你可以把那句骂人的话留起来，等你瞧见你妻子的才情爬上了你邻人的床上去的时候再说。

奥兰多　那时这位多才的妻子又将用怎样的才情来辩解呢?

罗瑟琳　呃，她会说她是到那儿找你去的。你捉住她，她总有话好说，除非你把她的舌头割掉。唉！要是一个女人不会把她的错处推到她男人的身上去，那种女人千万不要让她抚养她自己的孩子，因为她会把他抚养成一个傻子的。

奥兰多　罗瑟琳，这两小时我要离开你。

罗瑟琳　唉！爱人，我两小时都缺不了你哪。

奥兰多　我一定要陪公爵吃饭去；到两点钟我就会回来。

罗瑟琳　好，你去吧，你去吧！我知道你会变成怎样的人。我的朋友们这样对我说过，我也这样相信着，你是用你那种花言巧语来把我骗上手的。不过又是一个给人丢弃的罢了；好，死就死吧！你说是两点钟吗?

奥兰多　是的，亲爱的罗瑟琳。

罗瑟琳　凭着良心，一本正经，上帝保佑我，我可以向你起一切无关紧要的誓，要是你失了一点点儿的约，或是比约定的时间来迟了一分钟，我就要把你当作在一大堆无义的人们中间一个最可怜的背信者、最空心的情人，最不配被你叫作罗瑟琳的那人所爱的。所以，留心我的责骂，守你的约吧。

奥兰多　我一定恪遵，就像你真是我的罗瑟琳一样。好，再见。

罗瑟琳　好，时间是审判一切这一类罪人的老法官，让他来审判吧。再见。（奥兰多下）

西莉娅　你在你那种情话中间简直是侮辱我们女性。我们一定要把你的衫裤揭到你的头上，让全世界的人看看鸟儿怎样作践了她自己的窠。

罗瑟琳　啊，小妹妹，小妹妹，我的可爱的小妹妹，你要是知道我是爱得多么深！可是我的爱是无从测计深度的，因为它有一个渊深莫测的底，像葡萄牙海湾一样。

西莉娅　或者不如说是没有底的吧；你刚把你的爱倒进去，它就漏了出来。

罗瑟琳　不，维纳斯的那个坏蛋私生子，那个因为忧郁而怀孕，因为冲动而受胎，因为疯狂而诞生的；那个瞎眼的坏孩子，因为自己没有眼睛而把每个人的眼睛都欺蒙了的；让他来判断我是爱得多么深吧。我告诉你，爱莲娜，我不看见奥兰多便活不下去。我要找一处树荫，去到那儿长吁短叹地等着他回来。

西莉娅　我要去睡一个觉儿。（同下）

第二场　林中的另一部分

【杰奎斯、众臣及林居人等上。

杰奎斯　是谁把鹿杀死的？

臣甲　先生，是我。

杰奎斯　让我们引他去见公爵，像一个罗马的凯旋将军一样；顶好把鹿角插在他头上，表示胜利的光荣。林居人，你们没有个应景的歌儿吗？

林居人　有的，先生。

杰奎斯　那么唱起来吧；不要管它调子怎样，只要可以热闹热闹就是了。

（唱）

杀鹿的人好幸福，
穿它的皮顶它角。
　唱个歌儿送送他。（众和）
顶了鹿角莫讥笑，
古时便已当冠帽；
　你的祖父戴过它，
　你的阿爹顶过它：
鹿角鹿角壮而美，
你们取笑真不对。（众下）

第三场　林中的另一部分

【罗瑟琳及西莉娅上。

罗瑟琳　你现在怎么说？不是过了两点钟了吗？这儿哪见有什么奥兰多！

西莉娅　我对你说，他怀着纯洁的爱情和忧虑的头脑，带了弓箭出去睡觉去了。瞧，谁来了。

【西尔维斯上。

西尔维斯　我奉命来见您，美貌的少年；我的温柔的菲苾要我把这信送给您。（将信交罗瑟琳）里面说的什么话我不知道；但是照她写这封信的时候那发怒的神气看来，多半是一些气恼的话。原谅我，我只是个不知情的送信人。

罗瑟琳　（阅信）最有耐性的人见了这封信也要暴跳如雷；是可忍，孰不可忍？她说我不漂亮；说我没有礼貌；说我骄傲；说即使男人像凤凰那样稀罕，她也不会爱我。天哪！我并不曾要追求她的爱，她为什么写这种话给我呢？好，牧人，好，这封信是你捣的鬼。

西尔维斯　不，我发誓我不知道里面写些什么；这封信是菲苾写的。

罗瑟琳　算了吧，算了吧，你是个傻瓜，为了爱情颠倒到这等地步。我看见过她的手，她的手就像一块牛皮那样粗糙，一块沙石那样颜色；我以为她戴着一副旧手套，哪知道原来就是她的手；她有一双作粗活的手；但这可不用管它。我说她从来不曾想到过写这封信；这是男人出的花样，是一个男人的笔迹。

西尔维斯　真的，那是她的笔迹。

罗瑟琳　嘿，这是粗暴的凶狠的口气，全然是挑战的口气；嘿，她就像土耳其人向基督徒那样向我挑战呢。女人家的温柔的头脑里，决不会想出这种恣睢暴戾的念头来；这种狠恶的字句，含着比字面更狠恶的用意。你要不要听听这封信？

西尔维斯　假如您愿意，请您念给我听听吧。因为我还不曾听到过它呢；虽然关于菲苾的凶狠的话，倒已经听了不少了。

罗瑟琳　她要向我撒野呢。听那只雌老虎怎样写法：（读）

你是不是天神的化身，
来燃烧一个少女的心？

女人会这样骂人吗？

西尔维斯　您把这种话叫作骂人吗？

罗瑟琳　（读）

撇下了你神圣的殿堂，
虐弄一个痴心的姑娘？

你听见过这种骂人的话吗？

人们的眼睛向我求爱，
从不曾给我丝毫损害。

意思说我是个畜生。

你一双美目中的轻蔑，
尚能勾起我这般情热；
唉！假如你能青眼相加，
我更将怎样意乱如麻！
你一边骂，我一边爱你；
你倘求我，我何事不依？
代我传达情意的来使，
并不知道我这段心事；
让他带下了你的回报，
告诉我你的青春年少，
肯不肯接受我的奉献，
把我的一切听你调遣；
否则就请把拒绝明言，
我准备一死了却情缘。

西尔维斯　您把这叫作骂吗？

西莉娅　唉，可怜的牧人！

罗瑟琳　你可怜他吗？不，他是不值得怜悯的。你会爱这种女人吗？嘿，利用你作工具，那样玩弄你！怎么受得住！好，你到她那儿去吧，因为我知道爱情已经把你变成一条驯服的蛇了；你去对她说：要是她爱我，我吩咐她爱你；要是她不肯爱你，那么我决不要她，除非你代她恳求。假如你是个真心的恋人，去吧，别说一句话；瞧又有人来了。（西尔维斯下）

【奥列佛上。

奥列佛　早安，两位。请问你们知不知道在这座树林的边界有一所用橄榄树围绕着的羊栏？

西莉娅　在这儿的西面，附近的山谷之下，从那微语喃喃的泉水旁边那一列柳树的地方向右出发，便可以到那边去。但现在那边只有一所空屋，没有人在里面。

奥列佛　假如听了人家嘴里的叙述便可以用眼睛认识出来，那么你们的模样正是我所听到说起的，穿着这样的衣服，这样的年纪："那少年生得很俊，脸孔像个女人，行为举动像是老大姊似的；那女人是矮矮的，比她的哥哥黝黑些。"你们就是我所要寻访的那屋子的主人吗？

西莉娅　既蒙下问，那么我们说我们正是那屋子的主人，也不算是自己的夸口了。

奥列佛　奥兰多要我向你们两位致意；这一方染着血迹的手帕，他叫我送给他称为他的罗瑟琳的那位少年。您就是他吗？

罗瑟琳　正是；这是什么意思呢？

奥列佛　说起来徒增我的惭愧，假如你们要知道我是谁，这一方手帕怎样、为什么、在哪里沾上这些血迹。

西莉娅　请您说吧。

奥列佛　年轻的奥兰多上次跟你们分别的时候，曾经答应过在一小时之内回来；他正在林中行走，品味着爱情的甜蜜和苦涩，瞧，什么事发生了！他把眼睛向旁边一望，你瞧，他看见了些什么东西：在一株满覆着苍苔的秃顶的老橡树之下，有一个不幸的衣衫褴褛须发蓬松的人仰面睡着；一条金绿的蛇缠在他的头上，正预备把它的头敏捷地伸进他的张开的嘴里去，可是突然看见了奥兰多，它便松了开来，蜿蜒地溜进林莽中去了；在那林荫下有一头乳房干瘪的母狮，头贴着地蹲伏着，像猫一样注视这睡着的人的动静，因为那畜生有一种高贵的素性，不会去侵犯瞧上去似乎已经死了的东西。奥兰多一见了这情形，便走到那人的面前，一看却是他的兄长，他的大哥。

西莉娅　啊！我听见他说起过那个哥哥；他说他是一个再忍心害理不过的。

奥列佛　他很可以那样说，因为我知道他确是忍心害理的。

罗瑟琳　但是我们说奥兰多吧；他把他丢下在那儿，让他给那饿狮吃了吗？

奥列佛　他两次转身想去；可是善心比复仇更高贵，天性克服了他的私怨，使他去和那母狮格斗，很快地那狮子便在他手下丧命了。我听见了搏击的声音，就从苦恼的瞌睡中醒过来了。

西莉娅　你就是他的哥哥吗？

罗瑟琳　他救的便是你吗？

西莉娅　老是设计谋害他的便是你吗？

奥列佛　那是从前的我，不是现在的我。我现在感到很幸福，已经变了个新的人了，因此我可以不惭愧地告诉你们我从前的为人。

罗瑟琳　可是那块血渍的手帕是怎样来的？

奥列佛　别性急。那时我们两人叙述着彼此的经历，以及我到这荒野里来的原委；一面说一面自然流露的眼泪流个不住。简单地说，他把我领去见那善良的公爵，公爵赏给我新衣服穿，款待着我，吩咐我的弟弟照应我；于是他立刻带我到他的洞里去，脱下衣服来，一看臂上给母狮抓去了一块肉，血不停地流着，那时他便晕了过去，嘴里还念着罗瑟琳的名字。简单地说，我把他救醒过来，裹好了他的伤口；略过些时，他精神恢复了，便叫我这个陌生人到这儿来把这件事通知你们，请你们原谅他的失约。这一方手帕在他的血里浸过，他要我交给他戏称为罗瑟琳的那位青年牧人。（罗瑟琳晕去）

西莉娅　呀，怎么啦，盖尼米德！亲爱的盖尼米德！

奥列佛　有好多人一见了血便要发晕。

西莉娅　还有其他的缘故哩。哥哥！盖尼米德！

奥列佛　瞧，他醒过来了。

罗瑟琳　我要回家去。

西莉娅　我们可以陪着你去。——请您扶着他的臂膀好不好？

奥列佛　提起精神来，孩子。你算是个男人吗？你太没有男人气了。

罗瑟琳　一点不错，我承认。啊，好小子！人家会觉得我假装得很像哩。请您告诉令弟我假装得多么像。哎哟！

奥列佛　这不是假装；你的脸色已经有了太清楚的证明，这是出于真情的。

罗瑟琳　告诉您吧，真的是假装的。

奥列佛　好吧，那么振作起来，假装个男人样子吧。

罗瑟琳　我正在假装着呢；可是凭良心说，我理该是个女人。

西莉娅　来，你瞧上去脸色越变越白了；回家去吧。好先生，陪我们去吧。

奥列佛　好的，因为我必须把你怎样原谅舍弟的回音带回去呢，罗瑟琳。

罗瑟琳　我会想出些什么来的。但是我请您就把我的假装的样子告诉他吧。我们走吧。（同下）

第五幕

第一场 亚登森林

【试金石及奥德蕾上。

试金石 咱们总会找到一个时间的，奥德蕾；耐心点儿吧，温柔的奥德蕾。

奥德蕾 那位老先生虽然这么说，其实这个牧师也很好呀。

试金石 顶坏不过的奥列佛师傅，奥德蕾；顶不好的马坦克斯特。但是，奥德蕾，林子里有一个年轻人要向你求婚呢。

奥德蕾 嗯，我知道他是谁；他跟我全没有关涉。你说起的那个人来了。

【威廉上。

试金石 看见一个村汉在我是家常便饭。凭良心说话，我们这辈聪明人真是作孽不浅；我们总是忍不住要寻寻人家的开心。

威廉 晚安，奥德蕾。

奥德蕾 你晚安哪，威廉。

威廉 晚安，先生。

试金石 晚安，好朋友。把帽子戴上了，把帽子戴上了；请不用客气，把帽子戴上了。你多大年纪了，朋友？

威廉 二十五了，先生。

试金石 正是妙龄。你名叫威廉吗？

威廉 威廉，先生。

试金石 一个好名字。是生在这林子里的吗？

威廉　是的，先生，我感谢上帝。

试金石　“感谢上帝”；很好的回答。很有钱吗？

威廉　呃，先生，不过如此。

试金石　“不过如此”，很好很好，好得很；可是也不算怎么好，不过如此而已。你聪明吗？

威廉　呃，先生，我还算聪明。

试金石　啊，你说得很好。我现在记起一句话来了：“傻子自以为聪明，但聪明人知道他自己是个傻子。”异教的哲学家想要吃一颗葡萄的时候，便张开嘴唇来，把它放进嘴里去；那意思是表示葡萄是生下来给人吃，嘴唇是生下来要张开的。你爱这姑娘吗？

威廉　是的，先生。

试金石　把你的手给我。你有学问吗？

威廉　没有，先生。

试金石　那么让我教训你：有者有也；修辞学上有这么一个譬喻，把酒从杯子里倒在碗里，一只满了，那一只便要落空。写文章的人大家都承认“彼”即是他；好，你不是彼，因为我是他。

威廉　哪一个他，先生？

试金石　先生，就是要跟这个女人结婚的他。所以，你这村夫，莫——那在俗话里就是不要——与此妇——那在土话里就是和这个女人——交游——那在普通话里就是来往；合拢来说，莫与此妇交游，否则，村夫，你就要毁灭；或者让你容易明白些，你就要死；那就是说，我要杀死你，把你干掉，叫你活不成，让你当奴才。我要用毒药毒死你，一顿棒儿打死你，或者用钢刀捅死你；我就要跟你打架；我就要想出计策来打倒你；我要用一百五十种法子杀死你；所以赶快发着抖滚吧。

奥德蕾　你快去吧，好威廉。

威廉　上帝保佑您快活，先生。（下）

【柯林上。

柯林　我们的大官人和小娘子找你哪；来，走啊！走啊！

试金石　走，奥德蕾！走，奥德蕾！我就来，我就来。（同下）

第二场　林中的另一部分

【奥兰多及奥列佛上。

奥兰多　你跟她相识得这么浅便会喜欢起她来了吗？一看见了她，便会爱起她来了吗？一爱了她，便会求起婚来了吗？一求了婚，她便会答应了你吗？你一定要得到她吗？

奥列佛　这件事进行的匆促，她的贫穷，相识的不久，我突然的求婚和她突然的允许——这些你都不用怀疑；只要你承认我是爱着爱莲娜的，承认她是爱着我的，允许我们两人的结合，这样你也会有好处；因为我愿意把我父亲老罗兰爵士的房屋和一切收入都让给你，我自己在这里终生做一个牧人。

奥兰多　你可以得到我的允许。你们的婚礼就在明天举行吧；我可以去把公爵和他的一切乐天的从者都请了来。你去吩咐爱莲娜预备一切。瞧，我的罗瑟琳来了。

【罗瑟琳上。

罗瑟琳　上帝保佑你，哥哥。

奥列佛　也保佑你，好妹妹。（下）

罗瑟琳　啊！我的亲爱的奥兰多，我瞧见你把你的心裹在绷带里，我是多么难过呀。

奥兰多　那是我的臂膀。

罗瑟琳　我以为是你的心给狮子抓伤了。

奥兰多　它的确是受了伤了，但却是给一位姑娘的眼睛伤害了的。

罗瑟琳　你的哥哥有没有告诉你当他把你的手帕给我看的时候，我假装晕过去的情形？

奥兰多　是的，而且还有更奇怪的事情呢。

罗瑟琳　噢！我知道你说的是什么。哦，那倒是真的；从来不曾有过这么快的事情，除了两头公羊的打架和恺撒那句“我来，我看见，我征服”的傲语。令兄和舍妹刚见了面，便大家瞧起来了；一瞧便相爱了；一相爱便叹气了；一叹气便彼此问为的是什么；一知

道了为的是什么，便要想补救的办法：这样一步一步地踏到了结婚的阶段，不久他们便要成其好事了，否则他们等不到结婚便要放肆起来的。他们简直爱得慌了，一定要在一块儿；用棒儿也打不散他们。

奥兰多　他们明天便要成婚，我就要去请公爵参加婚礼。但是，唉！从别人的眼中看见幸福，多么令人烦闷。明天我越是想到我的哥哥满足了心愿多么快活，我便将越是伤心。

罗瑟琳　难道我明天不能仍旧充作你的罗瑟琳了吗？

奥兰多　我不能老是靠着幻想而生存了。

罗瑟琳　那么我不再用空话来叫你心烦了。告诉了你吧，现在我不是说着玩儿，我知道你是一个有见识的上等人；我并不是因为希望你赞美我的本领而恭维你，也不是图自己的名气，只是想得到你一定程度的信任，那是为了你的好处，不是为了给我自己增光。假如你肯相信，那么我告诉你，我会行奇迹。从三岁时候起我就和一个术士结识，他的法术非常高深，可是并不作恶害人。要是你爱罗瑟琳真是爱得那么深，就像你瞧上去的那样，那么你哥哥和爱莲娜结婚的时候，你就可以和她结婚。我知道她现在的处境是多么不幸；只要你没有什么不方便，我一定能够明天叫她亲身出现在你的面前，一点没有危险。

奥兰多　你说的是真话吗？

罗瑟琳　我以生命为誓，我说的是真话；虽然我说我是个术士，可是我很重视我的生命呢。所以你得穿上你最好的衣服，邀请你的朋友们来；只要你愿意在明天结婚，你一定可以结婚；和罗瑟琳结婚，要是你愿意。瞧，我的一个爱人和她的一个爱人来了。

【西尔维斯及菲苾上。

菲苾　少年人，你很对我不起，把我写给你的信宣布了出来。

罗瑟琳　要是我把它宣布了，我也不管；我存心要对你傲慢不客气。你背后跟着一个忠心的牧人；瞧着他吧，爱他吧，他崇拜着你哩。

菲苾　好牧人，告诉这个少年人恋爱是怎样的。

西尔维斯　它是充满了叹息和眼泪的；我正是这样爱着菲苾。

菲苾　我也是这样爱着盖尼米德。

奥兰多　我也是这样爱着罗瑟琳。

罗瑟琳　我可是一个女人也不爱。

西尔维斯　它是全然的忠心和服务；我正是这样爱着菲苾。

菲苾　我也是这样爱着盖尼米德。

奥兰多　我也是这样爱着罗瑟琳。

罗瑟琳　我可是一个女人也不爱。

西尔维斯　它是全然的空想，全然的热情，全然的愿望，全然的崇拜、恭顺和尊敬；全然的谦卑，全然的忍耐和焦心；全然的纯洁，全然的磨炼，全然的服从；我正是这样爱着菲苾。

菲苾　我也是这样爱着盖尼米德。

奥兰多　我也是这样爱着罗瑟琳。

罗瑟琳　我可是一个女人也不爱。

菲苾　（向罗瑟琳）假如真是这样，那么你为什么责备我爱你呢？

西尔维斯　（向菲苾）假如真是这样，那么你为什么责备我爱你呢？

奥兰多　假如真是这样，那么你为什么责备我爱你呢？

罗瑟琳　你在向谁说话，“你为什么责备我爱你呢？”

奥兰多　向那不在这里、也听不见我的说话的她。

罗瑟琳　请你们别再说下去了吧；这简直像是一群爱尔兰的狼向着月亮嗥叫。（向西尔维斯）要是我能够，我一定帮助你。（向菲苾）要是我有可能，我一定会爱你。明天大家来和我相会。（向菲苾）假如我会跟女人结婚，我一定跟你结婚；我要在明天结婚了。（向奥兰多）假如我会使男人满足，我一定使你满足；你要在明天结婚了。（向西尔维斯）假如使你喜欢的东西能使你满意，我一定使你满意；你要在明天结婚了。（向奥兰多）你既然爱罗瑟琳，请你赴约。（向西尔维斯）你既然爱菲苾，请你赴约。我既然不爱什么女人，我也赴约。现在再见吧；我已经吩咐过你们了。

西尔维斯　只要我活着，我一定不失约。

菲苾　我也不失约。

奥兰多　我也不失约。（各下）

第三场　林中的另一部分

【试金石及奥德蕾上。

试金石　明天是快乐的好日子，奥德蕾；明天我们要结婚了。

奥德蕾　我满心盼望着呢；我希望盼望出嫁并不是一个不正当的愿望。老公爵的两个童儿来了。

【二童上。

童甲　遇见得巧啊，好先生。

试金石　巧得很，巧得很。来，请坐，请坐，唱个歌儿。

童乙　遵命遵命。居中坐下吧。

童甲　一副坏喉咙未唱之前，总少不了来些老套子，例如咳嗽吐痰或是说嗓子有点儿嘎了之类；我们还是免了这些，马上唱起来怎样？

童乙　好的，好的；两人齐声同唱，就像两个吉卜赛人骑在一匹马上。

（歌）

一对情人并着肩，
　哎哟哎哟哎哎哟，
走过了青青稻麦田，
　春天是最好的结婚天，
听嘤嘤歌唱枝头鸟，
　爱人们最爱春光好。
小麦青青大麦鲜，
　哎哟哎哟哎哎哟，
乡女村男交颈儿眠，
　春天是最好的结婚天，
听嘤嘤歌唱枝头鸟，
　爱人们最爱春光好。
新歌一曲意缠绵，
　哎哟哎哟哎哎哟，
人生美满像好花妍，

　春天是最好的结婚天，
听嘤嘤歌唱枝头鸟，
爱人们最爱春光好。

劝君莫负艳阳天，
　哎哟哎哟哎哎哟，
恩爱欢娱要趁少年
　春天是最好的结婚天，
听嘤嘤歌唱枝头鸟
爱人们最爱春光好。

试金石　老实说，年轻的先生们，这首歌词固然没有多大意思，那调子却也很不入调。

童甲　您弄错了，先生；我们是照着板眼唱的，一拍也没有漏过。

试金石　凭良心说，我来听这么一首傻气的歌儿，真算是白糟蹋了时间。上帝和你们同在；上帝把你们的喉咙补补好吧！来，奥德蕾。（各下）

第四场　林中的另一部分

【老公爵、阿米恩斯、杰奎斯、奥兰多、奥列佛及西莉娅同上。

公爵　奥兰多，你相信那孩子果真有他所说的那种本领吗？

奥兰多　我有时相信，有时不相信；就像那些因恐结果无望而心中惴惴的人，一面希望一面担着心事。

【罗瑟琳、西尔维斯及菲苾上。

罗瑟琳　再请耐心听我说一遍我们所约定的条件。（向公爵）您不是说，假如我把您的罗瑟琳带了来，您愿意把她赏给这位奥兰多做妻子吗？

公爵　即使再要我把几个王国作为陪嫁，我也愿意。

罗瑟琳　（向奥兰多）您不是说，假如我带了她来，您愿意娶她吗？

奥兰多　即使我是统治万国的君王，我也愿意。

罗瑟琳　（向菲苾）您不是说，假如我愿意，您便愿意嫁我吗？

菲苾　即使我在一小时后就要一命丧亡，我也愿意。

罗瑟琳　但是假如您不愿意嫁我，您不是要嫁给这位忠心无比的牧人吗？

菲苾　是这样约定着。

罗瑟琳　（向西尔维斯）您不是说，假如菲苾愿意，您便愿意娶她吗？

西尔维斯　即使娶了她等于送死，我也愿意。

罗瑟琳　我答应要把这一切事情安排得好好的。公爵，请您守约许嫁您的女儿；奥兰多，请您守约娶他的女儿；菲苾，请您守约嫁我，假如不肯嫁我，便得嫁给这位牧人；西尔维斯，请您守约娶她，假如她不肯嫁我：现在我就去给你们解释这些疑惑。（罗瑟琳、西莉娅下）

公爵　这个牧童使我记起了我的女儿的相貌，有几分活像是她。

奥兰多　殿下，我初次见他的时候，也以为他是郡主的兄弟呢；但是，殿下，这孩子是在林中生长的，他的伯父曾经教过他一些魔术的原理，据说他那伯父是一个隐居在这儿林中的大术士。

【试金石及奥德蕾上。

杰奎斯　一定又有一次洪水来啦，这一对一对都要准备躲到方舟里去。又来了一对奇怪的畜生，傻瓜是他们公认的名字。

试金石　列位，这厢有礼了！

杰奎斯　殿下，请您欢迎他。这就是我在林中常常遇见的那位傻头傻脑的先生；据他说他还出入过宫廷呢。

试金石　要是有人不相信，尽管把我质问好了。我曾经跳过高雅的舞；我曾经恭维过一位贵妇；我曾经向我的朋友要过手腕，跟我的仇家们装亲热；我曾经毁了三个裁缝，闹过四回口角，有一次几乎大打出手。

杰奎斯　那是怎样闹起来的呢？

试金石　呃，我们碰见了，一查这场争吵是根据着第七个原因。

杰奎斯　怎么叫第七个原因？——殿下，请您喜欢这个家伙。

公爵　我很喜欢他。

试金石　上帝保佑您，殿下；我希望您喜欢我。殿下，我挤在这一对对乡村的姐儿郎儿中间到这里来，也是想来宣了誓然后毁誓，让婚姻把我们结合，再让血气把我们拆开。她是个寒碜的姑娘，殿下，样子又难看；可是，殿下，她是我自个儿的：我有一个坏脾气，殿下，人家不要的我偏要。宝贵的贞洁，殿下，就像是住在破屋子里的守财奴，又像是丑蚌壳里的明珠。

公爵　我说，他倒很伶俐机警呢。

试金石　傻瓜们信口开河，逗人一乐，总是这样。

杰奎斯　但是且说那第七个原因；你怎么知道这场争吵是根据着第七个原因呢？

试金石　因为那是根据着一句经过七次演变后的谎话。——把你的身体站端正些，奥德蕾。——是这样的，先生：我不喜欢某位廷臣的胡须的式样；他回我说假如我说他的胡须的式样不好，他却自以为很好：这叫作“有礼的驳斥”。假如我再去对他说那式样不好，他就回我说他自己喜欢要这样：这叫作“谦恭的讥刺”。要是再说那式样不好，他便蔑视我的意见：这叫作“粗暴的答复”。

要是再说那式样不好，他就回答说我讲的不对：这叫作“大胆的谴责”。要是再说那式样不好，他就要说我说谎：这叫作“挑衅的反攻”。于是就到了“委婉的说谎”和“公然的说谎”。

杰奎斯 你说了几次他的胡须式样不好呢？

试金石 我只敢说到“委婉的说谎”为止，他也不敢给我“公然的说谎”；因此我们较了较剑，便走开了。

杰奎斯 你能不能把一句谎话的各种程度按着次序说出来？

试金石 先生啊，我们争吵都是根据着书本的，就像你们有讲礼貌的书一样。我可以把各种程度列举出来。第一，有礼的驳斥；第二，谦恭的讥刺；第三，粗暴的答复；第四，大胆的谴责；第五，挑衅的反攻；第六，委婉的说谎；第七，公然的说谎。除了“公然的说谎”之外，其余的都可以避免；但是“公然的说谎”只要用了“假如”两个字，也就可以一天云散。我知道有一场七个法官都处断不了的争吵；当两造相遇时，其中的一个单单想起了“假如”两字，例如“假如你是这样说的，那么我便是这样说的”，于是两人便彼此握手，结为兄弟了。“假如”是唯一的和事佬；“假如”之为用大矣哉！

杰奎斯 殿下，这不是一个很难得的人吗？他什么都懂，然而仍然是一个傻瓜。

公爵 他把他的傻气当作了藏身的烟幕，在它的荫蔽之下放出他的机智来。

【许门领罗瑟琳穿女装及西莉娅上。柔和的音乐。

许门 天上有喜气融融，
人间万事尽亨通，
　和合无嫌猜。
公爵，接受你女儿，
许门一路带着伊，
　远从天上来；
请你为她作主张，
嫁给她心上情郎。

罗瑟琳 （向公爵）我把我自己交给您，因为我是您的。（向奥兰多）我把我自己交给您，因为我是您的。

公爵 要是眼前所见的并不是虚假，那么你是我的女儿了。

奥兰多 要是眼前所见的并不是虚假，那么你是我的罗瑟琳了。

菲苾 要是眼前的情形是真，那么永别了，我的爱人！

罗瑟琳 （向公爵）要是您不是我的父亲，那么我不要有什么父亲。（向奥兰多）要是您不是我的丈夫，那么我不要有什么丈夫。（向菲苾）要是我不跟你结婚，那么我再不跟别的女人结婚。

许门 请不要喧闹纷纷！

这种种古怪事情，
都得让许门断清。
这里有四对恋人，
说的话儿倘应心，
该携手共缔鸳盟。
你俩患难不相弃，（向奥兰多、罗瑟琳）
你们俩同心永系；（向奥列佛、西莉娅）
你和他宜室宜家，（向菲苾）
再莫恋镜里空花；
你两人形影相从，（向试金石、奥德蕾）
像风雪跟着严冬。
等一曲婚歌奏起，
尽你们寻根见柢，
莫惊讶咄咄怪事，
细想想原来如此。

（唱）

人间添美眷，
　天后爱团圆；
席上同心侣，
　枕边并蒂莲。
不有许门力，

何缘众庶生？

同声齐赞颂，

许门最堪称！

公爵　啊，我的亲爱的侄女！我欢迎你，就像你是我自己的女儿。

菲苾　（向西尔维斯）我不愿食言，现在你已经是我的；你的忠心使我爱上了你。

【贾奎斯上。

贾奎斯　请听我说一两句话；我是老罗兰爵士的第二个儿子，特意带了消息到这群贤毕集的地方来。弗莱德里克公爵因为听见每天有才智之士投奔到这林中，故此兴起大军，亲自统率，预备前来捉拿他的兄长，把他杀死除害。他到了这座树林的边界，遇见了一位高年的修道士，交谈之下，悔悟前非，便即停止进兵；同时看破红尘，把他的权位归还给他的被放逐的兄长，一同流亡在外的诸人的土地，也都各还原主。这不是假话，我可以用生命作担保。

公爵　欢迎，年轻人！你给你的兄弟们送了很好的新婚贺礼来了：一个是他的被扣押的土地；一个是一座绝大的公国，享有着绝对的主权。先让我们在这林中把我们正在进行中的好事办了；然后，在这幸运的一群中，每一个曾经跟着我忍受过艰辛的日子的人，都要按着各人的地位，分享我的恢复了的荣华。现在我们且把这种新近得来的尊荣暂时搁在脑后，举行起我们乡村的狂欢来吧。奏起来，音乐！你们各位新娘新郎，大家欢天喜地的，跳起舞来呀！

杰奎斯　先生，恕我冒昧。要是我没有听错，好像您说的是那公爵已经潜心修道，抛弃富贵的宫廷了？

贾奎斯　是的。

杰奎斯　我就找他去；从这种悟道者的地方，很可以得到一些绝妙的教训。（向公爵）我让你去享受你那从前的光荣吧；那是你的忍耐和德行的酬报。（向奥兰多）你去享受你那用忠心赢得的爱情吧。（向奥列佛）你去享有你的土地、爱人和权势吧。（向西尔维斯）你去享用你那用千辛万苦换来的老婆吧。（向试金石）至于你呢，我让你去口角吧；因为在你的爱情的旅程上，你只带了两个月的粮草。好，大家各人去找各人的快乐；跳舞可不是我的份。

公爵　别走，杰奎斯，别走！

杰奎斯　我不想看你们的作乐；你们要有什么见教，我就在被你们遗弃了的山窟中恭候。（下）

公爵　进行下去吧，开始我们的嘉礼；我们相信始终都会很顺利。（跳舞。众下）

【收场白。

罗瑟琳　叫娘儿们来念收场白，似乎不大合适；可是那也不见得比叫老爷子来念开场白更不成样子些。要是好酒无须招牌，那么好戏也不必有收场白；可是好酒要用好招牌，好戏倘再加上一段好收场白，岂不更好？那么我现在的情形是怎样的呢？既然不会念一段好收场白，又不能用一出好戏来讨好你们！我并不穿得像个叫花子一样，因此我不能向你们求乞；我的唯一的法子是恳请。我要先向女人们恳请。女人们啊！为着你们对于男子的爱情，请你们尽量地喜欢这本戏。男人们啊！为着你们对于女子的爱情——瞧你们那副痴笑的神气，我就知道你们没有一个讨厌她们的——请你们学着女人们的样子，也来喜欢这本戏。假如我是一个女人，你们中间只要谁的胡子生得叫我满意，脸蛋长得讨我欢喜，而且气息也不叫我恶心，我都愿意给他一吻。为了我这种慷慨的奉献，我相信凡是生得一副好胡子、长得一张好脸蛋或是有一口好气息的诸君，当我屈膝致敬的时候，都会向我道别。（下）